L'être humain

2e édition

Quelques grandes conceptions modernes et contemporaines

JACQUES CUERRIER

CÉGEP DE SAINT-JÉRÔME

Chenelière/McGraw-Hill
MONTRÉAL • TORONTO

L'être humain, 2ᵉ édition
Quelques grandes conceptions modernes et contemporaines

Jacques Cuerrier

© 2000 Les Éditions de la Chenelière inc.

Éditeur: Michel Poulin
Coordination: Patrick St-Hilaire
Révision linguistique: Jean-Pierre Leroux
Correction d'épreuves: Louise Hurtubise
Couverture, conception graphique et infographie:
Le Groupe Flexidée

Données de catalogage avant publication (Canada)

Cuerrier, Jacques

L'être humain: quelques grandes conceptions modernes et contemporaines

2ᵉ éd.
Comprend des réf. bibliogr.
Pour les étudiants du niveau collégial.

ISBN 2-89461-244-3

1. Humanisme. 2. Homme. 3. Anthropologie philosophique.
4. Philosophes. I. Titre.

B821.C84 1999   144   C99-941742-8

Chenelière/McGraw-Hill
7001, boul. Saint-Laurent
Montréal (Québec)
Canada H2S 3E3
Téléphone: (514) 273-1066
Télécopieur: (514) 276-0324
chene@dlcmcgrawhill.ca

ISBN 2-89461-244-3

Dépôt légal: 1ᵉʳ trimestre 2000
Bibliothèque nationale du Québec
Bibliothèque nationale du Canada

Imprimé et relié au Canada

1 2 3 4 5 ITIB 04 03 02 01 00

Nous reconnaissons l'aide financière du gouvernement du Canada par l'entremise du Programme d'aide au développement de l'industrie de l'édition (PADIÉ) pour nos activités d'édition.

L'Éditeur a fait tout ce qui était en son pouvoir pour retrouver les copyrights. On peut lui signaler tout renseignement menant à la correction d'erreurs ou d'omissions.

À Suzanne

Remerciements

L'auteur désire remercier les personnes suivantes
pour leur collaboration à la réédition de cet ouvrage.

MONIQUE AUDY, Collège de Maisonneuve

ANDRÉ BERGERON, Cégep de Saint-Jérôme

ROSAIRE CHÉNARD, Collège Lionel-Groulx

MICHEL DUSSAULT, Cégep de Saint-Jérôme

ALTON LEGAULT, Collège de Valleyfield

MANON LORTIE, Cégep de Jonquière

JEAN PAQUET, Collège de la région de l'Amiante

MARCEL STE-MARIE, Cégep de Baie-Comeau

MARIE-ANDRÉE TRUDEL, Collège régional de
Lanaudière-L'Assomption

Avant-propos

Le manuel *L'être humain. Quelques grandes conceptions modernes et contemporaines*, publié en 1994 chez McGraw-Hill, Éditeurs, portait en épigraphe ces magnifiques mots d'Alexis Nouss:

> Même si l'homme ne parle plus à l'homme, il doit continuer de parler de l'homme pour un jour lui réadresser la parole. Parler de l'humain, c'est parler humain, c'est encore en être un[1].

Parler de l'humain, c'est interroger la nature profonde de l'homme pour mieux le comprendre et, ce faisant, nous comprendre. Parler de l'humain, c'est se mettre en quête de sens en tentant de définir l'homme. Parler de l'humain, c'est faire l'exercice du jugement critique afin d'appréhender l'homme dans toute sa complexité, et ce, de façon nuancée. Parler de l'humain, c'est examiner les rapports de ressemblance et de différence entre les diverses manières de parler de l'homme.

C'est à ce projet que le cours de philosophie 340-102-03 convie les élèves des cégeps du Québec. Et c'est à ce projet que nous avons travaillé de nouveau dans la deuxième édition de ce manuel. Le remaniement proposé n'est pas radical. Nous avons conservé tous les chapitres de l'édition précédente, sauf celui qui portait sur la philosophie personnaliste d'Emmanuel Mounier, que nous avons remplacé par un chapitre consacré à la philosophie humaniste d'Erich Fromm. Néanmoins, nous avons pris un soin méticuleux à retravailler chacun des chapitres de la première édition. Qu'est-ce qui a guidé notre travail de révision? D'abord, la volonté de compléter la présentation du contenu théorique de chacun des chapitres afin qu'aucune dimension importante de la conception de l'homme n'y soit omise. Ensuite, le désir de revoir la structure des exposés théoriques afin de nous rapprocher le plus possible du cheminement propre de la pensée des philosophes à l'étude. Enfin, le souci de présenter d'une façon claire, limpide et accessible[2] à l'élève de niveau collégial les conceptions philosophiques fondamentales de l'être humain que nous avons retenues, conceptions qui meublent, encore et toujours, notre environnement culturel contemporain.

À cette fin, et dans le but de répondre le plus adéquatement possible aux exigences du dernier devis ministériel, nous avons privilégié une approche double, à la fois théorique et pédagogique.

L'APPROCHE THÉORIQUE

Au sujet du contenu théorique, notre objectif premier est de présenter huit grandes conceptions modernes et contemporaines de l'être humain, et d'en montrer l'importance au sein de la culture occidentale.

Une introduction présente d'abord la *biographie* du philosophe à l'étude. Cette biographie a été revue et augmentée, et elle constitue désormais une partie distincte et

---

1. Alexis Nouss, *La modernité,* Paris, Éditions Jacques Grancher, coll. «Ouverture», 1991, p. 209.

2. Faire œuvre pédagogique, c'est, à notre sens, faire œuvre de vulgarisation. Vulgariser ne veut pas dire simplifier à outrance, mais opter pour un type de discours qui ne rebute pas l'élève. Toutefois, lorsque nous devons utiliser des termes spécialisés ou présumés inconnus de l'élève, une définition est donnée en marge du texte principal ou à la suite du texte cité.

autonome. Un survol du *contexte historique* dans lequel le penseur a évolué et qui a favorisé l'émergence de sa philosophie est ensuite présenté. S'il y a lieu, le *courant de pensée* que cette philosophie a institué ou dans lequel elle s'inscrit est aussi mis en relief. Nous avons fait subir à ce survol historique plusieurs transformations et ajouts afin d'en améliorer la qualité.

Le corps de chaque chapitre propose un *exposé théorique des principes* et des *concepts clés* à partir desquels est défini l'être humain. Cet exposé a été retravaillé de façon substantielle tant sur le plan du contenu que sur celui de la structure de présentation. Nous avons veillé à ce que la présentation soit toujours objective et sans parti pris.

La conclusion aborde des problématiques existentielles, socioculturelles ou politiques de notre époque qui peuvent être mises en relation avec la conception de l'être humain étudiée. Nous avons voulu y montrer comment la philosophie en question nous aide à mieux cerner et comprendre une ou des *problématiques d'aujourd'hui.*

L'APPROCHE PÉGAGOGIQUE

Sur le plan pédagogique, notre préoccupation majeure est de fournir à l'élève les instruments qui l'aideront à comprendre, à expliquer, à critiquer et à comparer les conceptions de l'homme abordées.

Afin de faciliter la compréhension et l'étude de chacune des philosophies de l'homme retenues, un *résumé* de ses principales articulations est offert à la fin de chaque exposé. Suit — et c'est là une nouveauté — un encadré appelé L'ESSENTIEL, qui présente de façon succincte la conception philosophique de l'être humain. Les concepts fondamentaux de cet encadré sont ensuite reproduits en un *réseau de concepts*.

Ce manuel se veut un outil pédagogique qui permet à l'élève de rencontrer directement les grands penseurs modernes et contemporains et leurs œuvres. À cette fin, un *extrait d'une œuvre maîtresse* de l'auteur est présenté à la suite de l'exposé théorique. Une *analyse* et un *commentaire critique* sont demandés à l'élève: il ou elle doit pratiquer une lecture active de cet extrait, le transposer en ses propres mots et porter un jugement fondé sur les positions qui y sont défendues.

Autre nouveauté, un deuxième *texte de référence* est ensuite offert. Ce court texte interpelle la philosophie de l'homme à l'étude, la corrobore, la critique ou apporte tout simplement un éclairage différent. Une *analyse* et un *commentaire critique* sont de nouveau demandés à l'élève.

Enfin, un autre type d'activité d'apprentissage est proposé, soit un *exercice comparatif* où, à partir d'un thème donné, l'élève examine les rapports de ressemblance et de différence entre cette conception de l'être humain et une autre précédemment étudiée.

L'ensemble des activités d'apprentissage proposées dans ce manuel visent à préparer progressivement l'élève à réaliser l'activité d'apprentissage terminale[3] qui répond à l'«énoncé de la compétence», c'est-à-dire au résultat attendu de l'apprentissage de l'élève au terme du cours. En bref, l'élève devra expliquer, commenter et comparer une conception moderne et une conception contemporaine de l'être humain à propos d'un thème.

Jacques Cuerrier

---

3. L'activité d'apprentissage terminale est présentée en annexe.

Table des matières

INTRODUCTION 1

CHAPITRE PREMIER – L'HOMME COMME ÊTRE DE RAISON
DESCARTES OU LE PREMIER RATIONALISME MODERNE 7

Descartes et le siècle de la raison 8
    L'avènement de la modernité 10
    La révolution scientifique du XVIIᵉ siècle 10
    Descartes : savant, mathématicien et philosophe 11
    Le premier rationalisme moderne 12
Descartes et la recherche de certitudes 12
    La méthode cartésienne 13
    Les étapes du doute méthodique 14
Le *cogito* ou la découverte du Moi pensant 15
    La primauté du sujet pensant 16
    La pensée, les idées et le monde matériel 17
De l'idée de Dieu à l'existence de Dieu 17
La responsabilité de l'erreur 18
Volonté et liberté 18
De l'existence des choses matérielles 19
La distinction entre l'âme et le corps 20
Les passions humaines 22
Morale provisoire et règle du meilleur jugement 23
Descartes aujourd'hui 24
Résumé de l'exposé 26
L'essentiel / Réseau de concepts 28
Activités d'apprentissage 29
Lectures suggérées 31

CHAPITRE DEUXIÈME – L'HOMME COMME ÊTRE PERFECTIBLE
ROUSSEAU OU LE RAPPORT ENTRE L'ÉTAT DE NATURE ET L'ÉTAT DE SOCIÉTÉ 35

Rousseau et les Lumières 36
Les principales caractéristiques du XVIIᵉ siècle 37
    Les lumières de la raison 37
    Les idéaux des Lumières 38
    L'avènement du rationalisme expérimental 38
    L'*Encyclopédie :* une illustration du progrès de l'esprit humain 39

L'état de nature 41

    Liberté et perfectibilité (premières caractéristiques de l'état de nature) 42

    L'amour de soi (deuxième caractéristique de l'état de nature) 44

    La pitié (troisième caractéristique de l'état de nature) 44

    L'égalité (quatrième caractéristique de l'état de nature) 45

L'état de société 46

    La première forme d'association humaine 46

    La deuxième forme d'association humaine 46

    La troisième forme d'association humaine 47

    L'amour-propre 48

    La quatrième forme d'association humaine 48

Être ou paraître 49

Le *Contrat social* ou la raison de la loi 50

    La volonté générale 50

    La loi : expression de la volonté générale 51

    Le contrat social : une démocratie directe 52

Émile ou le modèle d'éducation de l'être humain 52

    Le modèle éducatif rousseauiste 53

       Règle première : le respect de la liberté naturelle de l'enfant 53

       Règle deuxième : le respect de l'évolution naturelle de l'enfant 53

       Règle troisième : la prédominance de la conscience sur la science 55

       Règle quatrième : apprendre à apprendre 55

       Une considération philosophique englobante : faire de l'enfant un homme 55

Rousseau aujourd'hui 56

Résumé de l'exposé 59

Lectures suggérées 61

L'essentiel / Réseau de concepts 62

Activités d'apprentissage 63

CHAPITRE TROISIÈME – L'HOMME COMME ÊTRE SOCIAL
MARX OU LE MATÉRIALISME HISTORIQUE

MARX OU LE MATÉRIALISME HISTORIQUE 71

Karl Marx et sa lutte contre le capitalisme du XIXe siècle 72

Le capitalisme du XIXe siècle 74

Le matérialisme historique ou l'interprétation dialectique de l'histoire 76

    Le matérialisme historique de Marx 76

    La primauté de la vie économique 79

L'homme comme être social et historique 81

L'être humain et le travail 83

    Le travail : humanisation de la nature et définition de l'homme 84

    Le travail comme médiation sociale 85

Les différentes formes de l'aliénation humaine 86

    L'aliénation économique 86

        La division du travail 86

        La propriété privée des moyens de production 87

        La plus-value ou le vol du travailleur 88

    L'aliénation politique 88

    L'aliénation religieuse 89

Liberté et libération collective 90

Marx aujourd'hui 90

Résumé de l'exposé 92

Lectures suggérées 93

L'essentiel / Réseau de concepts 94

Activités d'apprentissage 95

CHAPITRE QUATRIÈME – L'HOMME COMME ÊTRE D'INSTINCTS, DE DÉSIRS ET DE PASSIONS

NIETZSCHE OU LA PHILOSOPHIE À COUPS DE MARTEAU 103

Nietzsche : le maître du «deviens qui es tu» 104

Un tempérament passionné, une écriture exubérante 105

Nietzsche et le nihilisme européen de la fin du XIXe siècle 106

    Le nihilisme passif 106

    Le nihilisme actif 107

Le dépassement de soi dans l'affirmation de ses instincts,
de ses désirs et de ses passions 108

    L'homme du ressentiment 109

    L'homme du corps 109

    La mort de Dieu 110

La volonté de puissance 110

    La volonté de puissance est la possession de soi et le surpassement de soi 111

    La volonté de puissance est le rejet des «tu dois» 111

    La volonté de puissance est la création de valeurs nouvelles 112

    Un exemple de volonté de puissance 112

Le surhumain 113

    Le surhumain est l'affirmation de l'individualité 113

    Le surhumain est un hymne à la vie 114

    Le surhumain et l'éternel retour 114

    Le surhumain est amoral 115

    Le surhumain est élitiste 115

    Le surhumain est dur 116

    Le surhumain est maître de soi et créateur 117

Le projet de la démesure assumée 118

   La vision tragique 118

Nietzsche aujourd'hui 119

   Une remise en question de soi 119

   Un renforcement de l'individualisme contemporain 120

Résumé de l'exposé 122

L'essentiel / Réseau de concepts 124

Activités d'apprentissage 125

Lectures suggérées 128

CHAPITRE CINQUIÈME – L'HOMME COMME ÊTRE RÉGI PAR L'INCONSCIENT

FREUD OU LA PSYCHANALYSE 133

Biographie de Freud 134

Une époque riche en découvertes scientifiques 136

La psychanalyse 136

La première topique freudienne: la théorie des trois qualités psychiques 137

   L'inconscient (Ics) 138

     Les pulsions 139

     Le refoulement 140

   Le conscient (Cs) et le préconscient (Pcs) 141

La deuxième topique freudienne: la théorie dynamique de la personnalité 142

   Le Ça 142

     Le réservoir du refoulé 143

   Le Sur-Moi (*Über-Ich*, super-ego) 144

   Le Moi (*das Ich*, ego) 146

L'anthropologie freudienne 149

   L'homme tel qu'il est 149

   L'homme idéal 149

Freud philosophe 150

Freud aujourd'hui 151

Résumé de l'exposé 153

L'essentiel / Réseau de concepts 155

Activités d'apprentissage 156

Lectures suggérées 161

CHAPITRE SIXIÈME – L'HOMME COMME ÊTRE LIBRE

SARTRE OU L'EXISTENTIALISME ATHÉE 167

Les existentialismes contemporains 168

Sartre: un homme inscrit dans son époque 169

La conception sartrienne de l'être humain: l'homme comme être libre 172

    L'existence précède l'essence 172

Exister, c'est être libre; être libre, c'est choisir 173

La liberté en situation 174

    Ma place 174

    Mon passé 175

    Mes entours 175

    Mon prochain 176

        Le monde des autres 176

        Le besoin des autres 176

        La haine des autres 176

        Liberté individuelle et liberté d'autrui 178

    Ma mort 178

L'homme comme projet 180

    L'être humain invente les valeurs 180

    L'être humain est pleinement responsable 181

    L'acte individuel engage toute l'humanité 181

    L'être humain est angoisse 182

La mauvaise foi 183

Sartre aujourd'hui 185

Lecture suggérée 186

Résumé de l'exposé 187

L'essentiel/Réseau de concepts 189

Activités d'apprentissage 190

CHAPITRE SEPTIÈME – L'HOMME COMME ÊTRE DÉTERMINÉ
LE BEHAVIORISME SKINNÉRIEN OU L'ÊTRE HUMAIN COMME PRODUIT DU MILIEU 197

Le déterminisme ou l'impossibilité d'être libre 198

Skinner et l'école behavioriste 199

    Une philosophie positiviste de l'être humain 201

L'apprentissage: tout est affaire de conditionnement opérant 202

L'homme programmable ou l'être humain comme créature malléable 204

Par-delà la liberté et la dignité 206

La science du comportement comme science des valeurs 209

De l'autonomie à l'environnement 211

Le behaviorisme aujourd'hui 212

Résumé de l'exposé 214

Lecture suggérée 215

L'essentiel/Réseau de concepts 216

Activités d'apprentissage 217

CHAPITRE HUITIÈME – L'HOMME COMME CHOIX ENTRE «ÊTRE» ET «AVOIR»

La philosophie humaniste d'Erich Fromm 225

Erich Fromm: psychanalyste et philosophe humaniste 226

    Une approche pluridisciplinaire et critique de la société de consommation 226

La situation humaine ou les conditions spécifiques de l'existence de l'homme 227

    La faiblesse biologique de l'homme 227

    Le lot de l'homme: raison, mémoire et imagination 228

La personnalité humaine 229

    Les orientations non productives 230

        L'orientation réceptive 230

        L'orientation exploiteuse 230

        L'orientation thésaurisatrice 230

        L'orientation mercantile 230

    L'orientation productive 231

        La pensée productive 231

La relation de l'être humain avec lui-même dans la société de consommation 232

    Se vendre avec succès 234

    Le conformisme de l'*Homo consumens* 234

La relation de l'être humain avec autrui dans la société de consommation 236

    La relation égoïste à autrui 236

    Amour calculateur ou amour productif 236

Le choix entre le mode avoir et le mode être 238

    Le mode avoir: «je suis ce que j'ai» 238

        Sécurité et insécurité 239

    Le mode être 240

        Être ou paraître 240

Fromm aujourd'hui 241

    Réussite professionnelle et consommation 241

    Obsession de l'apparence et culte de la personnalité 241

    La quête de l'être 242

Résumé de l'exposé 243

L'essentiel / Réseau de concepts 246

Activités d'apprentissage 247

Lectures suggérées 249

CONCLUSION 254

ANNEXE – ACTIVITÉS D'APPRENTISSAGE TERMINALE 257

GLOSSAIRE 259

BIBLIOGRAPHIE 262

PHOTOGRAPHIES 264

Introduction

«Quelle chimère est-ce donc que l'homme? se demande Pascal. Quelle nouveauté, quel monstre, quel chaos, quel sujet de contradiction, quel prodige! Juge de toutes choses, imbécile ver de terre; dépositaire du vrai, cloaque d'incertitude et d'erreur; gloire et rebut de l'univers[1].» À l'évidence, l'homme constitue un objet de recherche pour le moins ambigu et controversé. Parce que l'homme demeure une énigme pour l'homme, celui-ci s'est toujours interrogé sur lui-même, cherchant à cerner sa nature, sa condition, le sens à donner à son existence.

Qu'est-ce que l'être humain et pourquoi existons-nous dans l'univers? Depuis des millénaires, cette question hante l'esprit des hommes et des femmes. Une question unique. Des réponses plurielles. Des penseurs ont atteint un niveau de réflexion et d'analyse tel que leurs réponses continuent de nourrir et d'inspirer l'homme contemporain dans sa réflexion; elles ont dépassé à un tel point le stade de l'opinion, du préjugé et du lieu commun qu'elles sont reconnues comme des conceptions philosophiques de l'être humain. Mais qu'est-ce qu'une conception philosophique de l'être humain? Selon l'optique qui nous intéresse, une conception philosophique de l'être humain correspond à une théorie de l'homme élaborée par un penseur, théorie qui se veut applicable à tous les humains et qui donne un sens à l'existence humaine. Une conception philosophique de l'être humain trace avec précision et rigueur un portrait de l'homme qui s'appuie sur une analyse rationnelle, cohérente et approfondie. À la lumière de cette analyse, l'être humain acquiert une signification particulière; il devient porteur de sens.

Mais pourquoi recourir à l'étude de la philosophie, et plus particulièrement à l'ANTHROPOLOGIE PHILOSOPHIQUE, pour réaliser une initiation à des conceptions de l'être humain? Tout simplement parce que dans le contexte de la pensée occidentale, c'est à elle que revient la responsabilité de répondre d'une manière systématique et globale à la question «qu'est-ce que l'homme et pourquoi existe-t-il?» D'ailleurs, la philosophie correspond à l'aspiration légitime à comprendre rationnellement l'humain et sa condition. En effet, l'un des buts fondamentaux de la philosophie est d'éclairer la condition humaine en lui donnant un sens, un sens qui se veut **totalisant**, alors que la science explique la réalité d'un phénomène particulier sans dégager sa signification humaine. La philosophie est d'abord un ensemble de réponses aux interrogations constantes de l'homme sur sa propre conscience et sur le monde qu'il habite. Car le monde n'existe pour nous que parce que d'abord nous en prenons conscience et que, par le fait même, nous prenons conscience de notre propre conscience. L'homme est cet être étrange qui sait qu'il sait, et qui s'interroge sans fin sur la valeur de cette connaissance qu'il a de lui-même et du monde.

> L'anthropologie philosophique s'intéresse à l'étude philosophique de l'homme. Étymologiquement, «anthropologie» vient du grec *anthrôpos*, «homme», et *logos*, «discours», «étude», «science».

TOTALISANT
Se dit d'une signification synthétique et universelle qui embrasse l'ensemble des êtres humains.

Le problème de l'être humain et de sa condition constitue le point central de toute l'histoire de la philosophie. À travers les âges, des penseurs ont réfléchi sur ce que nous sommes en tant qu'humains. Ils ont porté un regard souvent perspicace et radical sur

---

1. Pascal, *Pensées*, section I, VII, 131-434, *in Œuvres complètes*, Paris, Éditions du Seuil, 1963, p. 515.

l'être humain, avec une exigence insatiable de lucidité et de sens. Ces penseurs ont élaboré des **représentations** de l'homme. Ils ont tenté d'analyser en profondeur ce que nous sommes pour en donner une explication cohérente et globale (c'est ce qui caractérise toute conception significative de l'être humain digne de ce nom). Ils ont systématisé leurs philosophies de l'homme dans des écrits déterminants pour l'évolution de la pensée et pour la conception que l'humain se fait de lui-même. C'est à cette connaissance et à cette compréhension de quelques conceptions philosophiques de l'être humain (conceptions élaborées à l'époque moderne[2] et à l'époque contemporaine qui influencent notre manière actuelle d'être, de penser et d'agir) que ce manuel vous convie.

Puisque ce manuel s'inscrit dans un cours de philosophie de quarante-cinq heures, il fallait faire une sélection parmi les grandes conceptions modernes et contemporaines de l'être humain. Qu'est-ce qui a guidé notre choix? D'abord et avant tout, le souci de privilégier une approche pluraliste. À notre sens, aucun manuel ne peut rendre compte de la réalité humaine par un système conceptuel unique sans tomber dans le plus inacceptable **réductionnisme**. Nous avons donc favorisé une approche pluridimensionnelle. En conséquence, il nous est apparu comme primordial de présenter des analyses de l'être humain variées et même parfois opposées. Ainsi, nous nous demandons si l'humain est essentiellement un être de pensée comme le veut le rationalisme de René Descartes. Ou bien, comme le présente Jean-Jacques Rousseau, l'humain est-il davantage un être naturel perfectible que la société a perverti en lui inculquant une culture? Est-il produit exclusivement dans son rapport à la société, comme le prétend Karl Marx avec son matérialisme dialectique et historique? Est-il un être d'instincts, de désirs et de passions qui permettent le dépassement de soi, comme le défend Friedrich Nietzsche? L'être humain est-il régi par son inconscient ainsi que Sigmund Freud et la psychanalyse le soutiennent? Comme l'explique l'existentialisme athée de Jean-Paul Sartre, l'être humain est-il plutôt un projet libre qui se définit par ses actes? Ou, à l'opposé, l'homme doit-il être considéré comme un être entièrement déterminé par son milieu, comme le proclame Burrhus Frederic Skinner dans sa théorie behavioriste? Enfin, comme le présente le penseur humaniste Erich Fromm, le mode «avoir» et le mode «être» d'existence constituent-ils l'alternative qui s'offre à l'homme contemporain?

Tenter de répondre à ces questions, c'est esquisser huit grandes conceptions philosophiques de l'humain qui ont marqué les Temps modernes et l'époque contemporaine. Mais quel fil conducteur guidera la lecture que nous ferons de ces huit conceptions de l'être humain? La thématique intégratrice retenue sera la problématique de la nature humaine. En cherchant à répondre à la question «qu'est-ce que l'homme?», les philosophies occidentales ont présenté diverses définitions de l'être humain qui correspondent à une longue succession d'interrogations sur la nature humaine ou sur l'**essence** de l'homme. Existe-t-il une nature humaine, c'est-à-dire un ensemble de propriétés ou de caractères présents en tout homme, qui constitue l'essence de l'être humain? Ou, au contraire, l'homme est-il un sujet qui construit sa propre histoire ou un sujet qui produit

REPRÉSENTA-TION

Du latin *repræsentatio*, «action de mettre sous les yeux». Conséquemment, la représentation sert à désigner une idée ou une image qu'on se fait du monde ou de l'homme.

RÉDUCTION-NISME

Position qui consiste à défendre un principe explicatif unique qui rendrait compte de ce qu'est l'homme dans sa totalité. Une telle attitude valorise généralement une seule dimension de l'être humain en négligeant toutes les autres; ce faisant, elle escamote la diversité et la complexité de l'humain.

ESSENCE

Ce qui constitue la nature intime d'un être. L'essence de l'homme dit ce qu'il est fondamentalement.

---

2. Nous présenterons brièvement au chapitre 1 de ce volume les principales caractéristiques de l'époque moderne aussi appelée les Temps modernes.

TRANSCEN-DANT

Du latin *transcendere*, «s'élever au-dessus de». Caractère de ce qui est supérieur, de ce qui appartient à un degré plus élevé. Par exemple, Dieu est transcendant au monde et aux êtres immanents.

IMMANENT

Du latin *in manere*, «rester dans». Caractère de ce qui est contenu à l'intérieur d'un être. S'oppose à transcendant.

DOGMATISME

Fait qu'une conception de l'être humain se présente de façon absolue comme si elle correspondait à une vérité incontestable ou comme si elle relevait d'un article de foi.

l'Histoire, bref, un être qui se fait et qui, conséquemment, ne participe pas d'une essence commune? En d'autres mots, parler de l'essence de l'homme ou de la nature humaine, c'est postuler un principe qui détermine l'être humain à être ce qu'il est. Pour certains, comme Descartes, un tel principe est **transcendant**. L'homme n'est pas entièrement un être naturel. Pour d'autres, un tel principe est **immanent**, et la nature humaine est alors le produit du milieu, comme le pense Skinner. Pour d'autres enfin, il n'y a pas de nature humaine proprement dite. Ainsi, l'homme est un être forgé par l'histoire humaine, comme le pense Marx, ou par son histoire personnelle, comme le pense Sartre. De Descartes à Fromm, en passant par Rousseau, Marx, Nietzsche, Freud, Sartre et Skinner, nous verrons donc, dans des chapitres distincts, comment ces penseurs ont envisagé la problématique de la nature humaine.

Mais comment se situer par rapport à ces conceptions de l'homme, comment les accueillir? vous demandez-vous peut-être. Nous croyons qu'il ne serait pas approprié de recevoir mécaniquement ces conceptions de l'être humain, ni même de les comprendre de la manière dont on comprend des mots et des phrases. Il ne s'agira pas d'apprendre ce savoir comme on acquiert une loi de la mécanique ondulatoire ou comme on maîtrise une équation mathématique. Afin de retirer de ce cours autre chose que de la «culture philosophique», et pour rendre ce savoir vivant, il faut vous sentir engagés par le questionnement fondamental sous-tendant toutes les conceptions de l'homme qui vous seront présentées: Que suis-je? Pourquoi est-ce que j'existe? Étant donné que c'est de vous-mêmes qu'il est ici question, il serait souhaitable que vous vous laissiez imprégner, féconder par ces conceptions de l'homme. Vous devrez vous ouvrir à elles, vous sentir touchés par elles, fascinés, bouleversés même, jusqu'à vous remettre en question; ou, au contraire, être indignés, révoltés ou, tout simplement, amenés à penser autrement.

Une mise en garde paraît ici nécessaire. Ce manuel n'entend surtout pas vous inciter à adhérer sans réflexion à l'une ou l'autre des conceptions philosophiques de l'être humain présentées. Chacune d'elles apporte un éclairage intéressant et continue d'alimenter la réflexion de nos contemporains sur l'homme. Cependant, et malgré les visées totalisantes de ces philosophies, nous croyons qu'aucune ne peut, à elle seule, prétendre à la vérité absolue. Il faut les percevoir dans leur ensemble comme un riche réservoir culturel où l'on peut puiser une nourriture pour sa pensée propre. N'appauvrissez donc pas l'humain que vous êtes en l'enfermant dans un seul système d'explications et de significations non réfléchies! Si vous voulez éviter les pièges du **dogmatisme** ou du réductionnisme, nous vous suggérons d'adopter une attitude ouverte mais critique envers toutes ces conceptions de l'homme.

À cette fin, ce manuel contient des activités d'apprentissage où vous serez invités à produire des réflexions articulées et personnalisées. Afin de fournir l'occasion d'une rencontre directe avec les philosophes et leurs œuvres, nous avons privilégié l'analyse et la critique de texte comme premier type d'activité d'apprentissage. Plus précisément, l'on vous demandera de pratiquer une lecture active de ces textes philosophiques. En outre, afin que vous puissiez vous situer personnellement par rapport aux problématiques soulevées par la conception de l'être humain présentée dans chacun de ces textes, vous devrez poser un jugement critique (en faisant un court commentaire critique) sur les positions qui y sont défendues. En somme, les objectifs spécifiques poursuivis à l'intérieur de ces premières activités d'apprentissage sont, en règle générale, les suivantes :

- démontrer votre compréhension du texte retenu en répondant à des questions précises ;
- transposer dans vos propres mots un extrait de ce texte philosophique ;
- évaluer le contenu, c'est-à-dire porter un jugement qualitatif fondé sur les positions défendues dans ce texte.

La réalisation des deux premiers objectifs spécifiques contribuera à perfectionner votre capacité d'analyse, alors que la réalisation du troisième objectif développera votre sens de l'évaluation critique. Il va sans dire que ces deux aptitudes intellectuelles sont essentielles à la constitution d'une pensée réfléchie et signifiante de l'être humain.

Comme deuxième série d'activités d'apprentissage, nous vous offrons un deuxième texte de référence qui appuie, désapprouve ou présente différemment la philosophie de l'être humain à l'étude. À propos de ce court texte, vous aurez à produire de nouveau une analyse et un commentaire critique.

Nous vous proposons systématiquement des exercices comparatifs comme troisième série d'activités d'apprentissage. Ces activités ont été conçues dans le but de vous faire développer l'habileté à comparer deux conceptions de l'être humain à partir d'un même thème, et ainsi de vous préparer adéquatement à la réalisation de l'activité d'apprentissage terminale présentée en annexe à la fin du volume. Globalement, nous pouvons dire que tous les travaux de réflexion contenus dans ce manuel vous donneront l'occasion de vous mesurer à quelques-unes des grandes conceptions modernes et contemporaines de l'être humain. Une telle confrontation aura peut-être comme résultat (c'est ce que nous vous souhaitons) de vous amener à vous questionner sur ce qu'est l'être humain et sa condition, et à réfléchir à ce qui fait votre propre humanité.

Bonne réflexion et bonne session !

L'homme
comme être de raison

DESCARTES
OU LE PREMIER
RATIONALISME
MODERNE

POUR LA RAISON OU LE SENS,
D'AUTANT QU'ELLE EST LA SEULE
CHOSE QUI NOUS REND HOMME
ET NOUS DISTINGUE DES BÊTES,
JE VEUX CROIRE QU'ELLE EST
TOUT ENTIÈRE EN UN CHACUN.

René Descartes, *Discours de la
méthode*, in *Œuvres et lettres*, p. 126.

DESCARTES ET LE SIÈCLE DE LA RAISON

René Descartes naît le 31 mars 1596 à La Haye, un village de Touraine, en France. Le père de Descartes, Joachim de son prénom, est conseiller du roi au Parlement de Rennes, en Bretagne. Sa mère, Jeanne Brochard — qui meurt un an après la naissance de René —, est la petite-fille d'un magistrat de Poitiers. En cela, René Descartes appartient à ce qu'on nomme à l'époque la «noblesse de robe».

À l'âge de huit ans, Descartes est mis en pension au collège des jésuites de La Flèche, réputé pour être «l'une des plus célèbres écoles de l'Europe.» La langue d'enseignement est le latin. Le jeune Descartes y apprend les humanités classiques. Au programme d'études se trouvent le latin, bien sûr, mais aussi le grec. Les matières (histoire, droit, géographie, physique, astronomie et mathématiques — que Descartes apprécie particulièrement «à cause de la certitude et de l'évidence de leurs raisons») sont enseignées à partir des textes anciens tels ceux d'Aristote (~384-322)[1], d'Euclide (~IIIe siècle) ou de Cicéron (~106-43), etc. L'éducation religieuse y est omniprésente. Par la pratique de la danse et de l'escrime, on ne néglige pas l'éducation du corps. Les trois dernières années sont surtout consacrées à la philosophie **scolastique** (Aristote et saint Thomas d'Aquin [1225-1274]).

SCOLASTIQUE (LA)

Du latin *schola*, «école».
La scolastique ou «philosophie de l'École» désigne l'enseignement philosophique et théologique donné au Moyen Âge (du IXe au XVIIe siècle). Conciliant foi et raison, cet enseignement était donné à partir des Écritures saintes et de la philosophie d'Aristote revue et corrigée par les théologiens du Moyen Âge (entre autres, saint Thomas d'Aquin [1225-1274]).

Après quelques années d'études à l'Université de Poitiers, Descartes obtient une licence en droit au mois de novembre 1616. Toutefois, il n'embrasse pas la carrière juridique. Afin de découvrir le monde et d'étudier les mœurs des hommes, il rejoint, en 1618[2], l'armée du prince de Nassau stationnée en Hollande. Profitant d'une période d'accalmie, Descartes dispose, selon ses propres mots, d'un «grand loisir» où il fait surtout des mathématiques et écrit l'*Abrégé de musique*. En 1619, il quitte la Hollande pour le Danemark et s'engage dans les troupes du duc de Bavière. Descartes ne participe à aucune bataille. C'est l'hiver et l'armée est immobilisée. Reclus dans une chambre chauffée par un poêle, Descartes fait un rêve, le 10 novembre, qui lui révèle «les fondements d'une science admirable» devant unifier toutes les connaissances et à laquelle il devra consacrer sa vie.

Descartes rentre en France. Lors de la traversée en bateau, il est attaqué par des marins hollandais. Avec bravoure, il se défend à coups d'épée, sauve sa propre vie et celle de son serviteur.

En 1622, Descartes a vingt-six ans. Grâce à la liquidation de l'héritage maternel, il bénéficie d'une rente confortable qui le dispense de gagner sa vie. Il vit à Paris, en Bretagne et au Poitou.

INQUISITION (L')

Organisme judiciaire ecclésiastique créé par la papauté pour lutter contre l'hérésie, c'est-à-dire toute doctrine, opinion ou pratique contraire aux dogmes de l'Église catholique.

Fin 1623, Descartes reprend la route, celle de l'Italie. Il est en mesure de constater les purges de l'**Inquisition** qui brûle sur la place publique les femmes et les hommes accusés d'hérésie. De retour en France, fin 1625, Descartes s'installe à Paris et fait la rencontre du père Mersenne, grand érudit de sciences et de philosophie, avec lequel il entretiendra une correspondance pendant vingt ans. Il poursuit ses travaux en mathématiques, en astronomie et en optique. En 1628, il rédige les *Règles pour la direction de l'esprit*.

---

1. Le symbole ~ signifie «avant Jésus-Christ».

2. La guerre de Trente Ans éclate en 1618. Ce conflit d'une violence extrême ensanglantera l'Europe entière et anéantira le tiers de la population allemande.

En 1628, il fuit la vie mondaine de Paris et se réfugie en Hollande parce qu'il y trouve une plus grande liberté nécessaire à ses travaux. Il y demeurera plus de vingt ans, changeant souvent de ville (Amsterdam, Leyde, Deventer, Utrecht) et de résidence. Il travaille à la physique mathématique, taille des verres optiques et pratique de nombreuses dissections sur des animaux afin de mieux comprendre le fonctionnement de l'organisme humain.

En 1632, il fait la connaissance d'Hélène Hans, servante d'un libraire d'Amsterdam, qui lui donnera une fille appelée Francine. Elle mourra à l'âge de six ans d'une mauvaise fièvre. Descartes en éprouvera un grand chagrin.

À l'époque de Descartes, la langue utilisée en sciences et en philosophie est le latin. Toutefois, pour être compris par toute personne de bonne volonté, il publie en français, le 8 juin 1637, trois courts ouvrages scientifiques intitulés la *Dioptrique, les Météores et la Géométrie*. Une préface accompagne ces œuvres : le *Discours de la méthode*. Les trois premiers exemplaires sont remis au prince d'Orange, au roi Louis XIII et au cardinal de Richelieu. Descartes connaît la gloire. Il ne quitte pas pour autant la Hollande, où il rédige, en latin, les *Méditations métaphysiques* (1641), les *Principes de la philosophie* (1644) et, en français, le traité des *Passions de l'âme* (1649).

En 1649, sur l'invitation pressante de la reine Christine, Descartes se rend à la cour de Suède pour initier la jeune souveraine à sa philosophie. C'est l'hiver et il fait froid. En outre, le philosophe doit se lever à cinq heures du matin pour donner ses cours. Descartes attrape une pneumonie et meurt le 11 février 1650, à l'âge de cinquante-trois ans.

RENÉ DESCARTES (À GAUCHE) À LA COUR DE CHRISTINE DE SUÈDE ; TABLEAU DE DUMÉNIL (CHÂTEAU DE VERSAILLES).

L'avènement de la modernité

Décrivons maintenant cette époque particulière qui voit naître la philosophie cartésienne et que l'on qualifie de siècle de la raison. En ce XVIIe siècle, l'esprit change, dit-on. Nous assistons dès lors à un bouleversement radical des mentalités que plusieurs historiens associent au début de la modernité.

THÉOLOGIE

Le Petit Robert (1994) définit la théologie comme l'«étude des questions religieuses fondée principalement sur les textes sacrés, les dogmes et la tradition».

La modernité, que l'on nomme aussi la pensée moderne, peut être définie comme l'avènement d'une nouvelle manière de penser, d'appréhender l'homme et la place qu'il occupe dans l'univers. En opposition avec l'autorité du passé et la tradition (l'Antiquité gréco-romaine revue et corrigée par la **théologie** catholique médiévale), la pensée moderne se caractérise par l'élaboration d'une conscience, d'une pensée trouvant en elle-même son fondement. Somme toute, ce qui définit essentiellement la pensée moderne, c'est l'instauration de la **subjectivité** dans le processus de la connaissance, autrement dit la croyance en la capacité d'un individu-sujet de saisir la réalité grâce aux pouvoirs de sa raison. La pensée moderne accorde donc à la raison le pouvoir de rendre le réel intelligible en l'observant, le pensant, le nommant et le théorisant à partir de principes rationnels clairement établis.

SUBJECTIVITÉ

Ce qui appartient au sujet seul : sa conscience, son moi.

Cette foi nouvelle dans les pouvoirs de la raison humaine inaugure une ère nouvelle en instaurant le principe d'une raison «individualisée» qui croit au progrès de l'esprit humain. Cette notion de progrès empruntée au développement des sciences du XVIIe siècle colorera toute la pensée philosophique moderne. À l'instar du développement d'un individu, il y aurait progrès, évolution de l'esprit humain, et donc de l'humanité, allant de la jeunesse à la maturité. L'Antiquité correspondait à l'enfance de la pensée humaine et les Temps modernes, à sa maturité.

La révolution scientifique du XVIIe siècle

La mécanique est la partie des mathématiques qui étudie le mouvement et l'équilibre des corps, ainsi que la théorie des machines.

Le XVIIe siècle produit un changement radical souvent qualifié de révolution scientifique en raison de la naissance de la MÉCANIQUE, elle-même issue de découvertes importantes en astronomie. La représentation de l'univers est alors réinventée de toutes pièces.

Copernic est le premier qui, au début de la Renaissance, osa rejeter le géocentrisme antique. À partir de données mathématiques, il émet l'hypothèse que le Soleil constitue le centre de l'univers, que la Terre exécute un mouvement de rotation sur elle-même et qu'elle tourne autour du Soleil.

Johannes Kepler (1571-1630), Galileo Galilei (1564-1642), dit Galilée, et René Descartes fondent une nouvelle science du monde et de l'homme qui s'oppose aux vérités acquises depuis l'Antiquité grecque. Jusqu'alors, c'est la philosophie d'Aristote et l'astronomie de Ptolémée (v. 90 - v. 168) qui servaient de systèmes d'explication de l'univers. La Terre était considérée comme le centre immobile de l'univers autour duquel tournaient les planètes, chacune d'elles étant portée par une sphère d'éther circulaire. Cette théorie appelée «système de Ptolémée» est dite géocentrique.

Mais voilà qu'au XVIIe siècle un savant allemand, Johannes Kepler, complète la thèse de NICOLAS COPERNIC (1473-1543) en découvrant les lois mathématiques du mouvement des planètes autour du Soleil. En outre, il démontre théoriquement que les planètes décrivent non des cercles mais des ellipses autour du Soleil. Ainsi, l'héliocentrisme remplace le géocentrisme. La Terre n'est plus le centre de l'univers.

GALILÉE démontre la véracité de l'HÉLIOCENTRISME copernicien. Il observe les astres à l'aide du télescope revu et amélioré par ses soins. Les découvertes qu'il fait (entre autres, quatre des seize satellites de Jupiter et l'anneau de Saturne) démentent la théorie antique des sphères. Cette découverte confirme l'héliocentrisme : si des planètes ont des satellites et se déplacent sans les perdre en cours de route, alors la Terre peut en faire de même avec la Lune.

Dans son *Monde ou Traité de la lumière*, écrit en 1633, Descartes corrobore les données de l'héliocentrisme (notamment celle du mouvement de la Terre). Ayant appris la condamnation de Galilée, Descartes fait preuve de prudence et ne publie pas les résultats de ses recherches. Cet ouvrage n'est publié qu'en 1664, quatorze ans après sa mort.

Descartes : savant, mathématicien et philosophe

Au beau milieu de ce foisonnement d'idées nouvelles sur le plan scientifique, que vient faire Descartes, ce philosophe dont on a pu dire que rien de ce qui est humain ne lui était étranger ? D'abord, il est lui aussi un grand savant : mathématicien, anatomiste, physicien. En établissant une classification des courbes et des équations, il invente la géométrie analytique ; il formule aussi la loi de la réfraction de la lumière.

À travers ses recherches diverses, il se dit lui-même en quête d'une « science admirable » qui unifierait toutes les connaissances. Or, Descartes établit que la science seule ne peut comprendre tout de l'homme, qu'il faut alors s'en remettre à la **métaphysique** pour tenter de l'appréhender dans sa globalité. Descartes se propose alors de renouveler la métaphysique tout comme il l'a fait pour les mathématiques et la physique ; il veut qu'une *méthode universelle*[3] aussi solide et irréfutable que les mathématiques lui serve d'assise. En effet, la philosophie **cartésienne** s'inspire de la rigueur mathématique, plus particulièrement de la certitude des démonstrations mathématiques afin de donner un fondement véridique aux principes de base des raisonnements faits en science. Il espère ainsi définir, avec la plus grande exactitude possible, l'homme et sa situation dans le monde. Il s'agit pour lui d'élucider la combinaison de la matière et de l'esprit en l'homme, deux substances fondamentales dont il est le seul dépositaire.

Descartes prend comme modèle de démonstration ce qu'il appelle la « mathématique universelle », c'est-à-dire la méthode utilisée par les mathématiques qui non seulement offre la plus grande rigueur pour l'esprit, mais qui serait applicable, selon lui, à tous les objets de la connaissance humaine. La philosophie, si elle veut être une science, doit s'inspirer de l'exactitude inflexible et stricte des mathématiques. En conséquence, le philosophe procédera d'une manière ordonnée en enchaînant les pensées comme le géomètre déduit ses propositions les unes après les autres jusqu'à ce que son théorème soit démontré.

MÉTAPHYSIQUE
Du grec *meto*, « au-delà » ou « après » la physique. Partie de la philosophie qui fait la recherche rationnelle, au-delà des données de l'expérience, des causes premières et des principes des choses. En ce sens, la métaphysique est la science de l'être en tant qu'être.

CARTÉSIEN
Qui se rapporte à la philosophie de Descartes.

---

3. La *méthode universelle* a été conçue d'abord pour un usage scientifique (les mathématiques et la physique), et n'a été appliquée que plus tard à la question métaphysique. La métaphysique, comme science, s'occupe des questions de l'essence (la nature) et de l'existence des substances fondamentales dans l'univers. Nous verrons que Descartes en reconnaît deux : l'esprit et la matière, la substance pensante et la substance étendue.

Le premier rationalisme moderne

> **Le** rationalisme est la doctrine d'après laquelle toute connaissance certaine provient de la raison. Conséquemment, selon cette philosophie, l'esprit humain possède la faculté de former des concepts et des principes rationnels lui permettant de rendre intelligibles ou compréhensibles les choses et les êtres. Les idées et les jugements seraient soit innés, soit construits par l'esprit ; ils ne proviendraient pas des données de l'expérience.

Descartes est considéré comme le fondateur du RATIONALISME moderne. Il accorde à l'esprit — et à lui seul — le pouvoir de connaître pour autant qu'il se mette en quête d'évidences. Pour utiliser un langage plus philosophique, nous pourrions dire qu'en exigeant que l'on s'en tienne uniquement à ce qui est évident à l'esprit du sujet pensant, Descartes instaure la souveraineté de la raison individuelle. Cette volonté de s'affranchir de toute autorité étrangère à la raison et de ne reconnaître pour vrai que ce qui est évident constitue une véritable révolution philosophique.

En cela, Descartes rompt avec l'esprit scolastique du Moyen Âge qui respectait la tradition aristotélicienne et qui ne s'était pas encore dégagé de la théologie de l'Église catholique romaine. Le rôle attribué à la philosophie au Moyen Âge consistait à fonder rationnellement l'enseignement théologique chrétien. La philosophie médiévale ne se donnait pas comme mission de rechercher ce que sont l'humain et le monde, mais de découvrir des raisons ou des arguments rationnels validant la foi chrétienne. On empruntait à l'Antiquité, plus particulièrement à l'aristotélisme, des arguments ou des concepts dans la mesure où ceux-ci corroboraient la parole divine (tirée de la Bible) et l'enseignement de l'Église. Le monde médiéval renvoyait à des vérités (*doctrina*) révélées, immuables et transmises par la voie hiérarchique de l'Église ; le monde moderne qu'institue Descartes renvoie à une quête de certitude que l'homme se doit de découvrir rationnellement et d'acquérir méthodiquement. Explicitant et défendant ce point de vue, la philosophie cartésienne a exercé une influence décisive non seulement sur la science de son temps, mais sur l'ensemble de la philosophie moderne[4].

DESCARTES ET LA RECHERCHE DE CERTITUDES

L'ensemble de l'œuvre cartésienne poursuit un objectif fondamental : asseoir la connaissance sur des bases solides et, ce faisant, établir la raison sur des critères exacts qui ne peuvent être mis en doute.

> **EMPIRISME**
> Doctrine philosophique selon laquelle toutes les connaissances proviennent de l'expérience. Conséquemment, tout savoir doit être fondé sur l'expérience et l'observation.

Mais que dit Descartes de la raison ? Il pense que nous sommes tous doués de raison, ou de «bon sens» comme il l'appelle :

Le bon sens est la chose du monde la mieux partagée. [...] Cela témoigne que la puissance de bien juger et de distinguer le vrai d'avec le faux, qui est proprement ce qu'on nomme le bon sens ou la raison, est naturellement égale en tous les hommes ; et ainsi que la diversité de nos opinions ne vient pas de ce que les uns sont plus raisonnables que les autres, mais seulement de ce que nous conduisons nos pensées par diverses voies, et ne considérons pas les mêmes choses. *Ce n'est pas assez d'avoir l'esprit bon, mais le principal est de l'appliquer bien*[5].

---

4. Des philosophies comme celles de Blaise Pascal (1623-1662), Baruch Spinoza (1632-1677), Nicolas Malebranche (1638-1715), Gottfried Wilhelm Leibniz (1646-1716), John Locke (1632-1704) et les **empiristes** anglais, Jean-Jacques Rousseau (1712-1778), Emmanuel Kant (1724-1804), Auguste Comte (1798-1857), Georg Wilhelm Friedrich Hegel (1770-1831) et Edmund Husserl (1859-1938) se sont constituées à partir de problématiques cartésiennes.

5. René Descartes, *Discours de la méthode*, première partie, p. 126. Toutes les citations reproduites dans ce texte proviennent des *Œuvres et Lettres* de Descartes, publiées à Paris en 1953 par la «Bibliothèque de la Pléiade» de Gallimard. Nous avons mis en italique la dernière phrase de cette citation, car cette affirmation montre l'intérêt qu'a eu Descartes pour la méthode.

La raison est donc présente en chacun de nous. Nous possédons tous la capacité de connaître et de comprendre; nous pouvons tous construire la science vraie à condition de bien utiliser notre raison. Le rationalisme de Descartes est fondé sur la certitude que tout esprit bien conduit peut parvenir à la connaissance de la vérité. En conséquence, il y a nécessité de suivre une méthode particulière si nous voulons bien diriger notre raison.

La méthode cartésienne

Le *DISCOURS DE LA MÉTHODE*, cet exposé autobiographique, inspirera à Valéry les mots suivants: «Jamais, jusqu'à lui [Descartes], philosophe ne s'était si délibérément exposé sur le théâtre de sa pensée, payant de sa personne, osant le JE pendant des pages entières[6].» Descartes livre donc à ses lecteurs sa propre méthode «pour bien conduire sa raison et chercher la vérité dans les sciences».

> Le titre complet de l'ouvrage est *Discours de la méthode pour bien conduire sa raison et chercher la vérité dans les sciences*.

La méthode cartésienne définit quatre règles qui vont guider toute la recherche ultérieure:

1. **La règle de l'évidence:** la raison doit éviter la *précipitation* et la prévention (le préjugé), et ne rien accepter pour vrai à moins que ce ne soit *évident*, à moins d'en être totalement convaincu par la *clarté* et la *distinction* des idées qui se présentent à l'esprit.

   - Se *précipiter*, en matière de raisonnement, c'est conclure avec hâte, sans examen suffisant.

   - Ce qui est *évident* correspond à une vérité qui apparaît directement à l'esprit par une *intuition* rationnelle. L'évidence naît donc uniquement des lumières de la raison et sa principale caractéristique consiste à être indubitable, c'est-à-dire sûre et certaine (qui ne peut être mise en doute).

   - Une idée est *claire* quand on discerne tous ses éléments; elle est *distincte* quand elle est précise et différente de toutes les autres.

2. **La règle de l'analyse:** la raison doit *diviser* chacune des difficultés examinées en questions élémentaires et séparées afin de mieux les résoudre.

   - À l'image de la résolution d'un problème mathématique, il s'agit de disséquer un ensemble complexe en ses éléments simples. Plus particulièrement, l'analyse déterminera les éléments fondamentaux d'une situation et leurs propriétés essentielles. Par exemple, Descartes détermine l'élément fondamental de l'univers comme étant la matière, dont la propriété essentielle est d'être étendue et donc soumise aux principes de la géométrie, qui est la science de l'étendue.

FRONTISPICE DE L'ÉDITION ORIGINALE DU *DISCOURS DE LA MÉTHODE* (1637)

---

6. Les *Pages immortelles de Descartes*, choisies et expliquées par Paul Valéry, Paris, Buchet-Chastel, 1961, p. 37.

3. La règle de la synthèse: la raison doit aller des objets les plus simples aux plus complexes par un enchaînement rigoureux et ordonné.

- La synthèse correspond à la déduction proprement dite. En partant d'un principe certain (le plus simple étant considéré par Descartes comme le plus certainement connu), il s'agit d'en déduire des propositions qui en sont les conséquences.

4. La règle du dénombrement: la raison doit, sans ne rien omettre, faire une revue générale de tous les jugements déjà faits afin de trouver la solution.

- Le dénombrement interne vient de la pratique de la démonstration en géométrie où toutes les étapes des théorèmes sont dénombrées, c'est-à-dire numérotées et placées dans le plus strict ordre logique.

Transposons la méthode cartésienne dans un contexte actuel et démontrons par un exemple que cette dernière constitue encore aujourd'hui la méthode privilégiée dans toute recherche digne de ce nom. Un professeur de sciences appliquées demande à ses élèves de faire un travail sur la dépollution d'un lac. Ce dernier est infesté par une plante nuisible. On veut connaître les causes de cette prolifération de plantes afin d'y remédier et de rendre de nouveau le lac accessible aux usagers. Les élèves ont encore intérêt à se servir de la méthode proposée par Descartes.

Premièrement, il est pertinent de ne pas se presser et d'examiner la question en y réfléchissant suffisamment. Ainsi, on pourra dresser un inventaire précis de toutes les sources de pollution possibles qui contribuent à la présence et à la croissance de la plante.

Deuxièmement, à la lumière de cet inventaire, il s'agit d'analyser (c'est-à-dire de décomposer en ses caractéristiques essentielles) chacune de ces sources afin d'évaluer son incidence sur la pollution.

Troisièmement, à partir des données de l'analyse précédente, on déduira l'élément ou les éléments qui ont l'incidence la plus forte sur la pollution.

Finalement, on vérifiera de manière ordonnée toutes les étapes de la démarche afin de résoudre le problème de pollution du lac en désignant les meilleures solutions.

Les étapes du doute méthodique

La première règle de la méthode cartésienne (la règle de l'évidence) contient l'idée du doute méthodique. Pour éviter les préjugés et atteindre la vérité, la raison doit, au préalable, mettre tout en doute. Il ne s'agit pas ici d'un doute SCEPTIQUE. Au contraire, le doute cartésien est sciemment utilisé comme faisant partie d'une méthode qui permet d'atteindre la certitude, l'«indubitable» comme dit Descartes. En d'autres mots, pour arriver à une certitude indéniable, Descartes a recours au doute méthodique, c'est-à-dire qu'il s'astreint volontairement et systématiquement à douter de ce qu'il estime vraisemblable, jusqu'à ce qu'il soit confirmé dans l'évidence de la vérité.

> Le sceptique fait du doute une fin en soi, alors que Descartes l'utilise comme un moyen de parvenir à la vérité.

Descartes révoque d'abord le témoignage de ses sens. Il les soumet au doute méthodique parce que nos sens nous abusent parfois (par exemple, l'eau tiède paraît fraîche à la personne qui fait de la fièvre; les astres nous paraissent petits alors qu'ils ne le sont pas). Les informations fournies par les sens ne sont donc pas toujours fidèles à la réalité extérieure. «J'ai observé plusieurs fois, écrit Descartes, que des tours, qui de loin m'avaient semblé rondes, me paraissaient de près être carrées, et que des colosses, élevés sur les plus hauts sommets de ces tours, me paraissaient de petites statues à les regarder d'en bas[7].» Ainsi, les jugements fondés sur les sens sont trompeurs. En effet, nous pouvons être trompés par ce que nos sens nous font voir, entendre, goûter, toucher et sentir. Pour soutenir son doute, Descartes fait même appel à l'hypothèse du Dieu trompeur qui aurait pu truquer les évidences les plus sûres: la Terre, le ciel, les corps, les figures géométriques ou les calculs mathématiques ne seraient pas tels que mes sens ou ma raison me les font appréhender[8]!

Ce qui est mis en cause par Descartes, c'est la valeur même ou la sûreté même de la logique humaine qui est à l'origine des démonstrations apparemment certaines des mathématiques. En conséquence, des erreurs qui auraient été commises rendent peu sûrs les démonstrations et les raisonnements déjà faits; il faut donc les mettre tous en doute. À cette fin, il imagine ceci: «un certain mauvais génie, non moins rusé et trompeur que puissant qui a employé toute son industrie à me tromper [de sorte que] je penserai que le ciel, l'air, la Terre, les couleurs, les figures, les sons et toutes les choses extérieures que nous voyons ne sont que des illusions et tromperies, dont il se sert pour surprendre ma crédulité[9]».

Enfin, toutes les fausses opinions qu'il a tenues jusqu'à maintenant pour véritables (opinions qui sont souvent la rançon d'une raison mal dirigée) seront aussi passées au crible du doute parce qu'elles ne sont peut-être pas plus vraies que les folles images des rêves qui l'assaillent lorsqu'il dort.

LE *COGITO* OU LA DÉCOUVERTE DU MOI PENSANT

LE *PENSEUR* D'AUGUSTE RODIN (1840-1917) REPRÉSENTE LA QUINTESSENCE DE L'INDIVIDU QUI S'APPRÉHENDE COMME ÊTRE PENSANT.

Descartes part donc d'un doute intégral sur toutes choses et découvre que, dans le doute le plus radical, il ne peut douter qu'il doute et, conséquemment, qu'il pense. La PENSÉE représente la première évidence à laquelle Descartes arrive. Et de là, il conclut à sa propre existence. C'est le célèbre *cogito ergo sum*, «Je pense, donc je suis[10]». Le *cogito* cartésien pourrait être reformulé de la façon suivante: si je doute, c'est que je suis en train de penser, et si je pense, c'est que j'existe. En d'autres mots, je sais que j'existe lorsque je me saisis comme être pensant en train de douter de tout.

La doctrine proprement rationaliste de Descartes repose sur la déduction de toutes choses à partir de la pensée qui constitue le fondement de toute théorie de la connaissance.

«J'existe en tant qu'être pensant.» Voilà une première vérité indubitable dont Descartes ne saurait douter et que pas même le malin génie pourrait faussement lui faire croire. Ainsi, venant de se donner l'assurance de sa propre existence, il se pose ensuite la question: «Mais moi, qui suis-je?» Et

---

7. *Méditation sixième*, p. 322.

8. *Méditation première*, p. 270.

9. *Méditation première*, p. 272. L'appel au mauvais génie est un artifice utilisé par Descartes pour maintenir son doute systématique.

10. *Discours de la méthode*, quatrième partie, p. 147.

Descartes de répondre: «Je ne suis, précisément parlant, qu'une chose qui pense, c'est-à-dire un esprit, un entendement ou une raison[11].»

SUBSTANCE

Ce qui existe par soi-même et ne dépend de rien d'autre. Ce qui constitue le support permanent de qualités susceptibles de changement.

Esprit, entendement, raison, trois mots pour désigner une seule et même chose: la pensée. Le *cogito* implique que si c'est par ma pensée que je peux avoir la certitude de mon existence, c'est donc ma pensée qui me définit essentiellement comme homme. Je suis «une **substance** dont toute l'essence ou la nature n'est que de penser [...]. En sorte que ce moi, c'est-à-dire l'âme par laquelle je suis ce que je suis, est entièrement distincte du corps[12].» Je suis pensée pure et rien d'autre, et c'est mon âme qui pense. En effet, dans les *Réponses aux cinquièmes objections*, Descartes précise «que le nom d'*âme* [...] doit seulement être entendu de ce principe par lequel nous pensons: aussi l'ai-je le plus souvent appelé du nom d'esprit [...] car je ne considère pas l'esprit comme une partie de l'âme, mais comme l'âme tout entière qui pense[13]».

SPIRITUALISME

Doctrine d'après laquelle l'esprit ou l'âme constitue la substance de toute réalité. La philosophie spiritualiste considère l'esprit comme une entité distincte et supérieure à la matière en général et au corps en particulier.

D'après Descartes, la pensée constitue l'être de l'homme, son essence. Le propre de la nature humaine est de penser. Tout être humain est «une chose qui pense.» Mais qu'est-ce qu'une chose qui pense? «C'est une chose qui doute, qui entend, qui conçoit, qui affirme, qui nie, qui veut, qui ne veut pas, qui IMAGINE aussi et qui SENT[14].» Cela ne veut pas dire que l'être humain ne vit que pour penser, qu'il ne fait que penser. Descartes affirme seulement que l'homme est un être dont le caractère fondamental est l'entendement, c'est-à-dire cette faculté de concevoir et de penser le monde réel à l'aide d'idées. La découverte du *cogito* mène donc à une conception **spiritualiste** de l'être humain.

Descartes fait allusion à la conscience subjective d'imaginer et de sentir, et non aux données de l'imagination ou des sens.

La primauté du sujet pensant

En démontrant l'existence sûre et certaine du Je pensant, Descartes instaure, à l'époque moderne, la raison comme fondement exclusif de la recherche de la vérité. Mais il fait plus encore: il affirme la primauté du Moi pensant, du sujet individuel comme dépositaire unique de la raison. Et la raison est pour lui la connaissance pure du réel «clairement» et «distinctement» conçu, c'est-à-dire entièrement «présent à l'esprit» de la personne qui pense indépendamment de l'expérience sensible. Descartes accorde à l'humain le pouvoir de rationaliser, c'est-à-dire la capacité de formuler une pensée vraie à partir de principes distincts de la réalité extérieure. Toutefois, il ne pourra arriver à une certitude que dans la mesure où il se servira de sa méthode rigoureuse qui pose la nécessité de l'évidence et de la clarté. Cela ne veut pas dire que Descartes peut y parvenir toujours. La clarté est donnée par Descartes comme un idéal à atteindre au prix de multiples efforts, idéal jamais totalement conquis par l'esprit humain. Mais il n'en reste pas moins que c'est par ses propres moyens (entre autres, un esprit bien conduit) que le sujet humain réussira à acquérir et à fonder des certitudes indubitables, et pourra en affirmer l'évidence. Dès lors, le rationalisme cartésien propose à chaque humain la responsabilité de penser par lui-même. Désormais, c'est le sujet humain, seul, qui doit poser en lui-même et par lui-même les bases et les critères d'établissement de toute certitude et de toute vérité.

---

11. *Méditation seconde*, p. 277.
12. *Discours de la méthode*, quatrième partie, p. 148.
13. *Réponses aux cinquièmes objections*, p. 482.
14. *Méditation seconde*, p. 278.

La pensée, les idées et le monde matériel

L'être humain est un sujet pensant dont l'existence est certaine. Mais comment ce sujet pensant entre-t-il en rapport avec les choses matérielles qui peuvent prendre des apparences diverses? En d'autres mots, comment l'homme peut-il reconnaître un objet matériel malgré les différentes formes qu'il est susceptible de prendre? Il le fait à travers des idées, c'est-à-dire «tout ce qui est en notre esprit, lorsque nous concevons une chose, de quelque manière que nous la concevions[15]».

Descartes en fait la démonstration en utilisant l'exemple d'«un morceau de cire qui vient d'être tiré de la ruche». Un observateur peut distinctement en percevoir la figure, la grandeur, la couleur, l'odeur, la dureté, la froideur, etc. Mais voilà que, au contact du feu, le morceau de cire se transforme radicalement. «Ce qui y restait de saveur s'exhale, l'odeur s'évanouit, sa couleur se change, sa figure se perd, sa grandeur augmente, il devient liquide, il s'échauffe, et quoiqu'on le frappe, il ne rendra plus aucun son. La même cire demeure-t-elle après ce changement? se demande Descartes. Il faut avouer qu'elle demeure; et personne ne peut le nier[16].» Mais ce n'est certes pas les sens ni l'imagination qui permettent de reconnaître le morceau de cire, malgré ses transformations. S'il est possible de concevoir ce liquide comme étant le morceau de cire initial, c'est entièrement grâce à l'entendement qui seul est en mesure d'appréhender un objet matériel malgré les diverses formes et apparences qu'il peut prendre. C'est par une «inspection de l'esprit» qu'il est permis de reconnaître et d'affirmer qu'il s'agit encore de la cire. Selon Descartes, tout objet matériel est saisi par l'esprit à travers l'idée d'**étendue**, et une telle idée ne provient pas des sens, mais constitue plutôt une idée innée[17] de la raison humaine. Quelle que soit la forme que la cire puisse prendre, Descartes peut l'appréhender comme une substance étendue.

La cire existe-t-elle réellement comme objet matériel? Descartes ne l'a pas encore démontré[18]. Ce qu'il vient de confirmer, c'est la force de la pensée capable de se faire une idée d'un objet quel qu'en soit l'aspect extérieur. Et si la pensée peut connaître le monde matériel, c'est grâce aux idées innées que possède l'esprit humain. Descartes affirme que ces idées ne sont pas des fictions inventées par notre imagination, mais qu'elles correspondent à «tout ce qui est conçu immédiatement par l'esprit[19].»

Ainsi se trouve en l'esprit humain une idée de Dieu saisi comme Être parfait.

ÉTENDUE

Qualité que possède tout objet matériel d'être situé dans l'espace et d'en occuper une partie. Il s'agit de l'étendue géométrique: «Tout ce qui a longueur, largeur et profondeur» (René Descartes, *Règles pour la direction de l'esprit*, p. 98).

DE L'IDÉE DE DIEU À L'EXISTENCE DE DIEU

Rendu à ce stade du développement de sa pensée, Descartes a besoin de démontrer que Dieu existe afin de pouvoir par la suite recourir à Dieu comme garant de la vérité des savoirs humains[20].

---

15. *Lettre à Mersenne*, juillet 1641, p. 1124.

16. *Méditation seconde*, p. 280.

17. Le nom d'innéisme a été donné à cette théorie. Notons que Descartes pose comme idée innée toute idée qui représente les essences immuables et éternelles: par exemple l'idée de Dieu, l'idée de l'âme, l'idée du corps, l'idée du triangle.

18. Il s'attaquera à cette démonstration dans la *Méditation sixième*.

19. Réponse à l'objection cinquième sur la *Méditation troisième*, p. 407.

20. Voir plus loin la section intitulée «*De l'existence des choses matérielles*».

Retenons des preuves cartésiennes[21] de l'existence de Dieu, celle qui met en rapport l'idée de parfait avec notre propre imperfection. Si j'ai en moi, argumente Descartes, l'idée d'une «substance infinie, éternelle, immuable, indépendante, toute connaissante, toute-puissante, et par laquelle moi-même, et toutes les autres choses qui sont (s'il est vrai qu'il y en ait qui existent) ont été créées et produites[22]», et si je suis moi-même un être imparfait et fini, alors je ne peux être la cause de la présence en moi de cette idée. Il faut qu'une cause parfaite et infinie soit à l'origine de cette idée; donc, Dieu existe.

LA RESPONSABILITÉ DE L'ERREUR

Descartes poursuit son raisonnement ou, comme il se plaît à l'appeler, son «ordre des raisons» en affirmant que Dieu, n'étant sujet à aucun défaut ni à aucune imperfection, ne peut me tromper, car «vouloir tromper témoigne sans doute de la faiblesse ou de la malice. Et, partant, cela ne peut se rencontrer en Dieu[23].»

Descartes réfute ainsi son hypothèse du Dieu trompeur à laquelle il avait précédemment fait appel dans la première méditation afin de radicaliser le doute. Si je ne peux tenir Dieu pour responsable du fait «qu'il m'arrive que je me trompe[24]», il s'ensuit que je ne peux en imputer la cause qu'à moi-même. Mais de quelle cause précise à l'intérieur de moi-même provient l'erreur?

L'erreur ne dépend pas de mon entendement («la puissance de connaître»), car ce dernier ne fait que proposer des idées, il «n'assure ni ne nie aucune chose[25]». C'est la volonté («la puisance d'élire, le libre arbitre») qui affirme ou nie l'exactitude des idées. Or, Descartes considère que la principale perfection de l'homme est d'avoir un libre arbitre, car la nature de la volonté est «très ample et très parfaite en son espèce». La volonté est une faculté à ce point parfaite qu'elle fait que je porte en moi «l'image et la ressemblance de Dieu». La volonté n'étant pas limitée «dans aucunes bornes», elle ne peut être une source d'erreur. L'erreur vient donc plutôt de l'usage que je fais de ma volonté.

VOLONTÉ ET LIBERTÉ

Donnons une description plus complète de cette faculté humaine aux pouvoirs infinis que l'on nomme «volonté» et que nous utilisons parfois fort mal. Descartes affirme d'abord que la volonté et la liberté sont une seule et même chose: «La volonté étant, de sa nature, très étendue, ce nous est un avantage très grand de pouvoir agir par son moyen, c'est-à-dire librement[26].»

Ensuite, Descartes dit que «la liberté de notre volonté se connaît sans preuve, par la seule expérience que nous en avons[27]». En d'autres termes, l'expérience vécue nous démontre clairement que nous possédons tous une «liberté si grande» qu'il nous est

21. Une autre preuve dite ontologique sera présentée dans la *Méditation cinquième*. Celle-ci reprend la célèbre démonstration de saint Anselme (1033-1109). L'idée d'Être parfait implique nécessairement qu'Il existe, car si on le niait, on se contredirait: l'Être parfait ne serait pas parfait.

22. *Méditation troisième*, p. 294.

23. *Méditation quatrième*, p. 301.

24. *Ibid.*, p. 302.

25. *Ibid.*, p. 304.

26. *Les principes de la philosophie*, première partie, art. 37, p. 587.

27. *Ibid.*, art. 39, p. 588.

permis d'agir, c'est-à-dire de choisir ou de nous déterminer d'après ce que nous propose notre raison. En conséquence, la volonté est définie par Descartes comme le pouvoir de faire ou de ne pas faire («c'est-à-dire affirmer ou nier, poursuivre ou fuir») les choses que l'entendement nous suggère sans y être contraints par aucune force extérieure.

Descartes ajoute que la volonté correspond au pouvoir du libre arbitre qui ne reste pas indifférent aux deux contraires (affirmer ou nier la vérité d'une idée ou d'une proposition; faire ou ne pas faire une action). Il condamne l'indifférence d'«inclination». Il dit que cet état d'indifférence est «le plus bas degré de la liberté», car la personne qui ne choisit pas le fait souvent par ignorance. L'indifférence indique un «défaut dans la connaissance». C'est par manque de lumières qu'un individu ne trouve aucune raison de prendre telle décision ou telle autre. Celui qui sait est capable de juger et de choisir. La vraie liberté exclut l'indifférence.

Mais qu'est-ce qu'il faut choisir? On ne doit pas choisir n'importe quoi. Selon Descartes, la liberté de l'homme est immense. Cependant, il n'est pas question ici de choix inconsidérés ou aveugles. Descartes croit que j'utilise mal ma volonté quand je donne «mon jugement sur les choses dont la vérité ne m'est pas clairement connue» ou que je me détermine à agir de telle façon sans y avoir pensé rigoureusement. Il s'agit donc de faire preuve d'un pouvoir de choix éclairé où ma volonté fait un choix dans lequel «le bien et le vrai s'y rencontrent[28]», où le mal et le faux sont donc exclus.

Si la raison propose à la volonté des idées ou des actions bien comprises parce qu'elles sont bien analysées, alors on pourra juger et choisir sans risque d'erreur. Descartes affirme cette règle par la formule suivante: «La lumière naturelle nous enseigne que la connaissance de l'entendement doit toujours précéder la détermination de la volonté[29].»

DE L'EXISTENCE DES CHOSES MATÉRIELLES

Descartes peut maintenant faire confiance à sa raison, puisque Dieu ne le trompe pas. Pour autant que sa raison lui présente des connaissances claires et distinctes, Descartes est assuré désormais qu'il est en mesure de choisir le jugement pertinent et l'action appropriée pour privilégier le vrai et le bien.

Dans la sixième et dernière méditation, Descartes se sent alors prêt à démontrer que la matière (choses, objets, corps matériels) existe réellement. Nous avons vu précédemment que Descartes a déjà défini l'étendue comme étant l'idée innée qui nous permet de connaître un objet matériel même s'il change d'apparence. La matière constitue alors essentiellement une substance étendue à laquelle s'appliquent toutes les lois de la géométrie. Mais cela ne prouve pas encore qu'il existe effectivement de la matière hors de l'esprit dans lequel se trouve l'idée d'étendue.

Descartes se demande d'abord dans quelle mesure les facultés de l'entendement, de l'imagination et des sens peuvent nous assurer de l'existence des choses matérielles. Premièrement, il postule l'existence des choses matérielles comme possibles étant donné qu'elles sont rendues intelligibles par notre entendement, qui en conçoit l'idée de l'étendue. Deuxièmement, du fait que notre esprit en imaginant prend pour référentiel

---

28. *Méditation quatrième*, p. 305.

29. *Ibid.*, p. 307.

les choses appartenant au monde réel, Descartes conclut que l'image mentale que notre imagination nous en donne doit «probablement» venir des choses qui existent réellement. Mais nous ne pouvons en être certains. Il en va de même, comme nous l'avons mentionné précédemment, pour les sens, qui nous fournissent des informations peu sûres, informations desquelles nous ne pouvons déduire avec assurance l'existence des choses matérielles. Donc, ni l'entendement, ni l'imagination, ni les sens ne nous procurent la certitude de l'existence de la matière. Mais j'ai en moi les idées de l'étendue, de la figure, du mouvement des choses matérielles!

D'où viennent ces idées de l'étendue des corps, de leur figure et de leur mouvement? Elles ne viennent pas directement de moi, dit Descartes, car «ces idées-là me sont souvent représentées sans que j'y contribue en aucune sorte[30]». Les idées que j'ai des choses sensibles proviennent donc d'une substance distincte de moi-même. Cette substance peut être la chose réelle et objective ou Dieu lui-même. Or, Dieu, qui n'est pas trompeur, ne m'envoie pas ces idées par Lui-même sans qu'elles se réfèrent de quelque façon au monde réel. Et puisque j'ai une forte tendance à croire que les idées que j'ai des choses matérielles «partent des choses corporelles», Dieu serait trompeur s'Il me permettait de concevoir l'étendue, la figure et le mouvement, et s'Il me disposait à les juger réels sans qu'il y ait dans le monde aucune chose correspondant à ces idées. Dieu, être parfait, créateur des idées claires et distinctes qui se présentent à mon entendement, me garantit l'existence des choses matérielles. En d'autres mots, la véracité divine me prouve l'existence des choses matérielles.

Avec son *cogito*, Descartes s'est d'abord assuré qu'il était une substance dont l'essence est la pensée et que c'est l'âme qui pense. Là, il vient de démontrer que son corps (qui est une chose matérielle) se définit comme une substance dont l'essence est l'étendue géométrique et que ce corps existe réellement.

LA DISTINCTION ENTRE L'ÂME ET LE CORPS

Étant aux prises avec deux éléments distincts (l'âme et le corps) caractérisant l'homme, Descartes se demande maintenant quelle sorte de relation en résulte.

L'expérience vécue témoigne de l'union substantielle de l'âme et du corps «et comme du mélange de l'esprit avec le corps». Reprenant une formule d'Aristote et de Thomas d'Aquin, Descartes dit: «La nature m'enseigne aussi par les sentiments de douleur, de faim, de soif, etc., que je ne suis pas seulement logé dans mon corps, ainsi qu'un pilote en son navire, mais outre cela, que je lui suis conjoint très étroitement et tellement confondu et mêlé, que je compose comme un seul tout avec lui[31]». Lorsque Descartes affirme cette union totale de l'âme (esprit) et du corps, il se situe sur le plan de la vie concrète. Sur ce plan, l'homme est composé d'une âme et d'un corps. L'âme et le corps lui permettent d'être en vie, d'exister. Bref, l'être humain agit comme un composé vital qui unit l'âme au corps pour la durée d'une existence humaine. Par exemple, lorsque mon corps éprouve des sentiments, des sensations, des besoins ou des passions[32], mon âme qui habite mon corps[33] en a conscience.

---

30. *Méditation sixième*, p. 324-325.

31. *Ibid.*, p. 326.

32. Voir un peu plus loin le thème des passions humaines.

33. Descartes situe le siège de l'âme dans la glande pinéale (ancien nom de l'épiphyse), laquelle est logée en dessous du cerveau.

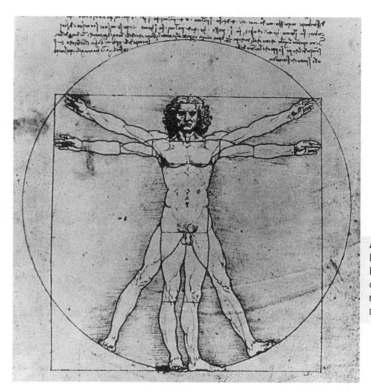

À L'INSTAR DE SON PRÉDÉCESSEUR LÉONARD DE VINCI (1452-1519), DESCARTES CONSIDÈRE QUE LE CORPS HUMAIN CONSTITUE UNE MACHINE BIEN ORDONNÉE ET BIEN DISPOSÉE.

Cependant, se situant sur un autre plan — celui de la connaissance —, Descartes affirme «la réelle distinction entre l'âme et le corps de l'homme». L'âme (substance pensante) et le corps (substance étendue) doivent être appréhendés distinctement par l'entendement.

L'homme se définit essentiellement par son âme qui est différente du corps. L'être de l'homme, c'est son âme. Il est son âme, et cette âme — qui le caractérise en propre — a comme fonction de penser. L'âme est donc la pensée. Descartes, qui réduit l'âme à l'esprit pensant, ne voit pas en elle un principe vital qui animerait ou dirigerait le corps. L'âme seule pense. Sur un plan métaphysique, l'âme est donc indépendante du corps. Descartes établit une séparation radicale (dualisme) entre l'âme et le corps, puisque, selon lui, leur nature et leurs fonctions diffèrent d'une manière inconciliable. L'esprit possède une nature purement spirituelle et, nous l'avons vu, sa fonction n'est que de penser.

Le corps ne définit pas l'être humain. L'être humain n'est pas son corps. Le corps n'est pas nécessaire pour penser. Il faut même s'en méfier car, comme nous l'avons constaté, les sens peuvent nous fournir de fausses informations. Le corps est un «assemblage de membres». Il est «cette machine composée d'os et de chair, telle qu'elle paraît en un cadavre[34]». À l'image d'un **automate**, l'homme en tant que corps obéit aux règles de la mécanique. En effet, Descartes perçoit le corps humain comme une espèce de machine ou de mécanique qu'on peut remonter pour la faire se mouvoir. Les membres du corps sont mus par les «esprits animaux[35]» sans l'aide de l'âme «en même façon que le

AUTOMATE
Toute machine qui est animée par un mécanisme intérieur et qui se meut par elle-même.

---

34. *Méditation seconde*, p. 276.

35. Les esprits animaux sont des particules de matière qui se forment dans le sang. Ces particules circulent dans les nerfs et agissent sur les muscles. Les esprits animaux pourraient correspondre à ce que nous appelons aujourd'hui l'influx nerveux.

mouvement d'une montre est produit par la seule force de son ressort et la figure de ses roues[36]». Nous avons affaire ici à une explication essentiellement mécaniste du corps et de ses fonctions. Aux yeux de Descartes, le corps est une machine pouvant être entièrement expliquée par les lois physiques du mouvement. Quoi qu'il en soit, tout ce que produit le corps — sensations, émotions, sentiments et images — peut être expliqué mécaniquement de la même manière que nous le ferions pour une bille qui roule sur un plan incliné. Le corps assume, seul, les fonctions vitales qui, d'après Descartes, sont avant tout mécaniques. Le corps est donc la matière mécanique. Gardons en mémoire que le corps, et ce qu'il produit, possède, selon Descartes, une parfaite autonomie[37] et constitue une machine bien «ordonnée» et «bien disposée» dont les organes continueraient de fonctionner à merveille même s'il n'y avait en lui aucun esprit tel que cela se passe chez les animaux[38]. En conséquence, il ne revient pas à l'âme d'animer ou de diriger le corps. Elle peut alors se consacrer totalement à la fonction première pour laquelle Dieu l'a créée: penser.

LES PASSIONS HUMAINES

Considérant comme défectueuses les sciences léguées par les anciens quant aux passions humaines et voulant expliquer davantage la relation entre l'âme et le corps, Descartes publie à Paris, en 1649, son célèbre traité des *Passions de l'âme*. Il utilise l'expression «passions de l'âme» parce qu'il dit vouloir expliquer les passions «qui se rapportent à l'âme même[39]».

Les passions de l'âme résultent de causes corporelles: les mouvements des esprits animaux. Descartes utilise l'exemple de la peur pour nous faire comprendre son affirmation. En présence d'un objet effroyable, il y a sécrétion dans l'organisme humain d'esprits animaux qui vont vers les nerfs et qui causent divers mouvements du sang: cela incite à remuer les jambes pour fuir. En même temps, un autre mouvement des esprits animaux permet à l'âme d'être consciente de cette fuite. On peut donc dire que c'est le corps qui est d'abord animé par les passions; c'est lui qui les vit. Cependant, les passions demeurent présentes à notre âme (esprit), c'est-à-dire que les passions «l'agitent et l'ébranlent si fort[40]» que l'âme en est affectée. Ainsi, traitant de «la passion d'amour», Descartes dit que lorsque nous ressentons la passion d'amour, notre corps sent de la chaleur autour du cœur et notre âme, étant jointe au corps en cette vie, éprouve de la joie.

Descartes précise que les passions «ne sont données à l'âme qu'en tant qu'elle est jointe avec lui [le corps][41]». Et dans une lettre adressée à Chanut, il ajoute: «En les [les passions] examinant, je les ai trouvées presque toutes bonnes, et tellement utiles à cette vie, que notre âme n'aurait pas sujet de vouloir demeurer jointe à son corps un seul moment, si elle ne les pouvait ressentir[42]».

Descartes relève six passions «primitives»: la joie, l'amour, la tristesse, la haine, l'admiration et le désir. Les passions ne sont pas mauvaises en soi. Au contraire,

---

36. *Les Passions de l'âme*, I, art. 16, p. 704.
37. Par exemple, c'est le corps lui-même qui voit à se nourrir et à se mouvoir.
38. *Méditation sixième*, p. 329.
39. *Les Passions de l'âme*, I, art. 25, p. 708.
40. *Ibid.*, I, art. 28, p. 709.
41. *Ibid.*, II, art. 137, p. 759.
42. *Lettres choisies*, À Chanut, 1er novembre 1646, p. 1248-1249.

Descartes considère «qu'elles sont toutes bonnes de leur nature, et que nous n'avons rien à éviter que leurs mauvais usages ou leurs excès[43]». Car il revient à la raison de contrôler les mouvements du corps, y compris les mouvements affectifs. Pour ne pas succomber à leurs excès, c'est-à-dire les vivre de façon démesurée, et ainsi s'éloigner de la sagesse, il ne s'agit pas de les extirper de son corps, mais seulement de «s'en rendre tellement maître et [de] les ménager avec tant d'adresse, que les maux qu'elles causent sont fort supportables, et même qu'on tire de la joie de tous[44]». Mais qu'est-ce que cela veut dire au juste? Tout simplement ceci: si nous voulons que notre âme s'appartienne en propre, c'est-à-dire qu'elle parvienne à se distinguer de la passion (par exemple la haine) qu'elle éprouve et qui l'émeut, elle devra apprendre à se distancier de cette passion. Ainsi, pour ne pas se confondre avec la passion qui l'assaille, l'esprit doit (en se servant de sa capacité d'**intellection**) se centrer sur lui-même et ainsi se situer à l'extérieur de la passion, car la passion est un mouvement du corps, et non de l'âme. Un peu comme au théâtre, où l'acteur réussit à se mettre à distance pour ne pas être totalement bouleversé par les émotions que vit le personnage qu'il incarne sur la scène.

INTELLECTION
Acte par lequel l'esprit conçoit. Correspond à la faculté de connaître en tant que telle.

MORALE PROVISOIRE ET RÈGLE DU MEILLEUR JUGEMENT

Descartes définit l'homme comme étant essentiellement un être de pensée qui doit conduire son esprit avec méthode et rigueur s'il veut accéder à la vérité et s'il veut agir selon le bien. Mais dans la vie de tous les jours, il arrive souvent qu'on doive agir sans disposer d'un temps de réflexion approfondie. Il faut alors, selon Descartes, se munir d'une «morale par provision», c'est-à-dire se donner des **maximes** de conduite provisoires et s'y soumettre résolument même si, faute de temps, ces dernières n'ont pu être examinées d'une manière stricte et serrée.

MAXIME
Règle, principe de conduite.

Dans le domaine de l'agir, Descartes ne tolère pas l'indécision, qu'il appelle «irrésolution». Une décision quelconque vaudra toujours mieux, selon lui, que l'indécision lorsqu'on n'est pas encore en mesure de bien juger. En conséquence, Descartes se donne pour sa propre gouverne les maximes[45] suivantes: il faut «obéir aux lois et aux coutumes de son pays [...] suivant les opinions les plus modérées et les plus éloignées de l'excès»; il faut être le plus ferme et le plus résolu possible dans ses actions une fois qu'on s'y est déterminés; il faut changer ses désirs et ses pensées plutôt que d'essayer inutilement de changer l'ordre du monde[46].

Présisons que ces règles morales provisoires ne remplacent pas la règle d'action ultime retenue par Descartes et que l'on pourrait appeler la règle du meilleur jugement: «Il suffit, affirme Descartes, de bien juger pour bien faire, et de juger le mieux qu'on puisse pour faire aussi tout son mieux, c'est-à-dire acquérir toutes les vertus[47].»

Agir selon le meilleur jugement demeure pour Descartes la résolution la plus sage et la plus assurée pour régler nos mœurs. Voilà la règle ou le principe fondamental de toute morale digne de ce nom. Notre esprit devra donc chercher prioritairement à connaître la

---

43. Les *Passions de l'âme*, III, art. 211, p. 794.

44. *Ibid.*, III, art. 212, p. 795.

45. Ces maximes constituent la base d'une morale provisoire en attendant la construction d'une morale définitive. Voir *Discours de la méthode*, troisième partie, p. 141-143.

46. Descartes s'inspire ici du détachement propre aux stoïciens (IVe s. avant J.-C.– IIe s. après J.-C.), qui enseignaient de ne pas essayer de changer ce qui ne dépend pas de nous.

47. *Discours de la méthode*, troisième partie, p. 144.

juste valeur des choses en utilisant «ses propres armes», c'est-à-dire en posant «des jugements fermes et déterminés touchant la connaissance du bien et du mal, suivant lesquels l'esprit a résolu de conduire les actions de sa vie[48]».

En affirmant «que mon essence consiste en cela seul, que je suis une chose qui pense ou une substance dont toute l'essence ou la nature n'est que de penser[49]», Descartes privilégie la dimension rationnelle de l'être humain, mais on ne trouve chez lui aucune condamnation morale du monde sensible ni du corps. Si Descartes valorise l'*intelligible* au détriment du *sensible*, c'est uniquement parce que le monde sensible peut nous tromper dans notre quête de certitudes. Seul l'entendement, c'est-à-dire cette faculté de pure intellection (et non les sens et l'imagination) peut nous permettre de concevoir les choses de façon explicite et séparée, et ainsi d'arriver à des connaissances sûres et certaines. Et la volonté libre de l'être humain devra viser cet ultime but: atteindre l'indubitable! Et l'indubitable ne pourra s'acquérir que par la méthode.

DESCARTES AUJOURD'HUI

Demandons-nous quelles résonances peut avoir encore aujourd'hui le rationalisme cartésien.

Ne peut-on reconnaître dans cet esprit cartésien les bases mêmes de l'esprit scientifique contemporain? En effet, Descartes interpelle la science actuelle en mettant en avant une méthode exacte et précise, en défendant le principe de causalité dans toute démonstration, en valorisant la déduction mathématique comme modèle du raisonnement rigoureux, en faisant appel d'une manière nécessaire aux preuves irréfutables avant de conclure, etc.

Plus généralement, Descartes influence de nos jours notre pensée en nous recommandant de nous en remettre exclusivement à ce que la raison comprend, de retenir ce que la raison a appréhendé avec certitude, de nous affranchir des idées reçues, de nous défier des préjugés et des lieux communs, de développer l'esprit critique, etc. N'est-ce pas là des attitudes de l'esprit que notre culture actuelle valorise et que l'éducation essaie encore aujourd'hui de cultiver?

Dans la première partie de son *Discours de la méthode*, Descartes critique l'éducation qu'il a reçue au collège de La Flèche. L'enseignement consistait alors à transmettre l'héritage du passé. Certes, il est intéressant, dit Descartes, de «converser avec ceux des autres siècles», mais «lorsqu'on est trop curieux des choses qui se pratiquaient aux siècles passés, on demeure ordinairement fort ignorant de celles qui se pratiquent en celui-ci[50]». En outre, les trois dernières années d'études étaient consacrées au savoir officiel de l'époque: la philosophie scolastique. Descartes reproche à cette doctrine d'avoir des fondements peu solides, de sorte qu'elle ne peut conduire à des énoncés sûrs et certains.

C'est pourquoi, sitôt que l'âge me permit de sortir de la sujétion de mes précepteurs, je quittai entièrement l'étude des lettres. Et me résolvant de ne chercher plus d'autre science que celle qui se pourrait trouver en moi-même, ou bien dans le grand livre du monde. [...] Car il me semblait que je pourrais rencontrer beaucoup plus de vérité dans les raisonnements que chacun fait

---

48. Les *Passions de l'âme*, I, art. 48, p. 720.

49. *Méditation troisième*, p. 323.

50. *Discours de la méthode*, première partie, p. 129.

touchant les affaires qui lui importent, et dont l'événement le doit punir bientôt s'il a mal jugé, que dans ceux que fait un homme de lettre dans son cabinet, touchant des spéculations qui ne produisent aucun effet, et qui ne lui sont d'autre conséquence, sinon que peut-être il en tirera d'autant plus de vanité qu'elles seront plus éloignées du sens commun, à cause qu'il aura dû employer d'autant plus d'esprit et d'artifice à tâcher de les rendre vraisemblables. Et j'avais toujours un extrême désir d'apprendre à distinguer le vrai d'avec le faux, pour voir clair en mes actions, et marcher avec assurance en cette vie[51].

Cette critique que fait Descartes d'un enseignement exclusivement fondé sur des savoirs érudits appartenant à la tradition a été reprise aujourd'hui par les systèmes d'éducation. Il ne s'agit plus d'enseigner aux jeunes l'héritage du passé en lui-même et pour lui-même, mais de leur apprendre à penser par eux-mêmes, à raisonner, à discerner le vrai du faux en évaluant en fonction du critère de vérité la valeur des connaissances apprises.

Toute l'œuvre cartésienne nous dit qu'il faut penser clairement, sinon il n'y a pas de pensée du tout. Cette recommandation ne convient-elle pas en particulier à notre temps où il semble si difficile d'établir un **discours** rigoureux et cohérent sur le monde et sur soi-même? Devant un tel constat, parents et enseignants exhortent les jeunes à se servir de leur raison. Ils leur demandent d'être rationnels, c'est-à-dire d'accéder à la compréhension raisonnée du monde et d'eux-mêmes en formant des concepts et en produisant des raisonnements argumentés et fondés. Mais on fait souvent cet appel à la rationalité, présentée comme source nécessaire et incontournable de la connaissance, en condamnant un autre monde perçu comme inférieur ou dégradé: celui des instincts, des émotions, des sentiments, de l'affectivité, bref, le monde du cœur. Nous parlons ici de tout ce qui apparaît d'abord comme étranger à la représentation rationnelle, qui s'exprime souvent par des «Je sens que...», «J'ai le sentiment que...» et que l'on appelle communément le monde du vécu. En voyant toujours la nécessité — puisque nous sommes des êtres de raison — de soumettre ce monde du vécu à la lumière de la raison, n'avons-nous pas tendance à désavouer sans réserve ni nuance ce monde du vécu? Ce faisant, ne valorisons-nous pas de façon parfois abusive la pensée froide et désincarnée?

Il faut reconnaître qu'en assujettissant toutes les dimensions de la vie humaine aux impératifs de la raison, le CARTÉSIANISME a contribué à étouffer la voix du cœur. Qui plus est, le cartésianisme affirmit l'éternelle opposition entre l'univers de la raison et celui des sentiments.

Il a fallu attendre Jean-Jacques Rousseau pour que soit réhabilité «le sentiment de soi-même et de sa propre existence», et pour que nous puissions passer du sujet pensant de Descartes (sujet sans dimension temporelle ni sociale) au sujet perfectible et historique de Rousseau.

DISCOURS
Expression de la pensée qui appréhende le réel en procédant d'une manière logique, méthodique et démonstrative.

Le cartésianisme désigne les philosophies qui, succédant à celle de Descartes, ont prolongé la pensée cartésienne. Les philosophies de Spinoza, de Malebranche et de Leibniz ont développé une attitude ultrarationaliste qui est devenue si répandue chez les élites intellectuelles qu'on nommera le siècle suivant, le siècle des Lumières (de la Raison).

---

51. *Ibid.*, p. 131.

RÉSUMÉ DE L'EXPOSÉ

Descartes et le siècle de la raison

1. L'avènement de la modernité

La modernité s'oppose à l'autorité du passé, à la tradition (l'Antiquité gréco-romaine revue et corrigée par la théologie catholique médiévale). L'individu-sujet a le pouvoir de la raison de connaître le réel. Descartes croit au progrès de l'esprit humain.

2. La révolution scientifique du XVIIᵉ siècle

Cette époque est marquée par des découvertes importantes en astronomie et par la naissance de la mécanique. Grâce à Copernic, à Kepler, à Galilée et à Descartes, nous assistons à une compréhension et à une représentation nouvelles du monde.

3. Descartes: savant, mathématicien et philosophe

Descartes veut définir, avec la plus grande exactitude possible, l'homme et le monde. À cette fin, il utilise la mathématique universelle comme modèle de démonstration parce que les mathématiques offrent une rigueur inflexible et stricte.

4. Le premier rationalisme moderne

Descartes accorde à l'esprit du moi pensant le pouvoir de connaître pour autant qu'il dirige sa raison avec rigueur et méthode.

Descartes et la recherche de certitudes

1. La méthode cartésienne

Afin que notre raison soit bien menée, nécessité de suivre la méthode cartésienne, qui obéit à quatre règles: l'évidence, l'analyse, la synthèse et le dénombrement.

2. Les étapes du doute méthodique

Pour atteindre la vérité, il faut mettre tout en doute: les informations fournies par mes sens parce qu'elles peuvent être fausses, les démonstrations mathématiques et les raisonnements parce que j'ai pu me tromper en les établissant, mes opinions qui peuvent être aussi fausses que celles qui proviennent de mes rêves.

Le *cogito* ou la découverte du Moi pensant

Je doute, donc je pense, donc j'existe. Mais qui suis-je? Une «chose qui pense, c'est-à-dire un esprit, un entendement ou une raison».

1. La primauté du sujet pensant

En définissant l'être humain comme un Je pensant, Descartes affirme la primauté du sujet individuel en tant que dépositaire unique de la raison.

Le rationalisme cartésien donne à chaque humain la responsabilité de penser par lui-même et de poser en lui-même et par lui-même les bases et les critères d'établissement de toute certitude.

2. La pensée, les idées et le monde matériel

Malgré les différentes formes qu'un objet matériel peut prendre, mon entendement (ma raison) peut l'appréhender grâce à l'idée innée de l'étendue.

De l'idée de Dieu à l'existence de Dieu

Si j'ai en moi l'idée de la perfection et de l'infini alors que je suis moi-même un être imparfait et fini, une cause parfaite et infinie doit être à l'origine de cette idée; donc, Dieu existe.

La responsabilité de l'erreur

Dieu ne pouvant me tromper, l'erreur vient de l'usage que je fais de ma volonté (le libre arbitre).

Volonté et liberté

1. La volonté et la liberté sont une seule et même chose.

2. La liberté de notre volonté se connaît sans preuve, par la seule expérience que nous en avons.

3. La volonté est définie par Descartes comme le pouvoir de faire ou de ne pas faire ce que la raison nous propose sans y être obligés par aucune force extérieure.

4. La vraie liberté exclut l'indifférence, car l'individu qui sait est capable de juger et de choisir.

5. Il faut faire preuve d'un pouvoir de choix éclairé où la volonté de l'être humain choisit le vrai et le bien (non le faux et le mal).

De l'existence des choses matérielles

1. Ni l'entendement, ni l'imagination, ni les sens ne donnent l'assurance de l'existence des choses matérielles.

2. Les idées de l'étendue, de la figure et du mouvement des corps (des choses matérielles) proviennent d'une cause distincte de moi-même.

3. Cette cause ne peut être que les choses réelles et objectives. Car Dieu, qui ne peut me tromper, n'aurait pu me faire concevoir ces idées (étendue, figure, mouvement), ni me disposer à les juger réelles si les choses matérielles auxquelles correspondent ces idées n'existaient pas réellement.

La distinction entre l'âme et le corps

1. Sur le plan de l'existence concrète, l'homme est composé d'une âme (esprit) et d'un corps.

2. Sur le plan de la connaissance, Descartes établit un dualisme radical entre l'âme et le corps. L'homme se définit essentiellement par son âme (substance pensante) qui est différente du corps (substance étendue). L'âme seule pense, et le corps assume, seul, les fonctions vitales.

Les passions humaines

1. C'est le corps qui vit d'abord les passions, mais l'âme en est aussi affectée.

2. Descartes relève six passions «primitives»: la joie, l'amour, la tristesse, la haine, l'admiraton et le désir.

3. Les passions sont naturellement bonnes. Mais il ne faut pas les vivre excessivement. Il faut apprendre à les maîtriser.

4. Afin que l'âme ne devienne pas la passion qu'elle éprouve et qui l'émeut, elle devra se distancier de cette passion.

Morale provisoire et règle du meilleur jugement

1. Puisque, dans la vie quotidienne, il faut souvent agir sans délai, Descartes nous recommande de nous munir d'une «morale par provision», c'est-à-dire de nous donner des préceptes de conduite et de nous y soumettre avec fermeté même si nous n'avons pas eu le temps de les examiner avec rigueur.

2. Cependant, agir selon le meilleur jugement demeure la résolution la plus sage et la plus assurée pour régler nos actions.

Descartes aujourd'hui

1. Descartes interpelle l'esprit scientifique contemporain en mettant en avant une méthode exacte et précise, en défendant le principe de causalité, en valorisant la déduction mathématique et en n'acceptant que des preuves irréfutables à l'intérieur d'une démonstration.

2. Descartes influence notre manière actuelle de penser en nous recommandant de nous en tenir à ce que la raison comprend afin de nous affranchir des préjugés et de développer l'esprit critique.

3. Descartes condamne l'enseignement exclusivement fondé sur des savoirs érudits appartenant à la tradition. Cette critique est aujourd'hui reprise par les systèmes d'éducation qui tentent d'apprendre aux élèves à raisonner et à développer leur jugement critique.

4. L'appel cartésien à la pensée claire et distincte encourage parents et enseignants à demander aux jeunes de se servir de leur raison. Toutefois, en soumettant toutes les dimensions de la vie humaine aux impératifs de la raison, le cartésianisme contribue à étouffer la voix du cœur.

L'essentiel

Le **doute méthodique** cartésien me délivre des erreurs (témoignages des sens, démonstrations mathématiques, préjugés). Puisque je ne peux douter que je doute, le doute permet de poser avec certitude le **cogito** (je pense, donc je suis). Le *cogito* conduit à cette première évidence: je suis une substance pensante. Et c'est l'**âme** qui pense grâce aux **idées innées**. L'idée innée de Dieu mène à l'**existence de Dieu**, être parfait qui ne peut me tromper. L'erreur vient d'un mauvais usage de ma **volonté (libre arbitre)** qui choisit le faux et le mal. Dieu, créateur de l'idée claire et distincte de l'étendue qui se présente à mon esprit, me garantit l'**existence des choses matérielles**. En conséquence, j'ai la certitude que mon **corps (substance étendue)** existe et qu'il assume seul les fonctions vitales. Mais moi, je suis une âme (substance pensante). Mon âme qui pense constitue mon essence. C'est mon corps qui est d'abord animé par les **passions**, mais elles affectent aussi l'âme. L'âme doit maîtriser les passions.

Réseau de concepts

ACTIVITÉS D'APPRENTISSAGE

A

Analyse et critique de texte

■

Objectifs spécifiques

L'élève doit être capable :

- de démontrer sa compréhension d'un texte de Descartes en transposant dans ses propres mots un contenu partiel de ce texte philosophique ;

- d'évaluer le contenu, c'est-à-dire d'exprimer son accord ou son désaccord (et en donner les raisons) sur la conception de l'homme avancée par Descartes dans ce texte.

■

TEXTE DE DESCARTES

DISCOURS DE LA MÉTHODE
*Pour bien conduire sa raison
et chercher la vérité
dans les sciences*   QUATRIÈME PARTIE

MŒURS
Conduites humaines.

TOUT DE MÊME QUE
Comme si.

INDUBITABLE
Sûr et certain, dont on ne peut pas douter.

VAQUER
S'occuper de.

CRÉANCE
Le fait de croire en la vérité de quelque chose. Dans ce contexte: lieu où les opinions, les croyances se forment.

PARALOGISME
Faux raisonnement fait de bonne foi.

FEINDRE
Simuler, imaginer, faire comme si.

SCEPTIQUE
Incrédule qui pratique le doute systématique.

Je ne sais si je dois vous entretenir des premières méditations que j'y ai faites; car elles sont si métaphysiques et si peu communes, qu'elles ne seront peut-être pas au goût de tout le monde. Et toutefois, afin qu'on puisse juger si les fondements que j'ai pris sont assez fermes, je me trouve en quelque façon contraint d'en parler. J'avais dès longtemps remarqué que, pour les **mœurs**, il est besoin quelquefois de suivre des opinions qu'on sait fort incertaines, **tout de même que** si elles étaient **indubitables**, ainsi qu'il a été dit ci-dessus[52]; mais, parce qu'alors je désirais **vaquer** seulement à la recherche de la vérité, je pensai qu'il fallait que je fisse tout le contraire, et que je rejetasse, comme absolument faux, tout ce en quoi je pourrais imaginer le moindre doute, afin de voir s'il ne resterait point, après cela, quelque chose en ma **créance**, qui fût entièrement indubitable. Ainsi, à cause que nos sens nous trompent quelquefois, je voulus supposer qu'il n'y avait aucune chose qui fût telle qu'ils nous la font imaginer. Et parce qu'il y a des hommes qui se méprennent en raisonnant, même touchant les plus simples matières de géométrie, et y font des **paralogismes**, jugeant que j'étais sujet à faillir, autant qu'aucun autre, je rejetai comme fausses toutes les raisons que j'avais prises auparavant pour démonstrations. Et enfin, considérant que toutes les mêmes pensées, que nous avons étant éveillés, nous peuvent aussi venir, quand nous dormons, sans qu'il y en ait aucune, pour lors, qui soit vraie, je me résolus de **feindre** que toutes les choses qui m'étaient jamais entrées en l'esprit n'étaient non plus vraies que les illusions de mes songes. Mais, aussitôt après, je pris garde que, pendant que je voulais ainsi penser que tout était faux, il fallait nécessairement que moi, qui le pensais, fusse quelque chose. Et remarquant que cette vérité: *je pense, donc je suis*, était si ferme et si assurée, que toutes les plus extravagantes suppositions des **sceptiques** n'étaient pas capables de l'ébranler, je jugeai que je pouvais la recevoir, sans scrupule, pour le premier principe de la philosophie que je cherchais.

Puis, examinant avec attention ce que j'étais, et voyant que je pouvais feindre que je n'avais aucun corps, et qu'il n'y avait aucun monde, ni aucun lieu où je fusse; mais je ne pouvais pas feindre, pour cela, que je n'étais point; et qu'au contraire, de cela même que je pensais à douter de la vérité des autres choses, il suivait très évidemment et très certainement que j'étais; au lieu que, si j'eusse seulement cessé de penser, encore que tout le reste de ce que j'avais jamais imaginé eût été vrai, je n'avais aucune raison de croire

---

52. Descartes fait référence à la deuxième maxime de la morale par provision énoncée dans la troisième partie du *Discours de la méthode*: «Ma seconde maxime était d'être le plus ferme et le plus résolu en mes actions que je pourrais, et de ne suivre pas moins constamment les opinions les plus douteuses, lorsque je m'y serais une fois déterminé, que si elles eussent été très assurées» (p. 142).

que j'eusse été: je connus de là que j'étais une **substance** dont toute l'**essence** ou la nature n'est que de penser, et qui, pour être, n'a besoin d'aucun lieu, ni ne dépend d'aucune chose matérielle. En sorte que ce moi, c'est-à-dire l'âme par laquelle je suis ce que je suis, est entièrement distincte du corps, et même qu'elle est plus aisée à connaître que lui, et qu'encore qu'il ne fût point, elle ne laisserait pas d'être tout ce qu'elle est.

Après cela, je considérai en général ce qui est requis à une proposition pour être vraie et certaine; car, puisque je venais d'en trouver une que je savais être telle, je pensai que je devais aussi savoir en quoi consiste cette certitude. Et ayant remarqué qu'il n'y a rien de tout en ceci: *je pense, donc je suis*, qui m'assure que je dis la vérité, sinon que je vois très clairement que, pour penser, il faut être: je jugeai que je pouvais prendre pour règle générale, que les choses que nous concevons fort clairement et fort distinctement sont toutes vraies; mais qu'il y a seulement quelque difficulté à bien remarquer quelles sont celles que nous concevons distinctement.

SUBSTANCE

Ce qui existe en soi, fondamentalement, de manière permanente.

ESSENCE

Ce qui définit un être, ce qui constitue sa nature propre.

René Descartes. *Discours de la méthode, in Œuvres et lettres*, Paris, Gallimard, « Bibliothèque de la Pléiade, NRF », 1953.

QUESTIONS D'ANALYSE ET DE CRITIQUE

Pas obligé d'être complètement en accord ou en désaccord

1. Dans ce texte, Descartes dit qu'il désire «vaquer seulement à la recherche de la vérité». Dites, dans vos propres mots, ce qu'il entreprend pour y parvenir.

2. Nommez et expliquez, dans vos propres mots, «le premier principe de la philosophie» auquel Descartes arrive dans ce texte.

3. *a)* Selon Descartes, quelle est la définition de *l'être humain* dans ce qu'il est essentiellement? Présentez cette définition telle qu'elle est formulée dans le texte.

Commentaire critique

b) Êtes-vous d'accord avec cette définition de *l'homme*? Vous devez fonder vos jugements, c'est-à-dire défendre votre point de vue, en apportant trois arguments pour appuyer vos affirmations. *(Minimum suggéré: une page.)*

4. Formulez, dans vos propres mots, la «règle générale» prise par Descartes afin de s'assurer de la vérité d'une proposition.

LECTURES SUGGÉRÉES

La lecture de l'une des œuvres suivantes est suggérée dans son intégralité ou en extraits importants:

René Descartes. *Discours de la méthode*, Paris, Éditions Fernand Nathan, coll. «Les intégrales de philo», n° 3, 1981, 110 p.

René Descartes. *Méditations métaphysiques*, Paris, Éditions Fernand Nathan, coll. «Les intégrales de philo», n° 4, 1983, 126 p.

B

Analyse et critique de texte

■

Objectifs spécifiques

L'élève doit être capable:

• de faire un résumé de la pensée de Descartes en rapport avec les propos tenus par Spinoza dans ce texte;

• d'évaluer le contenu, c'est-à-dire d'exprimer son accord ou son désaccord (et en donner les raisons) sur les critiques avancées par Spinoza à l'endroit de la philosophie cartésienne.

■

Spinoza (1632-1677), philosophe hollandais, s'est beaucoup intéressé à l'œuvre de Descartes. Dans son premier ouvrage, *Principes de la philosophie de Descartes*, publié en 1663, Spinoza ne se borne pas à une simple exposition des principes de la philosophie cartésienne, il les juge, les examine

de manière critique et parfois polémique. Dans le texte qui suit, extrait de *L'éthique*, Spinoza s'oppose fermement à des thèses importantes de Descartes.

TEXTE DE SPINOZA

L'ÉTHIQUE
De la puissance de l'entendement
ou de la liberté de l'homme

CINQUIÈME PARTIE

Préface

En vérité je ne puis assez m'étonner qu'un Philosophe, après s'être fermement résolu à ne rien déduire que de principes connus d'eux-mêmes, et à ne rien affirmer qu'il ne le perçût clairement et distinctement, après avoir si souvent reproché aux Scolastiques de vouloir expliquer les choses obscures par des qualités occultes, admettre une hypothèse plus **occulte** que toute qualité occulte. Qu'entend-il, je le demande, par l'union de l'Âme et du Corps? Quelle conception claire et distincte a-t-il d'une pensée très étroitement liée à une certaine petite portion de l'étendue? Je voudrais bien qu'il eût expliqué cette union par sa cause prochaine. Mais il avait conçu l'Âme distincte du Corps, de telle sorte qu'il n'a pu assigner aucune cause singulière ni de cette union, ni de l'Âme elle-même, et qu'il lui a été nécessaire de recourir à la cause de tout l'univers, c'est-à-dire Dieu. Je voudrais, de plus, savoir combien de degrés de mouvement l'Âme peut imprimer à cette glande pinéale et avec quelle force la tenir suspendue. Je ne sais en effet si cette glande est mue par l'Âme de-ci de-là plus lentement ou plus vite que par les esprits animaux et si les mouvements de Passions que nous avons joints étroitement à des jugements fermes ne peuvent pas en être disjoints par des causes corporelles; d'où suivrait qu'après s'être fermement proposé d'aller à l'encontre des dangers et avoir joint à ce décret des mouvements d'audace, à la vue du péril la glande se trouvât occuper une position telle que l'Âme ne pût penser qu'à la fuite; et certes, n'y ayant nulle commune mesure entre la volonté et le mouvement, il n'y a aucune comparaison entre la puisance — ou les forces — de l'Âme et celles du Corps; conséquemment les forces de ce dernier ne peuvent être dirigées par celles de la première. Ajoutez qu'on cherche en vain une glande située au milieu du cerveau de telle façon qu'elle puisse être mue de-ci de-là avec tant d'aisance et tant de manières, et que tous les nerfs ne se prolongent pas jusqu'aux cavités du cerveau.

> **OCCULTE**
> Qui est caché, secret, inconnu par nature.

Baruch Spinoza. *Œuvres*, t. III, *L'éthique*, traduction et notes par Charles Appuhn, Paris, Garnier-Flammarion, 1965, p. 305.

QUESTIONS D'ANALYSE ET DE CRITIQUE

1. Dans ce texte, Spinoza interroge Descartes: «Qu'entend-il, je le demande, par l'union de l'Âme et du Corps? Quelle conception claire et distincte a-t-il d'une pensée très étroitement liée à une certaine petite portion de l'étendue?» Répondez à Spinoza en faisant un résumé de ce que Descartes dit de l'union de l'âme et du corps.

2. Spinoza semble trouver que Descartes s'est mis en difficulté, d'un côté, en unissant l'âme et le corps et, d'un autre côté, en concevant l'âme distincte du corps. En vous servant de l'exposé présenté dans ce chapitre, expliquez à Spinoza qu'il y a aucune contradiction entre ces deux théories cartésiennes.

Commentaire critique

3. Êtes-vous d'accord avec les critiques que Spinoza formule à l'endroit de Descartes? Vous devez fonder vos jugements, c'est-à-dire défendre votre point de vue, en apportant au moins deux arguments pour appuyer vos affirmations. *(Minimum suggéré: une page.)*

Jeu de rôle

■

Objectif spécifique

L'élève doit être capable de débattre d'un aspect de la pensée de Descartes en participant à un jeu de rôle.

■

Introduction

Pendant une grande partie de son existence active, Descartes a entretenu une correspondance nombreuse avec les plus grands de ses contemporains. Dans les lettres adressées à Descartes, reines, princesses, savants et érudits apportaient des objections aux théories cartésiennes. Et, à son tour, Descartes répliquait en précisant et en justifiant sa pensée.

Mise en place du jeu de rôle

1. La classe est divisée en deux.

2. La moitié des élèves, regroupés en équipes de trois ou quatre personnes, jouent le rôle des correspondants de Descartes. Ils rédigent une lettre où ils s'opposent à un ou à des aspects de sa théorie qui ont été précisés précédemment. Ces oppositions sont argumentées.

3. La moitié des élèves, regroupés en équipes de trois ou quatre personnes, jouent le rôle de Descartes. Ils rédigent une lettre où ils défendent, arguments à l'appui, cet aspect ou ces aspects de la philosophie cartésienne.

4. Une fois le travail terminé, un membre de chacune des équipes fait la lecture à la classe de leur lettre. L'ordre suivant est respecté: un porte-parole d'une équipe de correspondants, puis un porte-parole d'une équipe de Descartes.

L'homme
comme être perfectible

**ROUSSEAU
OU LE RAPPORT ENTRE
L'ÉTAT DE NATURE ET
L'ÉTAT DE SOCIÉTÉ**

LA PLUS UTILE ET LA MOINS
AVANÇÉE DE TOUTES LES
CONNOISSANCES HUMAINES ME
PAROÎT ÊTRE CELLE DE L'HOMME.

Jean-Jacques Rousseau, *Discours sur
l'inégalité*, in *Œuvres complètes*, p. 122.

ROUSSEAU ET LES *LUMIÈRES*

Jean-Jacques Rousseau naît à Genève, en Suisse, le 28 juin 1712. Sa mère meurt quelques jours après lui avoir donné la vie et c'est une tante, Suzanne Rousseau, qui s'occupe de lui pendant les années de sa petite enfance. Vers l'âge de dix ans, il est confié, avec son cousin Abraham, au pasteur Lambercier, chez qui il demeure deux années. Sa famille le place ensuite en apprentissage, d'abord chez un greffier de la Ville, puis chez un graveur. À seize ans, fuyant son patron graveur décrit dans les *Confessions* comme un maître cruel, Rousseau quitte Genève pour de bon.

Après une première rencontre décisive avec Mme de Warens, qui deviendra sa protectrice et son éducatrice et que Rousseau appellera affectueusement «maman», il vagabonde et exerce, à l'occasion, divers métiers. Il est, entre autres, domestique, professeur de musique, employé au cadastre et précepteur. Au cours de ses séjours aux Charmettes, dans la maison de Mme de Warens, il développe, en autodidacte, ses connaissances en musique et en latin, il apprend la philosophie et les sciences, etc. À vrai dire, il apprend surtout la vie.

En 1742, Rousseau a trente ans. Il se trouve alors à Paris, et c'est là que commence sa vie mondaine. Il présente à l'Académie des sciences un nouveau système de notation musicale, qui ne connaît guère de succès. Il compose un opéra-comique, *Le devin du village*, qui lui ouvre la porte de bien des salons. Mais ce n'est qu'en octobre 1752 que son œuvre, jouée à l'opéra, remporte un vif succès devant le roi Louis XV. En 1743, il part pour Venise comme secrétaire de l'ambassade de France. Il n'occupe ce poste qu'une année, car il se brouille avec l'ambassadeur.

Rousseau revient à Paris et fait la connaissance de Thérèse Levasseur, lingère, qui lui donnera cinq enfants, qu'il mettra tous à l'hospice des Enfants-Trouvés «par crainte, se défend-il, d'une destinée pour eux mille fois pire et presque inévitable par toute autre voie[1]». Jusqu'à la fin de sa vie, Rousseau s'est défendu d'avoir été un «père dénaturé» et a cherché à justifier cette décision.

Dans le *Discours sur les sciences et les arts*, Rousseau démontre que le progrès des sciences et des arts a développé et perfectionné l'extérieur, la surface de l'être humain, mais qu'au fond ce progrès, qui a corrompu la nature intime de la personne, n'a pas contribué à améliorer les conduites humaines.

Il faut attendre 1750 pour que le génie littéraire et philosophique de Rousseau se manifeste. L'académie de Dijon avait mis au concours cette question: «Le rétablissement des sciences et des arts a-t-il contribué à épurer les mœurs?» Rousseau y participe, et son *DISCOURS SUR LES SCIENCES ET LES ARTS* remporte le premier prix, le 9 juillet 1750. En 1755, il présente pour un nouveau concours de l'académie de Dijon le *Discours sur l'origine et les fondements de l'inégalité parmi les hommes*. Bien qu'il ne soit pas couronné, il obtient un succès retentissant grâce à la nouveauté et à la vigueur des théories soutenues, à la puissance et à l'éclat de ses invectives contre les excès de la civilisation, etc.

De 1756 à 1762, Rousseau séjourne avec Thérèse dans la région de Montmorency, au nord de Paris; il habite d'abord à l'Ermitage, une petite maison que Mme d'Épinay a fait aménager pour lui dans le parc de son château, puis il s'installe au jardin de Montlouis; il occupe également, pendant quelques semaines à la fin du printemps 1759, une dépendance du château du duc et de la duchesse de Luxembourg, qui se sont pris d'amitié pour lui. Rousseau connaît à Montmorency une période d'écriture très féconde.

1. *Les rêveries du promeneur solitaire*, Neuvième Promenade, t. I, p. 1087. Toutes les citations reproduites dans ce texte proviennent des *Œuvres complètes* de Rousseau publiées à Paris de 1959 à 1995 par la «Bibliothèque de la Pléiade» de Gallimard.

C'est là qu'il rédige *Julie ou la nouvelle Héloïse*. C'est là qu'il connaît une passion amoureuse pour Sophie d'Houdetot, sous la figure de laquelle il finira par voir la Julie de son roman. Ce roman d'amour, publié en décembre 1760, avive le sentiment de la nature, pose des questions fondamentales sur les plans moral et social, bouleverse le public par une sensibilité et une sincérité dues à sa facture autobiograhique. *Julie ou la nouvelle Héloïse* triomphe à Paris.

Le *Contrat social* est écrit pendant la même période et est édité au mois de mai 1762. L'*Émile ou De l'éducation*, publié au mois de juin de la même année, provoque un véritable scandale, non seulement à cause de la révolution de l'éducation proposée, mais surtout à cause de la *Profession de foi du vicaire savoyard* (livre IV) qui défend le **déisme**. La police confisque l'*Émile*; l'ouvrage est dénoncé à la Sorbonne; l'archevêque de Paris et le Parlement le condamnent; il est même brûlé à Paris. Rousseau, «décrété de prise de corps», est obligé de s'enfuir en Suisse. Les pasteurs genevois et le Sénat de Berne ne manifestent pas plus de tolérance à l'endroit de l'œuvre de Rousseau. L'*Émile* et le *Contrat social* sont brûlés à Genève, et Rousseau doit s'enfuir de nouveau.

Chassé de toutes parts, Rousseau entreprend un périple forcé qui le mènera jusqu'à Londres (1766-1767) auprès du philosophe anglais David Hume (1711-1776). L'accusant de comploter contre lui, Rousseau se brouille avec ce dernier. De retour à Paris, il rédige et publie à partir de 1770 trois grands ouvrages autobiographiques: *Les confessions*, les *Dialogues de Rousseau juge de Jean-Jacques*, et *Les rêveries du promeneur solitaire*. Pour vivre, il copie de la musique; pour fuir l'hostilité générale dont il se croit l'objet, il **herborise** dans la campagne qui entoure Paris. Jean-Jacques Rousseau meurt le 2 juillet 1778. Il est inhumé dans l'île des Peupliers.

La Révolution française de 1789 fait de Rousseau un héros. Il entre dans la mythologie: on lui voue un culte exceptionnel. En juillet 1790, le buste de Rousseau est promené triomphalement dans Paris. À sa mémoire, une statue y est érigée. Ses cendres sont transférées au **Panthéon** en 1794. La rue Plâtrière, où il s'était installé à partir de juin 1770, prend, en juin 1801, le nom de rue Jean-Jacques-Rousseau.

LES PRINCIPALES CARACTÉRISTIQUES DU XVIIIᵉ SIÈCLE
Les lumières de la raison

En ce beau milieu du XVIIIᵉ siècle, dit le Siècle des lumières, la raison humaine et ses réalisations sont saluées par l'Europe occidentale tout entière comme «la suprême faculté de l'homme». La raison est alors installée comme l'instance supérieure permettant le jugement et la critique. Le philosophe allemand Emmanuel Kant (1724-1804), qui sera influencé par Rousseau[2], parle des Lumières en ces termes:

> Les *Lumières*, c'est la sortie de l'homme hors de l'état de tutelle dont il est lui-même responsable. L'état de tutelle est l'incapacité de se servir de son entendement sans la conduite d'un autre. On est *soi-même responsable* de cet état de tutelle quand la cause tient non pas à une insuffisance de l'entendement mais à une insuffisance de la résolution et du courage de s'en servir sans la conduite d'un autre. [...] Aie le courage de te servir de ton *propre* entendement! Voilà la devise des Lumières[3].

DÉISME

Position philosophique qui admet l'existence de Dieu, mais qui se dégage de tout dogme et de toute religion instituée. Plus particulièrement, la *Profession de foi du vicaire savoyard* recommande l'accès à Dieu par les seules voies du cœur sans l'apport des textes ou des intermédiaires consacrés.

HERBORISER

Recueillir des plantes là où elles poussent naturellement afin de les faire sécher et de les collectionner entre des feuillets à des fins d'étude.

PANTHÉON (LE)

Temple-monument de Paris, situé sur la montagne Sainte-Geneviève, au centre du Quartier latin. Depuis les funérailles de Victor Hugo (1885), le Panthéon est dédié au souvenir des grands hommes de la nation française.

---

2. L'influence de Rousseau porta particulièrement sur la conception kantienne de la conscience morale.

3. Emmanuel Kant, *Qu'est-ce que les Lumières et autres textes*, trad. J.-F. Poirier et F. Proust, Paris, Garnier-Flammarion, 1991, p. 43.

Cette volonté d'accéder aux lumières de la raison provient du courant **rationaliste** qui s'est développé, au siècle précédent, à la suite de Descartes et qui a permis à l'être humain de conquérir son autonomie sur le plan de la pensée (par le biais de la valorisation de la raison). Le XVIIIᵉ siècle actualisera cette autonomie dans l'exercice concret du jugement et de la critique, et dans la proposition d'idéaux nouveaux souvent en rupture avec le XVIIᵉ siècle.

Les idéaux des Lumières

Dans le domaine religieux, l'idéal de tolérance est mis en avant. Cet idéal s'incarnera dans la lutte à la superstition, au dogme, au fanatisme et dans la défense du déisme. Rousseau sera un fervent défenseur de la liberté de croyance et du déisme.

Sur le plan politique, on remet en question la légitimité du pouvoir (la souveraineté politique). Des philosophes comme John Locke (1632-1704), David Hume et Montesquieu (1689-1755) fondent des théories politiques qui contestent la **monarchie absolue**. Rousseau reprend et radicalise la critique sociale et politique en vigueur à son époque en proposant l'idée d'un contrat social qui promulgue la liberté, l'égalité et la défense de l'intérêt commun.

Sur le plan philosophique, un autre idéal des Lumières est défendu par le **naturalisme** philosophique: celui qui consiste à voir dans l'homme un être naturel et à valoriser le nouveau **paradigme** nature-bonheur terrestre. Rousseau est un des philosophes qui ont le plus contribué à imposer l'idée de nature perçue comme étant maternelle et innocente, et à y intégrer l'humain. Dans le sillage de cette nature bienveillante, Rousseau contribue également à la réhabilitation des sentiments et de la sensibilité «naturelle».

L'intérêt philosophique à l'endroit de la nature génère une méfiance vis-à-vis des idées métaphysiques et des spéculations rationnelles. On soupçonne la raison de produire des chimères, des idées «métaphysiques», des idées «abstraites» qui n'ont aucune réalité. Ainsi naît le rationalisme expérimental qui apporte de nouveaux principes à la théorie de la connaissance et à la philosophie morale.

L'avènement du rationalisme expérimental

Même si le Siècle des lumières fait l'éloge de la raison, il ne s'agit pas du même «règne» de la raison que celui qui est issu de la tradition cartésienne. Au nom de la raison, on se permet de critiquer la tradition cartésienne ainsi que l'excès de rationalisme prétendant que la raison humaine peut, par ses seules armes que sont le raisonnement et la déduction logique, découvrir les lois de la nature. On a foi dans les capacités de la raison, mais cette dernière doit être assistée et validée par l'expérience.

En s'inspirant de la méthode expérimentale exposée par Francis Bacon (1561-1626) dans son *Novum organum*[4] et de la physique renouvelée par ISAAC NEWTON (1642-1727), les philosophes anglais font une critique substantielle du rationalisme cartésien et ouvrent la voie à une nouvelle façon de concevoir l'humain et son monde. En effet, des philosophies comme celles de John Locke et de David Hume trouvent leurs assises dans l'expérience et dans les faits, qui, seuls, peuvent permettre la connaissance de la nature et de l'homme.

> **N**ewton fut un grand astronome, mathématicien et physicien. Son œuvre maîtresse, *Philosophiæ naturalis principia mathematica*, publiée en 1687, expose sa théorie de l'attraction universelle.

Locke innove avec un **empirisme** philosophique qui s'oppose radicalement au rationalisme cartésien. Il rejette la théorie cartésienne des idées innées ou «notions premières». Selon Locke, l'esprit humain est comme une «table rase» que l'expérience — dont les deux sources sont la sensation et la réflexion — vient garnir de connaissances desquelles naîtront des «idées simples» (voir *Essai sur l'entendement humain*, 1690). La principale préoccupation de Locke a trait à «la conduite de notre vie», qu'il étudie sous l'angle de l'anthropologie philosophique, de la morale et de la philosophie politique (voir *Lettre sur la tolérance*, 1689, et *Traité du gouvernement civil*, 1690).

EMPIRISME
Doctrine philosophique selon laquelle toutes les connaissances proviennent de l'expérience. Conséquemment, tout savoir doit être fondé sur l'expérience et sur l'observation.

Hume critique, lui aussi, la philosophie de Descartes. Chez Hume, cette critique concerne non seulement la question de l'origine et de la validation des idées et des connaissances, mais de plus l'importance de la fonction rationnelle elle-même. Selon Hume, c'est l'imagination — et non la raison — qui «associe» les idées simples pour en tirer des idées complexes. En outre, Hume pense que l'établissement des rapports de causalité reposent non sur la découverte rationnelle d'un rapport nécessaire entre l'effet et la cause, mais sur la simple habitude (celle de voir se répéter une même suite d'événements). Avec de telles assertions, il ne reste plus une grande part dévolue à la raison! Hume détrône la raison également dans les domaines de la morale et de la religion: nos jugements moraux et notre motivation morale sont basés sur les sentiments, nos convictions religieuses ne sont que des croyances et reposent elles aussi sur le sentiment. Croyant, à l'instar de Locke, que l'expérience seule fonde le savoir, Hume observe donc l'être humain dans la vie concrète afin de cueillir les impressions et les sensations issues de la réalité qui forment le contenu de son entendement. Cette philosophie à la fois empiriste et **sensualiste** influencera la philosophie de Rousseau.

SENSUALISME
Nom donné — pour la discréditer — à la doctrine empiriste de Condillac (1715-1780) selon laquelle toute connaissance provient des sensations.

L'*Encyclopédie*: une illustration du progrès de l'esprit humain

En France, les lumières de la raison se posent sur l'ensemble des connaissances humaines lorsque Diderot (1713-1784) et d'Alembert (1717-1783) aidés de collaborateurs, dont Rousseau[5], publient l'*ENCYCLOPÉDIE OU DICTIONNAIRE RAISONNÉ DES SCIENCES, DES ARTS ET DES MÉTIERS*. Ce dictionnaire universel veut répertorier et analyser toutes les connaissances de l'époque, prévoir les progrès que connaîtra l'esprit humain, critiquer les institutions établies et diffuser les idéaux des Lumières. Sous l'égide de Diderot et d'Alembert se constitue alors ce qu'on a appelé le «clan des

> L'*Encyclopédie*, dont les vingt-huit volumes grand format furent publiés entre 1751 et 1780, constitue, toutes proportions gardées, l'un des plus ambitieux projets de diffusion des connaissances d'une époque.

---

4. À propos de cet ouvrage, Voltaire (1694-1778) écrit dans ses *Lettres philosophiques*: «C'est l'échafaud avec lequel on a bâti la nouvelle philosophie [...] Le chancelier Bacon [...] est le père de la philosophie expérimentale.» (Douzième Lettre, t. I, Paris, Hachette, p. 154 et suivantes.)

5. En 1755, on fait appel à Rousseau pour rédiger l'article «Économie politique».

philosophes». Étienne Bonnot de Condillac, Julien Offray de La Mettrie (1709-1751), Paul Henri d'Holbach (1723-1789), pour ne nommer que ceux-là, adoptent des philosophies sensualiste, **matérialiste** et naturaliste qui ne visent qu'à mieux connaître et comprendre la nature humaine.

MATÉRIALISME
Courant philosophique qui n'admet d'autre substance ou réalité que la matière. Cette doctrine soutient que notre pensée fait partie intégrante de la matière en tant que produit de son évolution. Le matérialisme s'oppose au spiritualisme. L'origine de cette doctrine remonte à l'Antiquité grecque. Par exemple, Épicure (~341 – ~271), s'opposant à l'idéalisme de Platon, estimait que le monde physique était antérieur à la pensée et possédait une existence propre.

Les Lumières firent de la raison et de la science[6] les fondements de la civilisation européenne du XVIIIe siècle, le «siècle le plus éclairé qui fut jamais» (Voltaire). Nous assistons alors au règne de la raison dans les sciences, les techniques et les arts, facteurs de progrès et d'évolution de l'humanité. On croit fermement qu'en développant toutes les facultés de son esprit l'être humain atteindra une perfection jamais égalée et qu'il assurera ainsi son bien-être et son bonheur.

Rousseau n'entérinait pas entièrement cette croyance. Dès son premier *Discours*, il avait lancé un foudroyant réquisitoire contre les sciences, les techniques et les arts de son époque en soutenant que le «progrès» qui leur était associé n'amenait ni perfectionnement moral ni bonheur aux hommes, mais contribuait plutôt au développement du paraître[7].

DENIS DIDEROT, PAR L. M. VAN LOO, MUSÉE DU LOUVRE, PARIS.

Dans le *Discours sur l'inégalité*, Rousseau contestera encore la vision optimiste des Lumières au sujet du progrès de la civilisation humaine: il y présentera une interprétation de l'histoire des hommes montrant au contraire tous les maux qui accompagnent ce progrès. Ce second *Discours* n'est ni un traité historique dans le sens habituel du terme ni un ouvrage scientifique; il constitue plutôt une critique sociale et éthique de la civilisation, qui, selon Rousseau, cache le vrai visage de l'être humain. Cet être humain naturel, tel qu'il aurait pu exister au commencement de l'humanité, et les conditions expliquant sa lente dénaturation, Rousseau en avait eu l'intuition lors d'une randonnée dans la forêt, autour de Saint-Germain:

> Tout le reste du jour, enfoncé dans la forest, j'y cherchois, j'y trouvois l'image des prémiers tems dont je traçois fiérement l'histoire; je faisois main basse sur les petits mensonges des hommes, j'osois dévoiler à nud leur nature, suivre le progrès du tems et des choses qui l'ont défigurée, et comparant l'*homme de l'homme* avec l'*homme naturel*[8], leur montrer dans son perfectionnement prétendu la véritable source de ses miséres[9].

---

6. La philosophie des Lumières, dans son ensemble, peut donc être qualifiée de rationalisme expérimental.

7. Nous reviendrons plus loin sur ce concept de paraître.

8. Nous aborderons ces deux concepts dans les deux prochaines parties de ce chapitre.

9. *Confessions*, t. I, livre VIII, p. 388.

L'ÉTAT DE NATURE

La notion d'état de nature avait déjà été traitée par les grands théoriciens du droit naturel comme hypothèse permettant de rechercher les fondements du pacte social. À l'époque de Rousseau, deux conceptions philosophiques de l'état de nature étaient en vigueur: celle de Thomas Hobbes (1588-1679) et celle de John Locke. Hobbes considérait l'état de nature comme un état primitif où des brutes sanguinaires se livraient une guerre continuelle. En conséquence, il défendait un pacte de soumission et d'abdication de la souveraineté individuelle. Locke, au contraire, voyait l'homme naturel comme un animal naturellement sociable, bienveillant, vivant en paix et s'offrant une assistance mutuelle. Se basant sur cet «état de nature», Locke préconisait un pacte d'association et de limitation du pouvoir de l'autorité politique.

Rousseau s'oppose aux conceptions de l'état de nature avancées par Hobbes et Locke. Il reproche à Hobbes d'avoir décrit un état de société naissant, sinon déjà avancé, et non l'état de nature avant toute œuvre civilisatrice. Il repousse aussi l'idée de Locke voulant qu'un «instinct social» inné amène les humains à nouer des liens sociaux. Aux yeux de Rousseau, l'être humain est davantage mû par l'instinct de conservation, auquel il doit renoncer en partie s'il veut entrer en société. Et l'individu indépendant qui pense d'abord à se conserver n'acceptera pas facilement les contraintes ni les obligations qu'impose toujours la société, à moins d'y trouver son intérêt propre. Telle sera la problématique soulevée par le *Contrat social* que nous verrons un peu plus loin.

Mais que met donc Rousseau dans cette notion d'état de nature? L'homme «tel que l'a formé la Nature» recherché par Rousseau n'est pas celui qui aurait objectivement existé au début de l'humanité; il représente l'être de l'homme («la Nature de l'homme») au-delà de tous les masques qui le dissimulent.

Rousseau explique que cet état de nature est une hypothèse à laquelle on arrive en dépouillant l'être humain tel qu'on le connaît des caractéristiques qui sont dues aux influences de la société; il est ensuite possible de formuler des «conjectures tirées de la seule nature de l'homme et des Êtres qui l'environnent[10]» pour comprendre les causes de la croissante inégalité parmi les hommes. Mais cette entreprise n'est pas si facile, et Rousseau l'avoue lui-même dans la préface de son *Discours sur l'inégalité* en déclarant que «ce n'est pas une légère entreprise de démêler ce qu'il y a d'originaire et d'artificiel dans la Nature actuelle de l'homme, et de bien connaître un État qui n'existe plus, qui n'a peut-être point existé, qui probablement n'existera jamais, et dont il est pourtant nécessaire d'avoir des Notions justes pour bien juger de nôtre état présent[11]».

Voyons de plus près cet état originaire de l'*homme naturel*, qui s'oppose à l'état artificiel de l'homme tel qu'il est devenu (l'*homme de l'homme*), c'est-à-dire de l'homme que la civilisation a modelé et transformé au cours des siècles.

DISCOURS
SUR L'ORIGINE ET LES FONDEMENS
DE L'INEGALITÉ PARMI LES HOMMES.

Par JEAN JAQUES ROUSSEAU
CITOYEN DE GENÈVE.

Non in depravatis, sed in his quæ bene secundum naturam se habent, considerandum est quid sit naturale. ARISTOT. Politic. L. 2.

A AMSTERDAM,
Chez MARC MICHEL REY.
MDCCLV.

FRONTISPICE DE L'ÉDITION ORIGINALE DU DISCOURS (1755).

---

10. *Discours sur l'inégalité (Discours sur l'origine et les fondements de l'inégalité parmi les hommes)*, t. III, première partie, p. 133.
11. *Ibid.*, t. III, préface, p. 123.

AVATAR

Synonyme de
«mésaventure» ou
de «malheur».

Rousseau appelle «état de nature» les «routes oubliées et perdues» de l'humanité avant qu'elle soit soumise aux **avatars** de la société organisée et structurée en fonction d'une CULTURE. L'état de nature correspond somme toute à la nature originelle de l'homme avant que la civilisation en ait défiguré l'être profond. Il s'agit donc de la nature humaine perdue, enfouie sous l'artifice et le paraître de la civilisation; une nature humaine non encore altérée par les croyances, les préjugés, les lieux communs, les coutumes, les normes sociales et politiques, bref, une nature humaine appréhendée dans toute sa pureté.

> L'expression «état de société» est donnée à la vie des hommes ayant accédé à une organisation sociale et, en conséquence, à la transmission d'une culture.

Afin de mieux comprendre les quatre caractéristiques fondamentales ou «facultés naturelles» que Rousseau attribue à l'homme naturel (il l'appelle aussi «l'homme originaire»), précisons que Rousseau l'imagine solitaire et non sociable. Il veut décrire les «facultés naturelles» de cet homme originaire avant qu'il s'associe avec ses semblables.

Il ne faut donc pas confondre l'état de nature rousseauiste avec ce qu'ont pu connaître les premières sociétés humaines. L'existence des hommes primitifs ou des sauvages, nous le savons aujourd'hui, est déjà marquée par une organisation sociale fondée sur des coutumes et des traditions, alors que Rousseau présente l'état de nature comme un état d'isolement. L'homme originaire y est un animal oisif, indolent[12], ni bon ni méchant[13]. Il vit au jour le jour. Ses besoins sont très simples et il se suffit à lui-même. Il n'entretient aucune espèce de commerce continu avec ses semblables et ne vit pas en famille. Il ne connaît pas la notion de propriété ni celle de la dépendance à l'égard d'autrui, et, conséquemment, il ignore la servitude.

Dans l'état de nature, l'existence de l'homme originaire correspond à «la vie d'un animal borné aux pures sensations»; il développe d'abord ses «fonctions purement animales: apercevoir et sentir[14]». Il ne possède pas encore une raison développée et effective ni n'utilise un langage élaboré.

Liberté et perfectibilité
(premières caractéristiques de l'état de nature)

L'homme originaire diffère toutefois de l'animal, puisque face aux commandes de la nature, l'homme est un «agent libre [qui] se reconnaît libre d'acquiescer ou de résister [et qui a la] puissance de vouloir, ou plutôt de choisir[15]». À l'opposé de Descartes, Rousseau accorde non pas à la raison ou à la pensée mais bien à la liberté la caractéristique de différencier l'homme de l'animal. Les comportements de l'animal dépendent entièrement de son instinct: l'animal ne fait que reproduire ce qui est déjà établi par sa programmation

---

12. «Il est inconcevable, dit Rousseau, à quel point l'homme est naturellement paresseux. On dirait qu'il ne vit que pour dormir, végéter, rester immobile; à peine peut-il se résoudre à se donner les mouvements nécessaires pour s'empêcher de mourir de faim [...] Les passions qui rendent l'homme inquiet, prévoyant, actif, ne naissent que de la société. Ne rien faire est la première et la plus forte passion de l'homme après celle de se conserver.» (*Essai sur l'origine des langues*, t. V, p. 401.)

13. On a souvent simplifié la pensée de Rousseau en ne retenant de lui que cet énoncé: «L'homme bon fut créé.» (*Lettre à C. de Beaumont*, t. IV, p. 940.) Rousseau ne considère pas l'homme originaire comme nécessairement bon. Ne connaissant pas encore les notions de bien et de mal, l'homme naturel ne peut être bon ou méchant. Tout au plus, on peut dire de lui qu'il est innocent: «Il paraît d'abord, écrit Rousseau, que les hommes dans cet état n'ayant entre eux aucune sorte de relation morale, ni de devoirs connus, ne pouvaient être ni bons, ni méchants, et n'avaient ni vices ni vertus.» (*Discours sur l'inégalité*, t. III, première partie, p. 152.) Et Rousseau de nous livrer ce mot magnifique: «Tant qu'ils ne devinrent pas méchants, ils furent dispensés d'être bons.» (*Fragments politiques*, t. III, p. 476.)

14. *Discours sur l'inégalité*, t. III, seconde partie, p. 164.

15. *Ibid.*, t. III, première partie, p. 141-143.

instinctuelle. Au contraire, l'homme possède la liberté d'accepter ou de refuser les commandes de son instinct. Cette liberté face à l'instinct définit essentiellement l'homme naturel: elle est un don que l'être humain tient de la nature. Rousseau voit l'homme naturel comme «un être libre dont le cœur est en paix, et le corps en santé[16]».

Puisque l'homme originaire est libre, il a la «faculté de se perfectionner»; il fait preuve de perfectibilité. Ce caractère, qui concerne l'humanité tout entière et qui définit tout individu, désigne «la faculté qui, à l'aide de circonstances, développe successivement toutes les autres, et réside parmi nous tant dans l'espèce que dans l'individu[17]». Cette faculté n'existe pas chez l'animal: parce qu'il vit sous le joug de l'instinct, sa nature reste immuable. L'homme, au contraire, est transformable. Ce qu'il adviendra de l'être humain dépend donc des situations[18] dans lesquelles il est mis; en d'autres mots, ce que devient l'homme est fonction de son apprentissage, bref, de sa propre histoire. L'animal déterminé par sa nature instinctuelle n'a pas d'histoire. Seul l'humain s'inscrit dans une histoire où il développe, selon les conjonctures, les situations et les événements extérieurs, des propriétés (savoirs, connaissances, techniques, attitudes, mauvaises habitudes, etc.) qui, à l'état de nature, n'étaient que des **virtualités** indéterminées.

Somme toute, la société s'est chargée de transformer l'homme naturel, c'est-à-dire de lui inculquer des traits de civilisation (langage, croyances, idéologies, conduites immorales, etc.). De sorte que la perfectibilité, cette faculté d'acquérir des éléments que la nature ne donne pas au départ, est considérée par Rouseau comme

> la source de tous les malheurs de l'homme; [...] c'est elle qui le tire, à force de tems, de cette condition originaire, dans laquelle il couleroit des jours tranquilles, et innocens; [...] c'est elle, qui faisant éclore avec les siècles ses lumières et ses erreurs, ses vices et ses vertus, le rend à la longue le tiran de lui-même, et de la Nature[19].

Résumons le tout. L'homme naturel était un être perfectible, c'est-à-dire qu'il était libre de se transformer. Les sociétés dans lesquelles l'homme a vécu lui ont inculqué des traits de civilisation qui l'ont dénaturé et perverti. Siècle après siècle, et pour son plus grand malheur, l'homme est devenu un produit de la société, donc un sujet qui s'est développé à travers l'Histoire.

Rousseau ne croit pas, comme Descartes, à une nature humaine universelle, fondée sur la raison, qui constituerait l'essence de l'homme. À ses yeux, il n'y a pas d'essence permanente de l'homme. Ce que nous attribuons à la prétendue nature humaine correspond en fait à un devenir, est le résultat d'une histoire. Rousseau fait de l'individu un sujet historique: les hommes sont devenus tels que les sociétés les ont faits. L'être humain d'aujourd'hui n'est donc plus un être de nature — et Rousseau le regrette. Souvent à son préjudice, l'homme naturel est devenu un être de culture; c'est la société qui lui a inculqué des attributs qu'il ne possédait pas naturellement.

VIRTUALITÉ
Ce qui est à l'état de puissance, de possibilité chez un être. Synonyme de «potentialité».

---

16. *Ibid.*, p. 152.

17. *Ibid.*, p. 142.

18. La liberté, selon Rousseau, est une *liberté en situation*: l'être humain se «reconnoît libre d'acquiéser, ou de résister» à ce qui lui est donné de vivre.

19. *Discours sur l'inégalité*, t. III, première partie, p. 142.

L'amour de soi
(deuxième caractéristique de l'état de nature)

Revenons à l'homme originaire au moment où il ne possède pas encore une raison développée. «Le premier sentiment de l'homme, écrit Rousseau, fut celui de son existence, son premier soin celui de sa conservation[20].» L'amour de soi, élan naturel, est défini par Rousseau comme ce qui «intéresse ardemment notre bien-être et la conservation de nous-mêmes[21]». En fait, l'amour de soi correspond à ce que nous appelons l'instinct de conservation.

L'amour de soi, c'est en quelque sorte s'aimer soi-même et chercher «à étendre son être et ses jouissances, et à s'approprier par l'attachement ce qu'il [l'homme naturel] sent devoir être bien pour lui[22]». Selon Rousseau, l'homme naturel ne connaît et ne cherche à combler que les seuls besoins de nourriture, de reproduction et de repos. En tant que passion primitive et innée, l'amour de soi fait partie de la nature profonde de l'homme et ne le quitte jamais tant qu'il est en vie.

Rappelons que Rousseau voit l'individu appartenant à l'état de nature comme un être solitaire qui a très peu de rapports avec ses semblables. Afin de subsister et de se conserver, cet homme naturel porte intérêt à lui-même: il prend soin de lui-même. Il ne se préoccupe que de lui seul et il tente de combler ses besoins fondamentaux. Rousseau n'attribue aucune connotation morale à l'amour de soi: il n'est ni bien ni mal de veiller à se conserver quand on S'AIME SOI-MÊME assez pour ne pas se laisser mourir.

> **C**et amour de soi «est bon et utile et comme il n'a point de rapport nécessaire à autrui, il est à cet égard naturellement indifférent; il ne devient bon ou mauvais que par l'application qu'on en fait et les relations qu'on lui donne». (*Émile ou De l'éducation*, t. IV, livre II, p. 322.)

La pitié
(troisième caractéristique de l'état de nature)

Considérons maintenant l'autre sentiment naturel, «la seule vertu naturelle [...] que les mœurs les plus dépravées ont encore peine à détruire[23]»: la pitié. L'homme originaire ressent de la pitié avant même qu'il soit capable de réfléchir. La pitié lui «inspire une répugnance naturelle à voir périr ou souffrir tout être sensible et principalement [ses] semblables[24]». Aux yeux de Rousseau, la pitié est une vertu naturelle universelle et fort utile dans la mesure où elle tempère l'amour de soi qui pourrait ne voir qu'à la conservation exclusive et abusive de sa propre personne. Parce qu'il est capable d'éprouver de la pitié pour autrui, l'homme naturel n'est pas porté à faire du mal à un autre homme ou à un animal, à moins que sa vie ne soit en danger.

C'est elle [la pitié] qui, dans l'état de Nature, tient lieu de Loix, de mœurs, et de vertu, avec cet avantage que nul n'est tenté de désobéir à sa douce voix: C'est elle qui détournera tout Sauvage robuste d'enlever à un faible enfant, ou à un vieillard infirme, sa subsistance acquise avec peine, si lui-même espère pouvoir trouver la sienne ailleurs[25].

---

20. *Ibid.*, t. III, seconde partie, p. 164.
21. *Ibid.*, t. III, préface, p. 126.
22. *Dialogues*, t. I, dialogue deuxième, p. 805-806.
23. *Discours sur l'inégalité*, t. III, première partie, p. 155.
24. *Ibid.*, t. III, préface, p. 126.
25. *Ibid.*, t. III, première partie, p. 156.

La pitié — ce sentiment qui dort au cœur de tout homme et que l'on nomme aujourd'hui «compassion» — fait en sorte que l'individu peut être touché par les malheurs d'autrui. En effet, la vue d'une personne malheureuse ou misérable peut nous attendrir, alors que celle d'une personne heureuse risque de faire naître en nous de l'envie:

> La pitié est douce, parce qu'en se mettant à la place de celui qui souffre on sent pourtant le plaisir de ne pas souffrir comme lui. L'envie est amère, en ce que l'aspect d'un homme heureux loin de mettre l'envieux à sa place lui donne le regret de ne pas y être. Il semble que l'un nous exempte de maux qu'il souffre et que l'autre nous ôte les biens dont il jouit[26].

L'amour de soi est centré sur soi-même; la pitié est dirigée vers autrui. L'homme naturel est capable de s'aimer lui-même assez pour voir à sa propre conservation et, en même temps, il peut s'émouvoir de la misère ou de la difficulté éprouvée par autrui. À travers ces deux sentiments inscrits au cœur de l'homme, la nature assure la préservation de l'individu comme celle de l'espèce.

L'égalité
(quatrième caractéristique de l'état de nature)

L'homme naturel possède une autre caractéristique fondamentale: l'égalité. Il est égal à son semblable dans la mesure où aucune inégalité de fait ne vient troubler de façon sensible son existence:

> Il y a dans l'état de Nature une égalité de fait réelle et indestructible, parce qu'il est impossible dans cet état que la seule différence d'homme à homme soit assez grande pour rendre l'un dépendant de l'autre[27].

Rousseau ne suggère pas ici que l'un est identique à l'autre dans l'état de nature, mais qu'il ne peut être question chez les hommes naturels de différences notoires qui s'institutionnalisent en instrument de domination et de servitude des uns par rapport aux autres. L'homme originaire est décrit par Rousseau comme un être indépendant, ayant des besoins très simples qu'il arrive à combler par lui-même et qui a donc peu de commerce avec ses semblables. Il rencontre ses compères au hasard de ses déplacements et n'entretient avec eux aucun rapport durable. Or, «les liens de la servitude n'étant formés que de la dépendance mutuelle des hommes[28]», il apparaît comme impossible, dans un tel contexte, que les plus forts physiquement ou les plus rusés oppriment les plus faibles sur une base permanente. Bien sûr, l'un peut enlever à l'autre le fruit qu'il vient de cueillir ou la proie qu'il vient de tuer, mais le plus faible peut aisément fuir celui qui l'assaille. Par ailleurs, puisqu'il n'y a alors aucune propriété et aucune sédentarité, le plus fort ne peut faire du plus faible son esclave. À la question de l'Académie de Dijon, qui demandait si l'inégalité entre les hommes reposait sur une «loi» de la nature, Rousseau répondit qu'il n'existe pas d'inégalité dans l'état de nature.

---

26. *Émile*, t. IV, livre I V, p. 504.

27. *Ibid.*, p. 524.

28. *Discours sur l'inégalité*, t. III, première partie, p. 162.

L'ÉTAT DE SOCIÉTÉ

Mais vient un jour où — à la suite de cataclysmes de toutes sortes — les besoins mutuels ont forcé les individus à mettre en commun leurs forces, donc à se regrouper :

> Les associations d'hommes sont en grande partie l'ouvrage des accidens de la nature; les déluges particuliers, les mers extravasées, les eruptions des volcans, les grands tremblements de terre, les incendies allumés par la foudre et qui détruisoient les forets, tout ce qui dût effrayer et disperser les sauvages habitans d'un pays dût ensuite les rassembler pour réparer en commun les pertes communes. Les traditions des malheurs de la terre si fréquentes dans les anciens tems montrent de quels instruments se servit la providence pour forcer les humains à se rapprocher[29].

Il ne faut pas se faire d'illusion sur les causes des premiers regroupements humains. C'est parce qu'il n'arrivait pas à surmonter seul les catastrophes naturelles que l'individu s'est uni aux autres. Les premières «associations d'hommes» naissent donc de leurs incapacités, de leurs misères, de leurs faiblesses individuelles, et non, comme le croyait Locke, d'une tendance à la socialisation.

Dans la seconde partie du *Discours sur l'inégalité*, Rousseau trace le portrait des premières sociétés humaines. Résumons ce qu'il en dit.

La première forme d'association humaine

Comme nous l'avons mentionné ci-dessus, ce sont des besoins passagers correspondant à un «intérêt présent et sensible» qui ont donné naissance à la première forme d'association humaine. Devant compter sur l'assistance de ses semblables, l'homme originaire s'unit temporairement à des compères, sans aucune obligation de part et d'autre, afin de répondre à des besoins immédiats. Sa vie est encore errante et vagabonde.

La deuxième forme d'association humaine

La deuxième forme d'union entre les humains correspond «à l'établissement et à la distinction des familles». Les hommes vivent alors dans des huttes faites de branchages et enduites de boue. C'est l'époque des cabanes.

La famille est la première société humaine, «la plus ancienne de toutes les sociétés, et la seule naturelle[30]», dira Rousseau. Grands-parents, mari, femme et enfants constituent une petite société qui se maintient par attachement réciproque et qui se caractérise par un choix volontaire de rester ensemble.

C'est là, selon Rousseau, que s'établit la première différence des sexes. Les femmes gardent la cabane et s'occupent des enfants pendant que les hommes vont chercher la subsistance commune.

C'est à cette époque aussi que les gens s'habituent pour la première fois de l'humanité à des commodités qui deviendront des besoins dont on ne voudra plus se passer. «Ce fut là le premier joug qu'ils s'imposèrent sans y songer, et la première source de maux qu'ils préparèrent à leurs Descendants[31].»

---

29. *Essai sur l'origine des langues*, t. V, p. 402.
30. *Du Contrat social*, t. III, livre I, chap. II, p. 352.
31. *Discours sur l'inégalité*, t. III, seconde partie, p. 168.

POUR UNE TRIBU PAPOUE (PAPOUASIE, NOUVELLE-GUINÉE), LA DANSE CONSTITUE L'OCCASION PRIVILÉGIÉE DE CÉLÉBRER UN «SING-SING», CÉRÉMONIE AU COURS DE LAQUELLE EST SACRIFIÉ UN COCHON QUI SERVIRA À NOURRIR LE CLAN.

La troisième forme d'association humaine

La troisième forme de groupement humain survient lorsque, devenant sédentaires, des familles différentes se fixent dans un même lieu. Les gens s'assemblent «devant les Cabanes ou autour d'un grand Arbre». On y chante et on y danse. «Chacun commença à regarder les autres et à vouloir être regardé soi-même, et l'estime publique eut un prix. Celui qui chantoit ou dansoit le mieux; le plus beau, le plus fort, le plus adroit ou le plus éloquent devint le plus considéré, et ce fut le premier pas vers l'inégalité [...], la vanité et le mépris [...], la honte et l'envie[32].»

Ainsi placés en présence d'autrui, les individus commencent à se mesurer entre eux, à se comparer les uns aux autres, à croiser et à entrechoquer leurs intérêts réciproques, à cultiver leurs ambitions personnelles, à vouloir obtenir la première et la meilleure place, à vouloir recevoir de la considération des autres:

Sitôt que les hommes eurent commencé à s'apprecier mutuellement et que l'idée de la considération fut formée dans leur esprit, chacun prétendit y avoir droit; et il ne fut plus possible d'en manquer impunément pour personne. De là sortirent les premiers devoirs de la civilité, même parmi les Sauvages, et de là tout tort volontaire devint un outrage, parce qu'avec le mal qui résultoit de l'injure, l'offensé y voyoit le mépris de sa personne souvent plus insupportable que le mal même. C'est ainsi que chacun punissant le mépris qu'on lui avait témoigné d'une manière proportionnée au cas qu'il faisoit de lui-même, les vengeances devinrent terribles, et les hommes sanguinaires et cruels[33].

---

32. *Ibid.*, p. 169-170.

33. *Ibid.*, p. 170.

L'AMOUR-PROPRE   C'est à ce moment que l'amour de soi a dégénéré en amour-propre. L'amour-propre est la caractéristique fondamentale de l'homme mis en société. «L'amour-propre, écrit Rousseau, n'est qu'un sentiment relatif, factice, et né dans la société, qui porte chaque individu à faire plus de cas de soi que de tout autre, qui inspire aux hommes tous les maux qu'ils se font mutuellement[34]» dans la vie en société.

Ne peut-on reconnaître dans cette description de l'amour-propre ce que nous appelons aujourd'hui le rapport individualiste, **égotiste** ou **narcissique** à soi-même? Car l'individu qui éprouve de l'amour-propre se trouve intéressant, s'accorde de l'importance, se préfère aux autres à un point tel qu'il devient vaniteux, ambitieux et superficiel, se coupant ainsi de toute relation saine et authentique à autrui[35].

La quatrième forme d'association humaine

La quatrième forme de société humaine naît avec l'avènement de la métallurgie et de l'agriculture. «Ce sont le fer et le bled qui ont civilisé les hommes, et perdu le Genre-humain[36].»

À partir du moment où fut inventé l'art de travailler les métaux, ceux qui s'y affairent durent être nourris par d'autres qui se mirent à cultiver la terre. Ces derniers devinrent plus productifs en utilisant les instruments créés par les artisans. Nous avons affaire ici à la première manifestation de dépendance mutuelle entre deux classes d'humains qui donna lieu à la première forme de division du travail (entre les secteurs de l'agriculture et de la métallurgie).

Si la force et les talents des hommes avaient été égaux, les échanges entre ceux qui travaillaient la terre et ceux qui fabriquaient des outils auraient pu être égaux. Mais ce ne fut pas le cas. Tel travailleur de la terre ou tel artisan était plus fort, plus adroit, plus ingénieux qu'un autre. De sorte qu'«en travaillant également, l'un gagnait beaucoup tandis que l'autre avait peine à vivre[37]».

Qui plus est, de la culture des terres découlèrent nécessairement les problèmes de partage et de PROPRIÉTÉ ainsi que les premiers droits du cultivateur à s'approprier le fond de terrain sur lequel il travaillait année après année.

Les inégalités naturelles ou «physiques» (âge, santé, force, talent, esprit, adresse, etc.) entre les hommes firent donc en sorte que tel laboureur produisit plus que tel autre et posséda plus de terre; que tel forgeron, fabriquant plus d'outils et de meilleure qualité, vécut plus à l'aise qu'un autre.

Au fil du temps, ceux qui devinrent riches abusèrent de la naïveté des pauvres et des faibles en les soumettant par ruse à des lois protégeant les intérêts et les privilèges des riches. C'est

ÉGOTISME

«Culte du moi, poursuite trop exclusive de son développement personnel» (*Le Petit Robert*, 1994).

NARCISSIQUE

Se dit de quelqu'un qui porte une attention exclusive à sa propre personne et à ses propres besoins, de sorte que toutes ses énergies affectives sont dirigées sur lui-même.

La propriété n'apparaît qu'avec la société civile qui en institue la légitimité par le droit. Plus particulièrement, la propriété est liée, selon Rousseau, à la sédentarité et à l'agriculture. La seconde partie du *Discours sur l'inégalité* s'ouvre sur cette phrase remarquable: «Le premier qui ayant enclos un terrain, s'avisa de dire *ceci est à moi*, et trouva des gens assez simples pour le croire, fut le vrai fondateur de la société civile.» (*Discours sur l'inégalité*, t. III, seconde partie, p. 164.)

---

34. *Ibid.*, t. III, note XV, p. 219.

35. Nous soulèverons cette problématique du rapport égotiste et narcissique à soi-même à la fin du chapitre 4.

36. *Discours sur l'inégalité*, t. III, seconde partie, p. 171.

37. *Ibid.*, p. 174.

donc «l'établissement de la propriété et des Loix[38]» qui constitue la source des inégalités sociales que Rousseau appelle «inégalités morales ou politiques» (les richesses, le rang, les privilèges, le pouvoir).

Telle fut, ou dut être, l'origine de la Société et des Loix, qui donnérent de nouvelles entraves au faible et de nouvelles forces au riche, détruisirent sans retour la liberté naturelle, fixèrent pour jamais la Loi de la propriété et de l'inégalité, d'une adroite usurpation firent un droit irrévocable, et pour le profit de quelques ambitieux assujettirent désormais tout le Genre humain au travail, à la servitude et à la misére[39].

Arrivé à ce stade du développement social, l'esprit humain est pleinement développé, l'individualisme règne en maître, chacun occupe un rang en fonction des biens qu'il possède, des honneurs, des privilèges ou des pouvoirs qu'il a pu obtenir. La société politique étant basée sur la *puissance* et la *réputation*, Rousseau conclut que l'état de société s'inscrit dans le paraître.

ÊTRE OU PARAÎTRE

Constatant à regret que l'état de société a perverti le cœur de l'homme naturel, Rousseau lance un appel à puiser aux sources de l'état de nature. Parce que, selon lui, l'état de nature est l'être de l'homme: il correspond à sa vérité intérieure, à ce qu'il y a de meilleur en lui.

Cela ne constitue cependant pas une invite pour que nous revenions à l'état sauvage, à cette espèce d'âge d'or de l'humanité, car «la nature humaine ne rétrograde pas et jamais on ne remonte vers les temps d'innocence et d'égalité quand une fois on s'en est éloigné[40]». Il faut plutôt voir dans cet état de nature le modèle ou l'idéal qui nous permet de mettre en lumière, par contraste, les faiblesses, les faussetés et les artifices de la société et de ses conventions.

Tous [...] tâchent en vain de donner le change sur leur vrai but; aucun ne s'y trompe, et pas un n'est le dupe des autres [...]. Tous cherchent le bonheur dans l'apparence, nul ne se soucie de la réalité. Tous mettent leur être dans le paraître. Tous, esclaves et dupes de l'amour-propre, ne vivent point pour vivre, mais pour faire croire qu'ils ont vécu[41].

Puisqu'en société les hommes évaluent leur propre existence en fonction de l'opinion des autres, ils doivent affecter d'avoir les qualités susceptibles d'attirer de la considération.

L'homme du monde est tout entier dans son masque. N'étant presque jamais en luimême, il y est toujours étranger et mal à son aise, quand il est forcé d'y rentrer. Ce qu'il est n'est rien, ce qu'il paraît est tout pour lui[42].

Selon Rousseau, l'état de société n'est donc que paraître, faux-semblant et mondanité. En société, les hommes veulent être reconnus comme ayant de la valeur. S'ils n'en ont pas ou en ont peu, ils doivent feindre d'en avoir. Ce faisant, ils dissimulent ce qu'ils sont vraiment.

---

38. *Ibid.*, p. 193.
39. *Ibid.*, p. 178.
40. *Dialogues*, t. I, dialogue troisième, p. 935.
41. *Ibid.*, p. 936.
42. *Émile*, t. IV, livre IV, p. 515.

L'homme naturel a été obligé de s'associer à ses semblables pour affronter les difficultés de la vie des premiers temps. Placés en société, les hommes ont perdu l'innocence, la liberté et le bonheur de l'état de nature. L'état de société a fait de l'homme un être rusé, fourbe, dur, ambitieux, abusant autrui ou s'en faisant craindre, etc. La société, telle que l'observe Rousseau, est devenue le lieu où des hommes ont dû obéir à d'autres hommes, le lieu où des hommes exploitent d'autres hommes, bref, le lieu d'une profonde inégalité et servitude. Le *Contrat social* propose un nouveau pacte social et politique qui tente de transformer la réalité que nous venons de décrire.

LE *CONTRAT SOCIAL* OU LA RAISON DE LA LOI

«L'homme est né libre, et partout il est dans les fers.» C'est par ce constat que s'ouvre le chapitre premier *Du contrat social*. L'homme originaire était libre et la société l'a «dénaturé». Les hommes mis en société ont été dépouillés de leur liberté naturelle. Ils ont dû obéir aux puissants. Ils ont été trompés par des gouvernants qui, en échange d'une certaine sécurité, les ont asservis et exploités.

Rousseau se demande comment il serait possible de résoudre l'antagonisme apparemment insurmontable entre les conditions d'être et de vie que permettait l'état de nature (liberté, égalité, pitié) et celles qui existent dans l'état de société telles que révélées par l'Histoire au cours des siècles (servitude, inégalité, violence institutionnalisée, etc.)? Nous savons que l'Histoire est irréversible, qu'il est impossible de quitter l'état de société pour retourner à l'état de nature primitif, mais peut-on penser une forme de l'association sociale qui soit fondée non plus sur la force et la soumission, mais sur la liberté et la raison?

Rousseau essaie donc de trouver une forme d'organisation politique et sociale qui réconcilierait ces deux mondes séparés: les droits de la nature (liberté, égalité) et les nécessités, les contingences de la vie civile. En somme, la conception rousseauiste du contrat social tente de répondre à la question suivante: comment les hommes, réunis en société, peuvent-ils retrouver un équivalent de l'état de nature exempt de domination et de dépendance qui leur permette de ne pas abdiquer leur imprescriptible liberté et de se soustraire aux maux (l'inégalité, entre autres) engendrés par la société? Ce n'est certainement pas en adhérant à un contrat de soumission fondé sur le droit du plus fort, car ce type de contrat, qui nie la liberté essentielle de l'humain, est toujours illégitime[43].

La volonté générale

SUJÉTION
État de l'individu qui est soumis à une autorité, à une domination souveraine. Synonyme d'«assujettissement», de «dépendance» ou d'«oppression».

Dans la conception rousseauiste de l'État, il n'est pas question d'imposer une **sujétion** à quiconque: le contrat social ne peut être imposé de l'extérieur, chacun doit y adhérer librement et le peuple né de l'association des individus ne peut être soumis à aucune autre autorité que lui-même. Ce sont les volontés des personnes qui doivent librement participer à une «volonté générale».

Cette volonté générale constitue en même temps le fondement et le résultat du pacte social: elle représente la volonté collective des individus qui se sont «associés» et celle de la nouvelle entité qui est formée grâce à cette association, la société elle-même[44]. Elle s'exprime uniquement sous la forme de lois générales qui régissent également tous les

---

43. Nous faisons ici allusion à la critique que Rousseau faisait du pouvoir politique despotique défendu par Hobbes.

44. Rousseau désigne parfois cette entité par l'expression «personne publique», pour bien montrer qu'il s'agit d'un être nouveau, indépendant des individus qui le composent, et à qui on attribue une volonté propre (voir *Du contrat social*, t. III, livre I, chap. VI, p. 361).

individus et elle n'a pour seul but que le bien commun. Il faut comprendre que la volonté générale n'est pas la somme ou la moyenne des volontés particulières; elle fait entièrement abstraction, au contraire, des intérêts, des désirs ou des passions des individus pour ne considérer que le bien universel, tel qu'il serait compris par des citoyens qui n'écouteraient que leur raison.

En somme, la volonté générale représente la «rationalité» humaine et produit une sorte de «conversion» de l'homme, qui, pour devenir citoyen, doit renoncer à sa volonté individuelle, c'est-à-dire à la défense de ses intérêts égoïstes. La participation à la volonté générale ne repose pas sur «l'intérêt bien compris» mais sur le renoncement; c'est à ce prix que l'humain accède, avec la vie sociale, au droit et à la moralité.

La loi: expression de la volonté générale

Selon les propres mots de Rousseau, le contrat social entend faire disparaître l'homme de l'homme pour y substituer un citoyen, membre d'une société où règne la loi, expression de la volonté générale, garantie de la liberté et de l'égalité[45] des individus, seule capable de réunir les avantages de l'état de nature et ceux de l'état civil. À cette fin, il s'agit d'instaurer «une forme d'association qui défende et protège de toute la force commune la personne et les biens de chaque associé, et par laquelle chacun s'unissant à tous n'obéisse pourtant qu'à lui-même et reste aussi libre qu'auparavant[46]».

Mais est-ce possible d'aliéner volontairement sa liberté individuelle en vue de l'établissement de la liberté et de l'égalité de tous, et de rester malgré tout libre? Rousseau croit fermement que oui parce que «L'OBÉISSANCE À LA LOI QU'ON S'EST PRESCRITE EST LIBERTÉ[47]», écrit-il. Ce principe permet à Rousseau d'affirmer que chacun ne perd pas véritablement sa liberté à l'intérieur du contrat social, puisqu'il a consenti librement à s'en départir pour l'intérêt commun, qui correspond somme toute à son propre intérêt. De plus, grâce à la loi, chacun est protégé contre la soumission à d'autres individus.

> Emmanuel Kant fut un lecteur assidu de Rousseau; il voyait en ce dernier le «Newton de la morale». D'ailleurs, Kant reprendra ce principe et l'appliquera à l'ordre moral: en tant que sujet rationnel, la personne choisit d'être elle-même l'auteur de la loi morale. Ainsi, l'autonomie de la volonté est posée comme fondement de la moralité.

En adhérant au contrat social, l'individu y trouve en quelque sorte un bien supérieur (l'égalité civile qui octroie les mêmes droits et les mêmes devoirs à tout un chacun, qu'il soit fort ou faible, riche ou pauvre) à celui dont il s'est départi (l'égalité naturelle ne lui permettant de combler ses besoins qu'à la mesure de ses moyens propres). Par le contrat social, les individus deviennent tous égaux devant la loi[48] puisque par contrat chacun s'aliène également[49]. Le pacte social institue donc des conditions égales pour tous, et cette réciprocité assure la liberté de chacun. En d'autres termes, le contrat social remplace l'autorité de l'homme sur l'homme (source de domination et de servitude) par l'autorité de la loi (source de l'égalité garantissant la liberté).

---

45. Chez Rousseau, liberté et égalité vont de pair: «La liberté ne peut subsister sans elle [l'égalité]». Mentionnons cependant qu'il ne s'agit pas d'une égalité niveleuse (voir *Discours sur l'inégalité*, t. III, note XIX), mais d'une égalité de droit: «C'est précisément parce que la force des choses tend toujours à détruire l'égalité que la force de la législation doit toujours tendre à la maintenir.» (*Du contrat social*, t. III, livre II, chap. XI, p. 391-392.)

46. *Du contrat social*, t. III, livre I, chap. VI, p. 360.

47. *Ibid.*, t. III, livre I, chap. VIII, p. 365.

48. *Ibid.*, t. III, livre II, chap. IV, p. 372-375.

49. *Ibid.*, t. III, chap. XVI.

Le contrat social : une démocratie directe

Le contrat social constitue une sorte de convention de tous avec tous, où chacun — devenant ainsi une partie indivisible du tout — accepte de perdre sa puissance et ses droits individuels[50] pour donner naissance à la volonté générale. Ce pacte social se réduit aux termes suivants :

> *Chacun de nous met en commun sa personne et toute sa puissance sous la suprême direction de la volonté générale ; et nous recevons en corps chaque membre comme partie indivisible du tout.* À l'instant, au lieu de la personne particulière de chaque contractant, cet acte d'association produit un corps moral et collectif composé d'autant de membres que l'assemblée a de voix, lequel reçoit de ce même acte son unité, son moi commun, sa vie et sa volonté[51].

La dernière partie de cette citation suggère que la volonté générale devra s'exprimer par le corps social dans sa totalité. C'est le peuple tout entier (l'assemblée de citoyens) qui devient souverain. Le pouvoir ne peut être délégué à des représentants. La loi à laquelle le peuple obéit est donc l'expression de la volonté générale. Le contrat social institue une démocratie directe et non une démocratie représentative.

Cette philosophie politique rousseauiste qui énonce un « devoir être » (ce qui doit se produire pour légitimer le pouvoir politique) trouva son achèvement dans la DÉCLARATION DES DROITS DE L'HOMME ET DU CITOYEN proclamée par la Révolution française de 1789. En décrivant le lien social qui devrait unir l'individu à la collectivité, le *Contrat social* proposait une nouvelle convention qui abolirait les privilèges qu'octroient la naissance, la richesse et la puissance, fondements de toutes les injustices et de tous les malheurs dont a souffert l'humanité. En cela, le *Contrat social* constitue le premier volet d'une philosophie qui s'adresse d'abord au citoyen en voulant faire son éducation civile. L'*Émile ou De l'éducation* correspond au second volet, où Rousseau stipule ce que devrait être l'éducation de l'individu.

> **V**otée par l'Assemblée constituante, le 26 août 1789, la Déclaration des droits de l'homme et du citoyen énonçait en termes rousseauistes les « droits naturels et imprescriptibles de l'homme » : liberté, propriété, sûreté, résistance à l'oppression (article 2). Et l'article 1 proclamait que : « Les hommes naissent et demeurent libres et égaux en droit. Les distinctions sociales ne peuvent être fondées que sur l'utilité commune. » N'oublions pas que ce texte demeure à la base de la démocratie moderne et constitue encore un idéal de civilisation digne de respect.

ÉMILE OU LE MODÈLE D'ÉDUCATION DE L'ÊTRE HUMAIN

« Tout est bien sortant des mains de l'Auteur des choses, tout dégénère entre les mains de l'homme » : ces mots ouvrent magistralement l'ouvrage qui occupe une place centrale dans l'œuvre de Rousseau : *Émile ou De l'éducation*.

Au XVIIIe siècle, on ne reconnaît guère de droits à l'enfance, les parents de l'aristocratie et de la grande bourgeoisie se déchargent de leurs responsabilités en confiant leurs enfants à une nourrice pour ensuite les enfermer dans des collèges ou des couvents, ou encore les laisser sous la domination de précepteurs ou de gouvernantes avides de discipline. À

---

50. Rousseau dit : « l'aliénation totale de chaque associé avec tous ses droits à toute la communauté » (*Du contrat social*, t. III, livre I, chap. VI, p. 360).

51. *Du contrat social*, t. III, livre I, chap. VI, p. 361.

l'encontre de ces pratiques, Jean-Jacques Rousseau publie un
«traité d'éducation» révolutionnaire où il défend le droit à une
véritable enfance, le droit à la liberté, la prise en charge directe de
l'éducation par les parents, l'éducation orientée vers la seule
humanité plutôt que vers le rang et l'ordre, etc.

Qui plus est, l'ouvrage n'est pas qu'un simple traité de
recettes pédagogiques. Au-delà des visées éducatives, Rousseau
y présente une conception philosophique de l'homme. Dans
le livre premier de l'*Émile*, il apporte la précision suivante :
«Notre véritable étude est celle de la condition humaine. [...] Il
faut donc généraliser nos vues, et considérer dans notre élève
l'homme abstrait, l'homme exposé à tous les accidents de la vie
humaine[52].»

À la faveur d'un traité pédagogique, Rousseau trace le portrait de l'homme idéal, c'est-à-dire de celui qui aurait réussi à
conserver les éléments de l'état de nature grâce à une saine éducation, où il aurait appris à résister par lui-même aux vices que
la société inculque. *Émile* s'inscrit dans une espèce de trilogie.
Les deux premiers *Discours* critiquent avec vigueur l'œuvre de
la civilisation, qui dénature l'homme et le prive de la liberté et
de l'égalité. Le *Contrat social* présente le «devoir être» sur le
plan social et propose la seule forme politique capable d'offrir
aux citoyens la liberté et l'égalité civiles. *Émile ou De l'éduca-
tion* décrit les règles essentielles d'une pédagogie développant chez l'enfant, l'adolescent
et le jeune adulte les qualités de l'homme naturel ; ce sont ces qualités qui pourront faire
de lui un authentique citoyen, libre et préoccupé par le bien commun.

FRONTISPICE DE L'*ÉMILE* PAR COCHIN DANS L'ÉDITION
IN-4° DE GENÈVE, 1780-1781.

Le modèle éducatif rousseauiste

Donnons un aperçu de ce modèle éducatif.

RÈGLE PREMIÈRE : LE RESPECT DE LA LIBERTÉ NATURELLE DE L'ENFANT

D'abord, il s'agit d'asseoir sur le principe de la liberté toutes les conditions requises en vue
d'une heureuse éducation de l'individu orientée vers la vie. Aussi, le maître ou précepteur se
servira de la nature seule comme inspiratrice et théâtre de l'apprentissage de l'enfant, et
s'abstiendra de lui imposer, de l'extérieur, des préceptes artificiels et inutiles. Face à l'ordre
naturel, l'enfant peut comprendre ses limites tout en restant libre : il apprend à accepter ce
contre quoi il ne peut rien. Comme l'écrit Rousseau, «la dépendance des choses n'ayant
aucune moralité ne nuit point à la liberté et n'engendre point de vices[53]».

RÈGLE DEUXIÈME : LE RESPECT DE L'ÉVOLUTION NATURELLE
DE L'ENFANT

La deuxième règle éducative demande de considérer
l'enfant comme un ENFANT et non comme un adulte. «Laissez mûrir
l'enfance dans l'enfant !» s'écrie Rousseau. Cela implique que l'on
respecte l'évolution naturelle de l'individu, c'est-à-dire, pour utiliser un
langage contemporain, les étapes ou stades du développement de

> ROUSSEAU fut le premier penseur
> à affirmer la spécificité de l'enfant
> et de son être propre. À l'époque
> de Rousseau, on avait tendance à
> réduire l'enfant à la notion vague
> de «modèle réduit d'adulte».

---

52. *Émile*, t. IV, livre I, p. 252.

53. *Ibid.*, t. IV, livre II, p. 311.

l'enfant. Afin de suivre cette progression naturelle, le précepteur utilisera ce que la nature elle-même éveille tour à tour chez l'être humain. En d'autres mots, il adaptera son enseignement aux facultés de chaque âge.

DE ZÉRO À DEUX ANS Seules les capacités corporelles devraient exclusivement être exercées jusqu'à l'âge de deux ans: l'enfant apprendra d'abord à fortifier son corps par l'exercice physique.

DE TROIS À DOUZE ANS L'accent sera mis sur le développement des sens, «les premières facultés qui se forment et se perfectionnent en nous», facultés qu'il convient de cultiver avant l'intelligence abstraite. Les sensations que procurent la vue, l'ouïe, l'odorat et le toucher sont évaluées par Rousseau comme permettant une perception juste de la réalité et de soi-même. D'autant plus que c'est en comparant ses diverses sensations que l'enfant développe son esprit — ce qui donnera naissance ultérieurement à l'idée. Contrairement à Descartes, Rousseau considère que les idées ne sont pas innées[54]:

> Notre élève n'avait d'abord que des sensations, maintenant il a des idées: il ne faisait que sentir, maintenant il juge. Car de la comparaison de plusieurs sensations successives ou simultanées, et du jugement qu'on en porte, naît une sorte de sensation mixte ou complexe que j'appelle idée[55].

> «La première éducation doit être purement négative. Elle consiste, non point à enseigner la vertu ni la vérité, mais à garantir le cœur du vice et l'esprit de l'erreur.» (*Émile*, t. IV, livre II, p. 323.)

La «première» éducation, qui va de la naissance à douze ans, doit être «NÉGATIVE», en ce sens que le précepteur ne donne rien à apprendre mais se contente de placer Émile dans des conditions (généralement celles de la nature) où l'enfant découvrira tout par lui-même et, au besoin, d'empêcher que le préjugé (erreur de l'esprit) ou le vice (erreur du cœur), toujours issus de l'extérieur, ne vienne entraver cet apprentissage.

À TREIZE ANS Rousseau croit qu'il ne faut pas précipiter l'apprentissage de la raison. Il ne faut pas prématurément, alors que l'enfant n'est pas prêt, exiger de lui qu'il se mesure «aux objets intellectuels». Rousseau suggère donc d'attendre la treizième année de l'enfant avant de considérer le développement de son esprit et de travailler à l'éveil de sa curiosité intellectuelle.

À DIX-SEPT ANS Ce n'est qu'à partir de la dix-septième année qu'on valorisera le raisonnement par le travail intellectuel proprement dit, car, «de toutes les instructions propres à l'homme, celle qu'il acquiert le plus tard et le plus difficilement est la raison même[56]».

À VINGT ANS À vingt ans seulement, l'examen de ce qui est bien et de ce qui est mal (le sens moral) sera fait avant qu'on favorise une conduite particulière. Ayant été éduquée d'une bonne manière, la conscience morale d'Émile, qui correspond au sentiment intuitif et immédiat de ce qui est bien, saura être pour lui un guide sûr.

Tout ce processus d'apprentissage sera organisé en fonction de l'intérêt spontané ressenti par l'élève. La personne n'est-elle pas motivée à apprendre dans la mesure où elle y trouve son intérêt[57]?

---

54. La théorie rousseauiste de la connaissance s'oppose radicalement au rationalisme classique, dont celui de Descartes, et épouse la philosophie sensualiste de Condillac.

55. *Émile*, t. IV, livre III, p. 481.

56. *Julie ou la nouvelle Héloïse*, t. II, cinquième partie, lettre 3, p. 562.

57. «À quoi cela sert-il?» entend-on souvent de la bouche des enfants et même des jeunes adultes.

RÈGLE TROISIÈME: LA PRÉDOMINANCE DE LA CONSCIENCE SUR LA SCIENCE

La troisième règle de l'éducation rousseauiste consiste à développer la conscience plutôt que d'accumuler de la science; il faut laisser l'enfant découvrir par lui-même ce qu'il doit savoir au lieu de lui imposer des connaissances et des vertus qu'il n'est pas encore capable de comprendre. Ce n'est pas le savoir en tant que tel qui importe ni la culture en soi, mais l'honnêteté et la sincérité du cœur. «L'homme naturel, s'exclame Rousseau, est honnête, non savant!» Le précepteur verra donc en priorité à empêcher que l'enfant ne tombe sous l'empire des préjugés et des mœurs factices qui viendraient fausser son apprentissage.

RÈGLE QUATRIÈME: APPRENDRE À APPRENDRE

La quatrième règle éducative repose sur l'hypothèse qu'il vaut mieux apprendre à apprendre, car il importe d'avoir «une tête bien faite plutôt que bien pleine!» Au savoir en tant que somme des connaissances acquises, Rousseau préfère la perspicacité, la profondeur et l'ouverture d'esprit:

> Émile a peu de connoissances, mais celles qu'il a sont véritablement siennes; il ne sait rien à demi. Dans le petit nombre de choses qu'il sait et qu'il sait bien, la plus importante est qu'il y en a beaucoup qu'il ignore et qu'il peut savoir un jour, beaucoup plus que d'autres hommes savent et qu'il ne saura de sa vie, et une infinité d'autres qu'aucun homme ne saura jamais. Il a un esprit universel, non par les lumiéres, mais par la faculté d'en acquérir; un esprit ouvert, intelligent, prêt à tout, et, comme dit Montaigne, sinon instruit du moins instruisable. Il me suffit qu'il sache trouver l'*à quoi bon* sur tout ce qu'il fait, et le *pourquoi* sur tout ce qu'il croit. Encore une fois mon objet n'est point de lui donner la science, mais de lui apprendre à l'acquérir au besoin, de la lui faire estimer exactement ce qu'elle vaut, et de lui faire aimer la vérité par-dessus tout[58].

UNE CONSIDÉRATION PHILOSOPHIQUE ENGLOBANTE: FAIRE DE L'ENFANT UN HOMME

Chapeautant les quatre règles rousseauistes de l'éducation de l'être humain que nous venons de présenter se trouve une considération philosophique plus vaste qui les englobe toutes et qui constitue l'objectif ultime de tout processus d'éducation. Cette considération philosophique pourrait se résumer à la maxime suivante: apprendre à être un homme et apprendre à vivre heureux, tel est le métier de l'être humain.

> En sortant de mes mains, il [Émile] ne sera, j'en conviens, ni magistrat, ni soldat, ni prêtre; il sera premièrement homme: tout ce qu'un homme doit être, il saura l'être au besoin tout aussi bien que qui que ce soit; et la fortune aura beau le faire changer de place, il sera toujours à la sienne[59].

En conclusion, nous pouvons dire que parce que le précepteur, négligeant le rang et la fortune, n'aura cultivé chez Émile que ce qui le fait homme (comme tous les hommes), parce qu'il aura écarté les influences sociales qui exacerbent les passions et l'amour-propre, parce qu'il n'aura jamais forcé les étapes du développement de ses facultés, Émile sera le plus naturel des hommes éduqués, mais aussi le plus raisonnable. Pour la même raison, Émile sera également le citoyen idéal. Estimant la loi nécessaire, habitué à obéir à la nécessité des choses et à reconnaître sa liberté dans cette soumission «à ce qui est», il sera capable de transposer cette reconnaissance sur le plan politique, sa volonté

---

58. *Émile*, t. IV, livre III, p. 487.

59. *Ibid.*, t. IV, livre I, p. 252.

raisonnable se fondant aisément dans la volonté générale. Sur le plan moral, l'amour de soi non contrarié et non dénaturé sous forme d'amour-propre pourra se prolonger dans l'amour des autres. Émile ne trouvera pas, évidemment, de société à sa mesure, mais il pourra tout de même vivre en paix au milieu de ses concitoyens et, lui qui connaît la liberté de cœur, être leur exemple.

ROUSSEAU AUJOURD'HUI

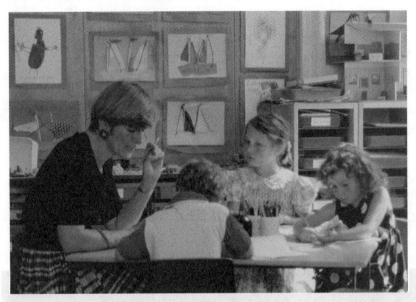

LES CLASSES DE MATERNELLE D'AUJOURD'HUI S'INSPIRENT DU MODÈLE ÉDUCATIF ROUSSEAUISTE.

L'ensemble des maximes pédagogiques proposées par Rousseau a contribué au développement, un siècle et demi plus tard, des thèses éducatives de Maria Montessori (1870-1952), qui servent aujourd'hui d'assises à plusieurs garderies et classes de maternelle. On y applique une méthode d'enseignement fondée sur l'éducation sensorielle, sur le développement de la mémoire et sur la valorisation de la liberté active de l'enfant.

N'oublions pas non plus l'apport important de la philosophie de l'éducation de Rousseau à l'idéologie de l'école alternative, qui s'est développée au Québec à partir des années 1970 et qui suscite encore aujourd'hui un certain intérêt auprès de parents insatisfaits de l'école dite traditionnelle. Rappelons que l'école alternative défend elle aussi le principe de liberté: on ne doit pas contraindre l'enfant à apprendre. Elle mise également sur la curiosité et sur la spontanéité naturelles de l'enfant.

La pédagogie rousseauiste est d'une actualité criante. Elle se situe au cœur d'un débat qui éveille bien des passions: l'enseignement doit-il se faire au présent, dans la joie et dans le plaisir d'apprendre ou, au contraire, doit-il générer peine et douleur puisque apprendre est toujours le fruit de l'effort et que c'est le prix à payer pour la construction de son avenir? Le choix de Rousseau éducateur est clair: l'enseignement doit répondre à une curiosité, à un intérêt, à un désir, bref, à un besoin de l'élève qui choisit d'apprendre. Et cet apprentissage se doit d'être heureux et ne viser que l'ici-maintenant:

> Il [Émile] est parvenu à la maturité de l'enfance, il a vécu de la vie d'un enfant, il n'a point acheté la perfection aux dépens de son bonheur; au contraire ils ont concouru l'un à l'autre. En acquérant toute la raison de son âge, il a été heureux et libre autant que sa constitution lui permettait de l'être[60].

---

60. *Ibid.*, t. IV, livre II, p. 423.

Dans les dernières pages de l'*Émile*, Rousseau revient de nouveau sur le fait que le développement de l'individu doit s'accomplir au présent, et dans la joie et le plaisir:

> Dans l'incertitude de la vie humaine, évitons surtout la fausse prudence d'immoler le présent à l'avenir; c'est souvent immoler ce qui est à ce qui ne sera point. Rendons l'homme heureux dans tous les âges, de peur qu'après bien des soins il ne meure avant de l'avoir été[61].

En ce tournant du siècle, l'éducation conçue par les technocrates et pratiquée dans nos établissements d'enseignement rend-elle l'élève heureux comme l'aurait souhaité Rousseau? Le met-on en contact avec des savoirs nouveaux afin qu'il découvre des connaissances jusqu'alors ignorées, connaissances qui transformeront son être profond? Le projet éducatif proposé à l'élève s'inscrit-il dans un esprit de pure gratuité? Y valorise-t-on le plaisir d'apprendre qui procure joie et bonheur? Les maisons d'enseignement occidentales éduquent-elles l'élève ou l'instruisent-elles? Développe-t-on chez lui le jugement et le sens critique ou l'enferme-t-on dans un univers comptable? Lui inculque-t-on une culture humaniste ou technocratique? Répondre à ces questions, c'est porter un regard critique sur le monde occidental de l'éducation. Or, une idéologie utilitariste de la réussite semble sévir actuellement dans l'école: il faut que ce que l'élève apprenne serve directement à sa future carrière; il faut que ses apprentissages scolaires soient applicables, et que, au bout du compte, cela rapporte à la société. On tient désormais le discours du rendement et de la rentabilité. On fait l'éloge de l'excellence et d'une plus grande accessibilité aux diplômes. On évoque la formation par programmes, les savoir-faire précis, les apprentissages étiquetables, les compétences utilitaires, etc. Mais il est rarement question du type d'humain qu'on veut former. Au sortir de l'école, que deviendront les jeunes adultes qui auront accepté de se plier au moule de l'éducation utilitariste? Quelle sorte d'hommes et de femmes deviendront les élèves qu'on aura instruits en fonction des impératifs du marché et auxquels on aura transmis de simples techniques ponctuelles et des connaissances utiles et circonstancielles?

En ce qui regarde les problématiques soulevées sur les plans socioculturel et politique, Rousseau interpelle notre modernité en suscitant un foisonnement de questions auxquelles on tente encore de répondre aujourd'hui: quels sont les rapports fondamentaux entre nature et culture? L'être humain est-il d'abord ce qui relève de sa nature propre ou est-il le fruit d'un conditionnement culturel? Les droits individuels sont-ils conciliables avec les obligations sociales? Des individus peuvent-ils former une société? L'individu peut-il et doit-il déléguer sa volonté politique? Qu'est-ce qu'une autorité politique légitime? L'autonomie individuelle peut-elle survivre dans une entité collective? Etc.

Nous avons vu que l'amour-propre constitue aux yeux de Rousseau le facteur primordial empêchant le lien social.

> Étendons l'amour-propre sur les autres êtres, nous le transformerons en vertu, et il n'y a point de cœur d'homme dans lequel cette vertu n'ait sa racine. Moins l'objet de nos soins tient immédiatement à nous-même, moins l'illusion de l'intérêt particulier est à craindre; plus on généralise cet intérêt, plus il devient équitable, et l'amour du genre humain n'est autre chose en nous que l'amour de la justice[62].

---

61. *Ibid.*, t. IV, livre V, p. 781.
62. *Ibid.*, t. IV, livre IV, p. 547.

Afin que cela se réalise, il s'agira d'établir des rapports entre les personnes qui soient régis par des lois civiles aussi inviolables que celle de la nature. Et le passage de l'état de nature à l'état de société sera assuré par l'individu qui sentira la nécessité de s'unir aux autres par le contrat social signé dans l'intérêt de tous et qui, ce faisant, deviendra citoyen à part entière. Avouons que cette lecture rousseauiste de la naissance de la société civile est encore tout empreinte de subjectivisme et d'idéalisme! La connaissance précise de l'évolution historique des sociétés, de leurs structures, des lois objectives qui en règlent l'existence échappait à Rousseau. Même si sa vision anthropologique a préparé la venue de Karl Marx, il fallut attendre ce dernier et son *matérialisme dialectique et historique* pour mieux comprendre la naissance des sociétés humaines, les déterminismes sociaux, les fondements «scientifiques» des lois et des pratiques dans une société à une époque particulière. Il fallut attendre Karl Marx afin qu'un portrait de l'humain décrit comme un être essentiellement social et historique nous soit donné.

RÉSUMÉ DE L'EXPOSÉ

Rousseau et les Lumières

La civilisation européenne du XVIIIe siècle, appelé le siècle des Lumières, repose sur les caractéristiques suivantes:

1. Les lumières de la raison, qui est considérée comme «la suprême faculté de l'homme» qui permet l'exercice concret du jugement et de la critique.

2. Les idéaux des Lumières, qui défendent, entre autres, la tolérance religieuse, la légitimité du pouvoir politique et le paradigme nature-bonheur terrestre-sensibilité.

3. L'avènement du rationalisme expérimental, qui croit à la raison dans la mesure où elle est assistée et validée par l'expérience.

4. Le progrès de l'esprit humain, qu'illustre à merveille l'*Encyclopédie*, qui répertorie et analyse toutes les connaissances de l'époque.

   À l'opposé des encyclopédistes, Rousseau ne croit pas que les sciences, les techniques et les arts soient des facteurs de progrès, qu'ils aient amélioré les conduites des hommes. En conséquence, Rousseau propose une critique éthique et sociale de la civilisation qui a dénaturé l'être humain.

L'état de nature

L'état de nature correspond à la nature originelle de l'homme avant que la civilisation en ait défiguré l'être profond.

1. **Liberté et perfectibilité** (premières caractéristiques de l'état de nature)

   Contrairement à l'animal qui est déterminé par son instinct, l'homme naturel possède la liberté de choisir de répondre ou non à son instinct. C'est la liberté qui définit essentiellement l'homme naturel: être humain, c'est être libre de modifier sa nature.

   Conséquemment, l'homme naturel dispose de la faculté de *se perfectionner*, c'est-à-dire de se transformer, de développer, selon les circonstances extérieures, des propriétés créées par l'homme. Ce que la société a inculqué au cours des siècles à l'homme originaire l'a dénaturé et perverti.

   L'être humain (lorsqu'il est mis en société) est donc un produit de la culture et de l'histoire.

2. **L'amour de soi** (deuxième caractéristique de l'état de nature)

   L'homme naturel voit à répondre à ses besoins fondamentaux afin de se conserver.

3. **La pitié** (troisième caractéristique de l'état de nature)

   La pitié est une «vertu naturelle» qui permet à l'homme originaire de s'émouvoir de la misère ou des difficultés éprouvées par autrui. La pitié fait contrepoids à l'amour de soi, qui pourrait se transformer en amour-propre.

4. **L'égalité** (quatrième caractéristique de l'état de nature)

   L'homme originaire est égal à son semblable; il n'existe pas dans l'état de nature de différences assez grandes entre les individus pour que l'un domine l'autre sur une base permanente.

L'état de société

Les catastrophes naturelles ont forcé les individus à se regrouper pour former la première association d'hommes.

1. La première forme d'association humaine

Il s'agit d'une union temporaire visant à répondre à des besoins immédiats.

2. La deuxième forme d'association humaine

Elle consiste en la formation de la famille. On vit dans des cabanes. La première différenciation des sexes apparaît alors. On s'habitue à des commodités.

3. La troisième forme d'association humaine

Des familles s'installent dans un même lieu, deviennent sédentaires. Naissent alors la considération et l'amour-propre.

L'AMOUR-PROPRE

Aussitôt que les hommes se sont unis aux autres, ils ont commencé à se mesurer les uns aux autres et à vouloir obtenir la considération des autres. C'est alors que l'amour de soi a dégénéré en amour-propre.

L'amour-propre est la caractéristique essentielle de l'homme vivant en société.

C'est un sentiment faux qui amène à s'attacher exclusivement et abusivement à soi-même, et à cacher ce que l'on est vraiment sous le masque que l'on se croit obligé de porter.

L'amour-propre est à l'origine de tous les maux de la vie en société.

4. La quatrième forme d'association humaine

Elle correspond à l'invention de la métallurgie et à l'avènement de l'agriculture. C'est la naissance de la propriété privée. L'inégalité s'installe parmi les hommes. On instaure des lois protégeant les pouvoirs et les privilèges des riches, et établissant la servitude et la misère des pauvres.

Être ou paraître

L'état de nature est l'être (l'essence) de l'homme. Il correspond à sa vérité intérieure, à ce qu'il y a de meilleur en lui.

L'état de société n'est que paraître. Mis en société, les hommes dissimulent ce qu'ils sont vraiment. Pour être quelqu'un, ils doivent faire semblant de posséder les qualités attirant la considération d'autrui.

Le *Contrat social* ou la raison de la loi

1. Le *Contrat social* veut répondre à la question suivante: comment les hommes peuvent-ils retrouver les caractéristiques essentielles de l'état de nature, exempt de domination et de dépendance, et ainsi ne pas abdiquer leur liberté tout en se soustrayant aux maux (l'inégalité, entre autres) engendrés par la société? En adhérant à un pacte social où chacun, devenant partie indivisible du tout, accepte de perdre sa puissance et ses droits individuels pour donner naissance à la volonté générale.

2. La loi, devenant l'expression de la volonté générale, garantit la liberté et l'égalité civiles de tout un chacun.

3. La volonté générale ne peut être déléguée: c'est le peuple dans sa totalité (démocratie directe) qui assure la souveraineté politique.

Émile ou le modèle d'éducation de l'être humain

Émile ou De l'éducation expose les règles essentielles d'une pédagogie développant chez l'être humain les qualités de l'homme naturel:

1. La liberté et la nature doivent servir de fondements à l'apprentissage.

2. L'enfant doit être considéré comme un enfant et non comme un adulte. Il faut donc respecter l'évolution naturelle de l'enfant. Il faut aussi que l'élève soit intéressé par ce qu'on lui propose.

3. L'éducation doit développer la conscience et les bons sentiments plutôt que la science, c'est-à-dire l'acquisition de savoirs constitués.

4. Il vaut mieux apprendre à apprendre plutôt que d'avoir la tête pleine.

Une considération philosophique chapeaute les quatre règles précédentes: l'objectif ultime de l'éducation est d'apprendre à être un homme et à vivre heureux.

Rousseau aujourd'hui

1. Le modèle éducatif présenté par Rousseau a inspiré le développement des garderies, maternelles et écoles alternatives qui défendent le principe de la liberté de l'élève.

2. La pédagogie rousseauiste se situe au cœur d'un débat actuel concernant l'éducation. Le développement de l'individu doit-il se faire au présent, dans la joie et le plaisir d'apprendre (ce que défend Rousseau), ou doit-il être le résultat d'obligations et d'efforts imposés à l'élève?

3. De nos jours, les établissements d'enseignement et les élèves sont sous la domination d'une idéologie éducationnelle utilitariste que Rousseau aurait condamnée. On veut y enseigner des savoir-faire et des compétences étiquetables qui doivent servir à la future carrière. Mais quel type d'humain veut-on former?

4. Rousseau interpelle notre modernité en soulevant de nombreuses problématiques socioculturelles et politiques. L'être humain relève-t-il de sa nature propre ou est-il le fruit d'un conditionnement? Les droits individuels sont-ils conciliables avec les obligations sociales? L'individu peut-il et doit-il déléguer sa volonté politique? L'autonomie individuelle peut-elle survivre dans une entité collective?

LECTURES SUGGÉRÉES

La lecture de l'une des œuvres suivantes est suggérée dans son intégralité ou en extraits importants:

Jean-Jacques Rousseau. *Discours sur l'origine et les fondements de l'inégalité parmi les hommes*, Paris, Gallimard, coll. «Folio/Essais», 1992, 283 p.

Jean-Jacques Rousseau. *Du contrat social*, Paris, Flammarion, coll. «G-F», 1992, 187 p.

L'essentiel

Selon Rousseau, l'**état de nature** représente l'être (l'essence) de l'homme, c'est-à-dire sa nature originelle avant que la civilisation l'ait pervertie. L'homme naturel se définit par la **liberté**. Cette caractéristique le rend **perfectible**, c'est-à-dire susceptible d'être transformé. (L'homme est donc devenu un produit de la culture et de l'Histoire). L'homme naturel possède l'**amour de soi**. Il ressent de la **pitié**. Il est **égal** à son semblable.

Les premières associations humaines ont créé un **état de société** qui a dénaturé les qualités originaires de l'homme naturel. Dès lors sont apparus l'**amour-propre**, la **propriété** et les **lois** protégeant l'intérêt et les privilèges des riches. En découlèrent l'**inégalité sociale** et la **servitude**. Le **paraître** prédomine désormais sur l'**être**.

Afin de retrouver les droits de la nature, Rousseau propose un **contrat social** fondé sur la **volonté générale**, qui institue l'autorité de la **loi** garantissant la **liberté et** l'**égalité civiles**.

Dans le but de former un citoyen idéal, libre et préoccupé par le bien commun, Rousseau présente un **modèle d'éducation** qui tente de développer chez l'élève les qualités de l'homme naturel.

Réseau de concepts

ACTIVITÉS D'APPRENTISSAGE

A

Analyse et critique de texte

■

Objectifs spécifiques

L'élève doit être capable:

- de comparer des éléments du texte que Rousseau met en parallèle, c'est-à-dire d'examiner leurs ressemblances et leurs différences;

- d'évaluer le contenu des attributs que Rousseau accorde à l'homme civilisé dans ce texte, c'est-à-dire d'exprimer sur eux son accord ou son désaccord (et d'en donner les raisons).

■

TEXTE DE ROUSSEAU

DISCOURS
sur l'origine et les fondements
de l'inégalité parmi les hommes   **PREMIÈRE PARTIE**

MÉTAPHYSIQUE

Qui a pour objet l'étude de la nature de l'homme sur un plan rationnel et non sensible. Recherche des bases de toute activité humaine.

MORAL

Qui concerne l'action (mœurs, habitudes, règles de conduite) et le sentiment des hommes.

PRÉJUDICE

Ce qui est nuisible aux intérêts de quelqu'un. Désavantage.

ENTENDEMENT

Faculté de comprendre. Esprit. Raison.

Je n'ai considéré jusqu'ici que l'Homme Physique; Tâchons de le regarder maintenant par le côté **Métaphysique** et **Moral**.

Je ne vois dans tout animal qu'une machine ingenieuse, à qui la nature a donné des sens pour se remonter elle même, et pour se garantir, jusqu'à un certain point, de tout ce qui tend à la détruire, ou à la déranger. J'apperçois précisément les mêmes choses dans la machine humaine, avec cette différence que la Nature seule fait tout dans les operations de la Bête, au-lieu que l'homme concourt aux siennes, en qualité d'agent libre. L'un choisit ou rejette par l'instinct, et l'autre par un acte de liberté; ce qui fait que la Bête ne peut s'écarter de la Regle qui lui est prescrite, même quand il lui seroit avantageux de le faire, et que l'homme s'en écarte souvent à son **préjudice**. C'est ainsi qu'un Pigeon mourroit de faim près d'un Bassin rempli des meilleures viandes, et un Chat sur des tas de fruits, ou de grains, quoique l'un et l'autre pût très bien se nourrir de l'aliment qu'il dédaigne, s'il s'étoit avisé d'en essayer; C'est ainsi que les hommes dissolus se livrent à des excès, qui leur causent la fièvre et la mort; parce que l'Esprit déprave les sens, et que la volonté parle encore, quand la Nature se taît.

Tout animal a des idées puis qu'il a des sens, il combine même ses idées jusqu'à un certain point, et l'homme ne diffère à cet égard de la Bête que du plus au moins: Quelques Philosophes ont même avancé qu'il y a plus de différence de tel homme à tel homme que de tel homme à telle bête[63]; Ce n'est donc pas tant l'**entendement** qui fait parmi les animaux la distinction spécifique de l'homme que sa qualité d'agent libre. La Nature commande à tout animal, et la Bête obéit. L'homme éprouve la même impression, mais il se reconnoît libre d'acquiescer, ou de résister; et c'est surtout dans la conscience de cette liberté que se montre la spiritualité de son ame: car la Physique explique en quelque manière le mécanisme des sens et la formation des idées; mais dans la puissance de vouloir ou plûtôt de choisir, et dans le sentiment de cette puissance on ne trouve que des actes purement spirituels, dont on n'explique rien par les Loix de la Mécanique.

Mais, quand les difficultés qui environnent toutes ces questions, laisseraient quelque lieu de disputer sur cette différence de l'homme et de l'animal, il y a une autre qualité très spécifique qui les distingue, et sur laquelle il ne peut y avoir de contestation, c'est la faculté de se perfectionner; faculté qui, à l'aide des circonstances, développe successivement toutes les autres, et réside parmi nous tant dans l'espèce, que dans l'individu, au lieu qu'un animal est, au bout de quelques mois, ce qu'il sera toute sa vie, et son espèce, au

---

63. Il s'agit de Montaigne commentant Plutarque.

bout de mille ans, ce qu'elle était la première année de ces mille ans. Pourquoi l'homme seul est-il sujet à devenir imbécile? N'est-ce point qu'il retourne ainsi dans son état primitif, et que, tandis que la Bête, qui n'a rien acquis et qui n'a rien non plus à perdre, reste toujours avec son instinct, l'homme reperdant par la vieillesse ou d'autres accidens, tout ce que sa *perfectibilité* lui avait fait acquérir, retombe ainsi plus bas que la Bête même? Il serait triste pour nous d'être forcés de convenir, que cette faculté distinctive, et presque illimitée, est la source de tous les malheurs de l'homme; que c'est elle qui le tire, à force de tems, de cette condition originaire, dans laquelle il coulerait des jours tranquilles, et innocens; que c'est elle, qui faisant éclore avec les siècles ses lumières et ses erreurs, ses vices et ses vertus, le rend à la longue le tyran de lui-même, et de la Nature (IX).

....

(Note IX) - Un auteur célèbre[64] calculant les biens et les maux de la vie humaine et comparant les deux sommes, a trouvé que la dernière surpassoit l'autre de beaucoup, et qu'à tout prendre la vie étoit pour l'homme un assez mauvais présent. Je ne suis point surpris de sa conclusion; il a tiré tous ses raisonnements de la constitution de l'homme **Civil**: s'il fût remonté jusqu'à l'homme Naturel, on peut juger qu'il eût trouvé des resultats très différents, qu'il eût apperçû que l'homme n'a guéres de maux que ceux qu'il s'est donnés lui-même, et que la Nature eût été justifiée. Ce n'est pas sans peine que nous sommes parvenus à nous rendre si malheureux. Quand d'un côté l'on considère les immenses travaux des hommes, tant de Sciences approfondies, tant d'arts inventés; tant de forces employées; des abîmes comblés, des montagnes rasées, des rochers brisés, des fleuves rendus navigables, des terres défrichées, des lacs creusés, des marais desséchés, des batiments énormes élevés sur la terre, la mer couverte de Vaisseaux et de Matelots; et que de l'autre on recherche avec un peu de meditation les vrais avantages qui ont résulté de tout cela pour le bonheur de l'espèce humaine; on ne peut qu'être frappé de l'étonnante disproportion qui régne entre ces choses, et déplorer l'aveuglement de l'homme qui, pour nourrir son fol orgueil et je ne sais quelle vaine admiration de lui-même, le fait courir avec ardeur après toutes les miséres dont il est susceptible, et que la bienfaisante Nature avait pris soin d'écarter de lui.

Les hommes sont méchans; une triste et continuelle experience dispense de la preuve; cependant l'homme est naturellement bon, je crois l'avoir démontré; qu'est-ce donc qui peut l'avoir dépravé à ce point sinon les changemens survenus dans sa constitution, les progrès qu'il a faits, et les connoissances qu'il a acquises? Qu'on admire tant qu'on voudra la Société humaine, il n'en sera pas moins vrai qu'elle porte nécessairement les hommes à s'entrehaïr à proportion que leurs intérêts se croisent, à se rendre mutuellement des services apparens et à se faire en effet tous les maux imaginables. Que peut-on penser d'un commerce où la raison de chaque particulier lui dicte des **maximes** directement contraires à celles que la raison publique préche au **corps de la Société**, et où chacun trouve son compte dans le malheur d'autrui? Il n'y a peut-être pas un homme aisé à qui des héritiers avides et souvent ses propres enfans ne souhaitent la mort en secret; pas un Vaisseau en Mer dont le naufrage ne fût une bonne nouvelle pour quelque Négociant; pas une maison qu'un **débiteur** de mauvaise foi ne voulût voir bruler avec tous les papiers qu'elle contient; pas un Peuple qui ne se réjouisse des desastres de ses voisins. C'est ainsi que nous trouvons notre avantage dans le préjudice de nos semblables, et que la perte de l'un fait presque toujours la prosperité de l'autre: mais ce qu'il y a de plus dangereux encore, c'est que les calamités publiques font l'attente et l'espoir d'une multitude de particuliers. Les uns veulent des maladies, d'autres la mortalité, d'autres la guerre, d'autres la famine; j'ai vû des hommes affreux pleurer de douleur aux apparences d'une année fertile, et le grand et funeste incendie de Londres[65] qui coûta la vie ou les biens à tant de malheureux, fit

CIVIL
Relatif à la vie en société organisée.

MAXIME
Règle de conduite.

CORPS DE LA SOCIÉTÉ
Groupe social formant un ensemble organisé au point de vue des institutions.

DÉBITEUR
Personne qui doit quelque chose à quelqu'un. Emprunteur.

---

64. Rousseau fait allusion à Maupertuis et à son *Essai de philosophie morale*, dont le deuxième chapitre s'intitule «Que dans la vie ordinaire la somme des maux surpasse celle des biens».

65. Cet incendie est survenu en 1666.

CARESSER

Faire des démonstrations d'affection et de bienveillance plus ou moins sincères. Flatter. Courtiser.

peut-être la fortune à plus de dix mille personnes. [...] Qu'on pénètre donc au travers de nos frivoles démonstrations de bienveillance ce qui se passe au fond des cœurs, et qu'on réfléchisse à ce que doit être un état de choses où tous les hommes sont forcés de se **caresser** et de se détruire mutuellement, et où ils naissent ennemis par devoir et fourbes par intérêt. Si l'on me répond que la Société est tellement constituée que chaque homme gagne à servir les autres; je répliquerai que cela serait fort bien s'il ne gagnoit encore plus à leur nuire. Il n'y a point de profit si légitime qui ne soit surpassé par celui qu'on peut faire illégitimement, et le tort fait au prochain est toujours plus lucratif que les services. Il ne s'agit donc plus que de trouver les moyens de s'assurer l'impunité, et c'est à quoi les puissans employent toutes leurs forces, et les foibles toutes leurs ruses.

L'Homme Sauvage, quand il a dîné, est en paix avec toute la Nature, et l'ami de tous ses semblables. S'agit il quelquefois de disputer son repas? Il n'en vient jamais aux coups sans avoir auparavant comparé la difficulté de vaincre avec celle de trouver ailleurs sa subsistance; et comme l'orgueil ne se mêle pas du combat, il se termine par quelques coups de poing; Le vainqueur mange, le vaincu va chercher fortune, et tout est pacifié: mais chez l'homme en Société, ce sont bien d'autres affaires; il s'agit premièrement de pourvoir au nécessaire, et puis au superflu; ensuite viennent les délices, et puis les immenses richesses, et puis des sujets, et puis des Esclaves; il n'a pas un moment de relâche; ce qu'il y a de plus singulier, c'est que moins les besoins sont naturels et pressans, plus les passions augmentent, et, qui pis est, le pouvoir de les satisfaire; de sorte qu'après de longues prospérités, après avoir englouti bien des trésors et désolé bien des hommes, mon Héros finira par tout égorger jusqu'à ce qu'il soit l'unique maître de l'Univers. Tel est en abregé le tableau moral, sinon de la vie humaine, au moins des prétentions secrettes du cœur de tout homme Civilisé.

Jean-Jacques Rousseau. *Discours sur l'origine et les fondements de l'inégalité parmi les hommes*, première partie, Paris, Gallimard, coll. «Folio/Essais», 1992, p. 71-72; note IX, p. 132-133.

QUESTIONS D'ANALYSE ET DE CRITIQUE

1. Rousseau établit une comparaison entre l'animal et l'homme.

   a) Décrivez dans vos propres mots les deux points de ressemblance et les deux points de différence entre l'animal et l'homme qui sont présentés dans la première partie de ce texte.

   Commentaire critique

   b) Reprenez une à une ces deux ressemblances et ces deux différences, et dites ce que vous en pensez en justifiant vos affirmations. (*Minimum suggéré: une page.*)

2. Dans la Note IX, Rousseau trace le «tableau moral» de l'homme Civil vivant dans la Société humaine.

   a) Décrivez dans vos propres mots six des douze caractères que Rousseau attribue à l'homme mis en société.

   Commentaire critique

   b) Reprenez un à un ces six caractères fondamentaux «sinon de la vie humaine, au moins des prétentions secrètes du cœur de tout humain Civilisé», et évaluez-les. (*Minimum suggéré: une page.*)

B

Analyse et critique de texte

Objectifs spécifiques

L'élève doit être capable :

* de repérer les deux notions rousseauistes qui correspondent à l'expression «insociable sociabilité» utilisée par Kant dans ce texte ;

* de transposer dans ses propres mots l'explication kantienne de «l'insociable sociabilité» de l'homme ;

* de comparer l'interprétation kantienne de la problématique nature-culture (société) avec celle de Rousseau, c'est-à-dire d'examiner leurs différences ;

* d'évaluer le contenu de l'interprétation kantienne de la problématique nature-culture (société), c'est-à-dire d'exprimer sur elle son accord ou son désaccord (et d'en donner les raisons).

Kant, Emmanuel (1724-1804), philosophe allemand, consacra sa vie à l'étude, à la méditation, à l'écriture et à l'enseignement. Fondateur de la philosophie critique, Kant voulut découvrir ce dont l'esprit humain est capable : ce qu'il peut savoir, ce qu'il doit faire, ce qu'il peut espérer.

TEXTE DE KANT

IDÉE
d'une histoire universelle
au point de vue cosmopolitique (1784)   QUATRIÈME PROPOSITION

L'insociable sociabilité des hommes

ANTAGONISME
État d'opposition de deux forces, de deux principes.

CUPIDITÉ
Désir immodéré de l'argent et des richesses.

LUMIÈRES
Connaissances acquises. Le savoir.

PRINCIPES PRATIQUES
Règles morales qui orientent l'action, la conduite des hommes.

FRUGALITÉ
Qualité de celui qui se contente d'une nourriture simple.

CONCORDE
Paix, harmonie résultant de la bonne entente entre les membres d'une société.

Le moyen dont se sert la nature pour mener à bien le développement de toutes ses dispositions est leur **antagonisme** dans la société, pour autant que celui-ci se révèle être cependant en fin de compte la cause d'un ordre légal de celle-ci. J'entends ici par antagonisme l'*insociable sociabilité des hommes*, c'est-à-dire leur tendance à entrer en société, tendance cependant liée à une constante résistance à le faire qui menace sans cesse de scinder cette société. Cette disposition réside manifestement dans la nature humaine. L'homme possède une inclination à *s'associer*, car dans un tel état il se sent plus homme, c'est-à-dire ressent le développement de ses dispositions naturelles. Mais il a aussi une forte tendance à se *singulariser* (s'isoler), car il rencontre en même temps en lui-même ce caractère insociable qu'il a de vouloir tout diriger seulement selon son point de vue; par suite, il s'attend à des résistances de toute part, de même qu'il se sait lui-même enclin de son côté à résister aux autres. Or, c'est cette résistance qui éveille toutes les forces de l'homme, qui le conduit à surmonter sa tendance à la paresse et, sous l'impulsion de l'ambition, de la soif de domination ou de la **cupidité**, à se tailler un rang parmi ses compagnons qu'il supporte peu volontiers, mais dont il ne peut pourtant pas non plus se passer. Or c'est précisément là que s'effectuent véritablement les premiers pas qui mènent de l'état brut à la culture, laquelle réside au fond dans la valeur sociale de l'homme; c'est alors que se développent peu à peu tous les talents, que se forme le goût et que, par une progression croissante des **lumières**, commence même à se fonder une façon de penser qui peut avec le temps transformer la grossière disposition naturelle au discernement moral en **principes pratiques** déterminés et, finalement, convertir ainsi en un tout *moral* un accord à la société *pathologiquement* extorqué[66]. Sans ces qualités, certes en elles-mêmes peu sympathiques, d'insociabilité, d'où provient la résistance que chacun doit nécessairement rencontrer dans ses prétentions égoïstes, tous les talents resteraient à jamais enfouis leurs germes au milieu d'une existence de bergers d'Arcadie, dans un amour mutuel, une **frugalité** et une **concorde** parfaites: les hommes, doux comme les agneaux qu'ils font paître, n'accorderaient guère

---

66. Note du traducteur. Il convient de souligner que, comme l'indique ce passage du texte, la constitution républicaine — qui relève par conséquent d'un «accord pathologiquement extorqué» — *précède*, en tant que condition nécessaire, mais non suffisante, l'incarnation de la moralité dans le monde. [...] C'est par un processus *naturel* (et non par l'effet de la liberté morale) que l'histoire engendre la *légalité*, qui, une fois réalisée, permet à la *moralité* de l'intention de s'incarner dans le monde.

plus de valeur à leur existence que n'en a leur bétail; ils ne combleraient pas le vide de la création, eu égard à son but en tant que nature raisonnable. Que la nature soit donc remerciée pour ce caractère peu accommodant, pour cette vanité qui rivalise jalousement, pour ce désir insatiable de posséder ou même de dominer. Sans elle, toutes les excellentes dispositions naturelles sommeilleraient éternellement à l'état de germes dans l'humanité. L'homme veut la concorde, mais la nature sait mieux que lui ce qui est bon pour son espèce : elle veut la discorde. Il veut vivre sans effort et à son aise, mais la nature veut qu'il soit obligé de sortir de son **indolence** et de sa frugalité inactive pour se jeter dans le travail et dans les peines afin d'y trouver, il est vrai, des moyens de s'en délivrer en retour par la prudence. Les mobiles naturels qui l'y poussent, les sources de l'insociabilité et de la résistance générale d'où jaillissent tant de maux, mais qui cependant suscitent une nouvelle tension de forces et, par là même, un plus ample développement des dispositions naturelles, trahissent donc bien l'ordonnance d'un sage créateur et non, par exemple, la main d'un esprit méchant qui aurait saboté son magnifique ouvrage ou l'aurait gâté par jalousie.

> Emmanuel Kant. *Idée d'une histoire universelle au point de vue cosmopolitique*, trad. Luc Ferry, *in Critique de la faculté de juger*, Paris, Gallimard, coll. «Folio/Essais», 1996, p. 482-483.

INDOLENCE

Disposition à éviter le moindre effort physique ou moral.

QUESTIONS D'ANALYSE ET DE CRITIQUE

1. L'«insociable sociabilité» constitue une réinterprétation kantienne de quelques caractéristiques attribuées par Rousseau à l'état de nature?

2. Transposez dans vos propres mots l'explication que Kant donne de «l'insociable sociabilité» de l'homme.

3. En quoi et comment l'interprétation kantienne de la nature-culture (société) diffère-t-elle de celle de Rousseau?

Commentaire critique

4. Que pensez-vous de l'interprétation que fait Kant du rapport nature-culture (société)? En d'autres mots, êtes-vous d'accord avec l'explication donnée par Kant? Vous devez fonder vos jugements, c'est-à-dire apporter au moins deux arguments pour appuyer vos affirmations. *(Minimun suggéré: une page.)*

C

Exercice comparatif: Rousseau et Descartes

Objectif spécifique

L'élève doit être capable de procéder à une comparaison entre deux conceptions modernes de l'être humain à propos d'un même thème.

Contexte de réalisation

Individuellement, dans un texte d'environ 350 mots (une page et demie), examinez les rapports de ressemblance et de différence entre la conception cartésienne et la conception rousseauiste de l'être humain à propos du thème du sujet.

Étapes suggérées

1. *a)* Caractérisez la conception cartésienne de l'être humain au regard du thème du sujet. Par exemple, demandez-vous en quoi et comment, pour Descartes, l'homme est un sujet rationnel, c'est-à-dire un être (un «je») dont l'essence est la pensée.

   b) Caractérisez la conception rousseauiste de l'être humain au regard du thème du sujet. Par exemple, demandez-vous dans quelle mesure l'homme libre et perfectible de l'état de nature est devenu, selon Rousseau, un sujet historique, c'est-à-dire un être de culture qui a été façonné par la société.

2. *a)* S'il y a lieu, précisez les liens ou les similitudes entre la conception cartésienne et la conception rousseauiste de l'être humain à propos du thème du sujet.

   b) S'il y a lieu, dégagez les oppositions ou les antagonismes entre la conception cartésienne et la conception rousseauiste de l'être humain à propos du thème du sujet.

L'homme
comme être social

MARX
OU
LE MATÉRIALISME
HISTORIQUE

L'INDIVIDU EST L'ÊTRE SOCIAL. SA
VIE — MÊME SI ELLE N'APPARAÎT
PAS SOUS LA FORME DIRECTE
D'UNE MANIFESTATION COMMUNE
DE L'EXISTENCE, ACCOMPLIE
SIMULTANÉMENT AVEC D'AUTRES
— EST UNE AFFIRMATION DE LA
VIE SOCIALE.

Karl Marx, *Économie et philosophie*
(Manuscrits de 1844), in *Œuvres*
(Économie), p. 82.

KARL MARX ET SA LUTTE CONTRE LE CAPITALISME DU XIXᵉ SIÈCLE

CAPITALISTE

Relatif au capitalisme, système économique et social fondé initialement sur des entreprises possédées par le groupe social appelé la bourgeoisie. Ces entreprises se concurrencent sur un marché libre qui est associé à des institutions politiques libérales.

SOCIALISTE

Relatif au socialisme, théorie de l'organisation sociale qui fait passer le bien de l'ensemble de la collectivité avant les intérêts particuliers. Le socialisme s'oppose au capitalisme et à la propriété privée de tout ce qui entre dans le processus de production des marchandises.

SAINT-SIMONISTE

Disciple de la «physiologie sociale» de Claude-Henri de Rouvroy, comte de Saint-Simon (1760-1825), qui défend un industrialisme optimiste où s'harmoniseront dans l'idéal du bien commun les intérêts des propriétaires d'entreprises avec ceux des ouvriers. Ainsi, l'union de tous les individus qui sont engagés dans des activités productives conduira à une nouvelle société solidaire.

FOURIÉISTE

Disciple de Charles Fourier (1772-1837), qui critique la société de son temps en la présentant comme une forme sociale inférieure et qui, en contrepartie, préconise une communauté utopique dans laquelle chacun pourra épanouir ses passions.

Karl Marx naît le 5 mai 1818 à Trèves, en Rhénanie[1], dans une famille juive convertie au protestantisme LUTHÉRIEN. Trèves constitue le centre administratif de la région viticole de la Moselle. Même si cette petite ville paisible ne compte alors que 12 000 habitants, elle n'est pas à l'abri des grands courants de l'époque. Ainsi, en 1832 et dans les années qui suivent, la bourgeoisie libérale locale et les vignerons de la Moselle revendiquent les conditions permettant d'entrer de plain-pied dans le régime **capitaliste** naissant. Par ailleurs, les premières idées **socialistes** des **saint-simonistes** et des **fouriéristes** se répandent dans la région comme dans le reste de la Prusse. La conjonction de ces deux nouveaux courants de pensée (le capitalisme libéral et le socialisme) a exercé une influence sur le développement politique ultérieur de Marx.

> Fondateur de l'église luthérienne, Martin Luther (1483-1546) a proclamé l'autorité de la seule Écriture sainte et défendu le salut individuel par la foi seule.

Karl est le troisième des neuf enfants de Heinrich Marx, homme libéral, cultivé, imprégné du rationalisme du siècle des **Lumières.** Avocat à Trèves, il a su s'établir une situation honorable confirmée par son titre de conseiller municipal et son poste de **bâtonnier.**

Marx suit les traces de son père. Le 22 octobre 1836, il s'inscrit à l'Université de Berlin et se présente à des cours de droit et d'anthropologie. Un professeur exceptionnel, E. Gans — qui présentait l'étude du droit comme étant intimement liée au développement rationnel de l'histoire — fait connaître au jeune Marx la philosophie de HEGEL. Dès le premier semestre à l'université, Marx commence à se désintéresser du droit; il est surtout captivé par la philosophie et par l'histoire. Avec sérieux, il se met à l'étude de la doctrine hégélienne. La philosophie de Hegel est alors la philosophie officielle de l'État prussien. Les principaux postes de professeurs des universités sont accordés aux hégéliens.

> **G**eorg Wilhelm Friedrich Hegel (1770-1831) a occupé jusqu'à sa mort la chaire de philosophie de l'Université de Berlin. Il a laissé un immense système philosophique qui a dominé la scène philosophique allemande jusqu'aux environs de 1850.

En 1836, Marx se fiance secrètement avec une amie d'enfance, Jenny von Westphalen, réputée la plus jolie fille de Trèves, et dont la famille appartient à la riche «aristocratie» rhénane. Marx écrit des poèmes dédiés à sa fiancée qu'il lui expédie en gage d'amour. Cependant, lorsque la famille Westphalen apprend l'engagement de Jenny envers le jeune Marx, elle s'y oppose catégoriquement. On n'accepte pas ce Marx, étudiant pauvre, à l'avenir incertain et de famille juive. Malgré cette opposition, le mariage de Karl Marx et de Jenny von Westphalen a lieu le 23 juin 1843 — sept années après leurs fiançailles!

Pendant ses études à l'Université de Berlin, Marx fréquente de jeunes docteurs en théologie, en philosophie et en histoire qui sont de fervents adeptes de la philosophie de Hegel. Parmi eux se trouve Bruno Bauer (1809-1882), qui constituera, avec Ludwig Feuerbach (1804-1872) et quelques autres, ce que l'on a appelé la gauche

---

1. La Rhénanie est une région de l'Allemagne située de chaque côté du Rhin. En 1815, le traité de Vienne fit de la Rhénanie une province prussienne — la Prusse étant alors un pays endetté et économiquement arriéré. Cependant, la Rhénanie connut au cours du XIXᵉ siècle un développement économique et social qui en fit la province la plus prospère de l'Allemagne.

hégélienne. Cette gauche critique et **progressiste** s'élève contre les tendances **réactionnaires** de la Prusse; elle se sert de la doctrine hégélienne pour alimenter son propre travail sur les thèmes du dépassement et de la disparition de la religion, ainsi que sur le changement **révolutionnaire** de la société. Ce cercle de «jeunes hégéliens» dont fait partie Marx[2] s'oppose à une droite conservatrice, composée des disciples orthodoxes (les «vieux hégéliens») qui acceptent sans mot dire la doctrine du maître Hegel.

Au printemps 1840, Frédéric-Guillaume IV, nouveau roi de la Prusse, discrédite les hégéliens (plus particulièrement la gauche hégélienne), à qui il reproche leurs tendances libérales et antireligieuses. Dès lors, les hégéliens sont systématiquement écartés de l'enseignement universitaire.

Marx ne peut donc embrasser la carrière universitaire à laquelle il se destinait, même s'il obtient, en 1841, de l'Université d'Iéna un doctorat en philosophie en soutenant une thèse sur la *Différence des philosophies de la nature de Démocrite et d'Épicure*[3]. En lieu et place, il exerce le métier de journaliste politique à la *Gazette rhénane* de Cologne. En octobre 1842, il en devient le rédacteur en chef. Ses articles décrivent et dénoncent la misère des vignerons de la Moselle, défendent la liberté de presse, condamnent les politiques réactionnaires du gouvernement prussien, etc. En 1843, un interdit gouvernemental met fin à la production et à la diffusion du journal.

À l'automne 1843, Marx s'installe à Paris avec son épouse; il y fréquente des groupes socialistes et rencontre FRIEDRICH ENGELS (1820-1895), qui deviendra son ami et le cosignataire de nombreux volumes. À Paris, Marx dirige les *Annales franco-allemandes,* qui publient, en 1844, *Sur la question juive* et *Contribution à la critique de la philosophie du droit de Hegel.* L'année suivante, Marx et Engels écrivent *La sainte famille.* En 1847, la Ligue des communistes leur commande le *Manifeste du parti communiste.* Pour Marx et Engels, c'est le début d'une longue et fructueuse collaboration intellectuelle et militante dont le but est d'éduquer, de former et d'organiser le mouvement ouvrier afin que les travailleurs se libèrent de leurs chaînes.

FILS D'UN RICHE INDUSTRIEL ALLEMAND, FRIEDRICH ENGELS FUT LE COMPAGNON DE ROUTE INDÉFECTIBLE DE MARX. À MAINTES REPRISES, IL LUI APPORTA MÊME UNE AIDE FINANCIÈRE.

Étant expulsé de France pour activités révolutionnaires, Marx part à Bruxelles grâce à une souscription organisée par Engels. Mais, en février 1848, le gouvernement belge le frappe d'expulsion. Sans moyens, il doit se réfugier à Londres en 1849. Maintenant père de trois enfants, il y vit avec sa famille dans une grande pauvreté. La lutte politique occupe une grande part de son temps et de ses énergies: il est entièrement dévoué à la cause des travailleurs — en 1864, il œuvre à la fondation de la 1re Internationale (Association internationale des travailleurs). Mais pour survivre, il écrit, entre 1851 et

LUMIÈRES

Courant philosophique qui, au XVIIIe siècle, prend la raison comme seule autorité sur le plan de la connaissance.

BÂTONNIER

Avocat élu par ses confrères pour être le directeur et le représentant de la confrérie.

PROGRESSISTE

Se dit d'une personne, d'une attitude, d'une action ou d'une organisation qui veut transformer la société selon un idéal de progrès économique, social et politique.

RÉACTIONNAIRE

Se dit d'une personne, d'une attitude, d'une action ou d'une organisation qui s'oppose au progrès social et vise à rétablir les institutions qui existaient avant la révolution.

RÉVOLUTIONNAIRE

Se dit d'une personne, d'une attitude, d'une action ou d'une organisation qui est partisane de changements radicaux et soudains.

2. Marx critiquera plus tard ses compagnons de formation en leur reprochant, entre autres, leur idéalisme (voir *La sainte famille* et *Thèses sur Feuerbach*).

3. Démocrite (v. ~460- v. ~370), philosophe grec de l'Antiquité, a développé une physique matérialiste, l'*atomisme,* qui conçoit la nature comme un mouvement infini de particules matérielles insécables et éternelles se combinant entre elles pour produire les corps. Or, dans sa thèse, Marx rejette le déterminisme mécaniste de Démocrite et tente, à l'instar d'Épicure (~341-~270), de fonder l'existence de la liberté de l'homme.

1862, près de cinq cents articles pour le *New York Daily Tribune* et le *People's Paper.* En outre, il prépare de nombreux «travaux sérieux» en histoire (*Les luttes de classes en France,* 1848-1850) et en économie (*Contribution à la critique de l'économie politique,* publié en 1859; *Capital,* tome I, publié en 1867).

Marx meurt à Londres en 1883 assis dans le fauteuil de son bureau où il travaillait.

Le capitalisme du XIXᵉ siècle

Marx a voulu comprendre la société capitaliste de son temps («l'époque bour-geoise»), en expliquer la structure et les lois afin de la transformer[4]. Il propose un nouveau modèle d'organisation économique et sociale qui contribuerait à la réalisation globale de l'être humain. Pour ce faire, Marx étudie la modernité de son époque, qu'il décrit de la manière suivante:

> Ce bouleversement continuel de la production, cet ébranlement ininterrompu de tout le système social, cette agitation et cette perpétuelle insécurité distinguent l'époque bourgeoise de toutes les précédentes. Tous les rapports sociaux tradition-nels et figés avec leur cortège de notions et d'idées antiques et vénérables se dissol-vent; tous ceux qui les remplacent vieillissent avant même de pouvoir s'ossifier. Tout ce qui avait solidité et permanence s'en va en fumée, tout ce qui était sacré est pro-fané, et les hommes sont enfin forcés de jeter un regard lucide sur leurs conditions d'existence et leurs rapports réciproques[5].

L'expression «révolution industrielle» fut utilisée dans les années 1820 pour comparer l'importance des bouleversements industriels d'alors aux changements politiques produits par la Révolution française de 1789.

Décrivons brièvement les nouvelles conditions d'existence instau-rées par la bourgeoisie[6]. À la fin du XVIIIᵉ siècle, l'Angleterre connaît une RÉVOLUTION INDUSTRIELLE sans précédent dans les domaines du textile, du charbon et du fer. L'invention d'une machine à filer (*mule-jennies*) et la mise au point de métiers à tisser mécanisés transforment radicale-ment la production de fils et de tissus de coton. Les propriétaires des manufactures ont besoin d'une main-d'œuvre abondante. Des milliers d'ouvriers s'agglutinent dans les villes. On leur construit des logements insalubres. Et puisqu'il faut chauffer ces taudis destinés à la classe ouvrière, il y a une exploitation accrue des mines de charbon. À partir du milieu du XVIIIᵉ siècle, ces conditions se propagent sur le continent européen.

Marx observe les ouvriers de son époque, qui font face à un univers éclaté, fragmenté en raison de l'industrialisation débridée, de l'organisation inhumaine du travail et de la misère presque généralisée. Il est difficile de s'imaginer les conditions de vie de la majorité des travailleurs en Angleterre, en Belgique, en Allemagne et en France du milieu à la fin du XIXᵉ siècle. Que l'on pense aux centaines de milliers d'hommes, de femmes et d'ENFANTS qui s'engouffraient dans les mines de charbon ou dans les manufactures de textile, travaillant quatorze heures par jour, six jours par semaine, dans des conditions

---

4. La notion de *praxis* sert à exprimer ce mouvement qui va de l'explication théorique à l'action modifiant l'état de choses présent. Nous examinerons cette notion dans la partie de ce chapitre intitulée «L'être humain et le travail».

5. Karl Marx et Friedrich Engels, *Manifeste du parti communiste,* Paris, Union générale d'éditions, coll. «10-18», 1962, p. 22-23.

6. Des romanciers de grand talent tracèrent le portrait de cette époque trouble. Mentionnons Charles Dickens (1812-1870), qui dénonce l'exploitation capitaliste et les misères sociales de son époque dans *Hard Times* (1854). Pensons aussi à Émile Zola (1840-1902), qui décrit les conditions de vie pitoyables des mineurs et de leur grève dans *Germinal* (1885).

LE SORT RÉSERVÉ AUX ENFANTS DES COUCHES POPULAIRES ENTACHE D'UN IRRÉMÉDIABLE SCANDALE LA RÉVOLUTION INDUSTRIELLE CAPITALISTE. À PARTIR DE L'ÂGE DE SIX ANS, ON LES OBLIGE À TRAVAILLER DANS DES CONDITIONS MISÉRABLES. MIS À L'AMENDE, EMPRISONNÉS, BATTUS, FOUETTÉS POUR LA MOINDRE DÉFAILLANCE, LES ENFANTS DEVIENNENT LES ESCLAVES DU CAPITALISME «SAUVAGE».

épouvantables pour un salaire qui suffisait à peine à leur survie[7]. «Notre époque, l'époque de la bourgeoisie, se distingue par la simplification des antagonismes de classe. La société tout entière se divise de plus en plus en deux vastes camps ennemis, en deux grandes classes diamétralement opposées: la bourgeoisie[8] et le prolétariat[9].» Cette crise sociale, qui marque profondément la deuxième moitié du XIXᵉ siècle, constitue, aux yeux de Marx, une situation révolutionnaire sans précédent. Il faut changer ce monde! Marx s'y attaque, et, bien sûr, il dérange l'ordre établi, c'est-à-dire le système économique, social et politique qui permet l'exploitation d'une classe (le prolétariat) par une autre classe (la bourgeoisie).

HÉGÉMONIE
Suprématie, domination, autorité.

Marx laisse à l'humanité une œuvre capitale dont la pensée et l'action ont marqué d'une manière décisive la fin du XIXᵉ siècle et la majeure partie du XXᵉ siècle. N'oublions pas que près de la moitié de l'humanité a vécu au XXᵉ siècle sous l'**hégémonie** de régimes politiques qui se réclamaient (souvent injustement) de sa philosophie! À titre d'exemple, qu'il suffise de rappeler les partis-États socialistes appartenant à ce qu'on désignait sous le nom de «pays du bloc de l'Est[10]», qui se sont servis du marxisme comme d'une doctrine d'organisation sociale et politique.

Marx a révolutionné les représentations de l'individu et des liens qui l'unissent à la société. Il les a repensés en fonction d'une nouvelle grille d'analyse du monde et de l'homme qui se voulait scientifique et qu'on a appelée le «matérialisme historique» ou, pour utiliser l'expression d'Engels, la «dialectique matérialiste». Voyons brièvement de quoi il s'agit.

7. Une étude intitulée *On the Sanitary Condition of the Labouring Population of Great Britain in 1842* indiquait que l'âge moyen de décès pour «les ouvriers et leurs familles» à Manchester (prototype de la ville industrielle britannique) était de dix-sept ans, alors que les travailleurs ruraux décédaient en moyenne à trente-huit ans.

8. Dans les notes afférentes au *Manifeste*, la bourgeoisie est définie comme «la classe des capitalistes modernes, propriétaires de moyen de production et exploitant le travail salarié». Le prolétariat, quant à lui, est décrit comme «la classe des travailleurs modernes qui, n'ayant aucun moyen de production, sont obligés de vendre leur travail pour survivre» (p. 63).

9. Karl Marx et Friedrich Engels, *Manifeste du parti communiste,* p. 21.

10. Ces pays ont vécu sous l'empire de l'URSS jusqu'au 5 septembre 1991. Après soixante-quatorze années passées sous un régime centralisé «communiste», le congrès des députés a sabordé la fédération soviétique pour instaurer une nouvelle union de républiques souveraines.

LE MATÉRIALISME HISTORIQUE OU L'INTERPRÉTATION DIALECTIQUE DE L'HISTOIRE

La notion de dialectique, qui jouera un rôle si important dans la pensée de Marx et d'Engels, provient de la philosophie de Hegel. La dialectique hégélienne est à la fois la loi de la pensée et la loi du réel (de la nature). Elle est en quelque sorte une logique du mouvement ou du devenir. Hegel considère la pensée et le réel comme dynamiques. L'une et l'autre s'accroissent constamment de déterminations nouvelles; chacune de ces déterminations appelée «thèse» recèle déjà en soi son «antithèse», et les deux sont «supprimées[11]» dans la «synthèse». Ainsi, selon Hegel, la matière naît toujours de deux éléments contradictoires qui, se supprimant l'un l'autre (thèse/antithèse), se déploient dans un organisme plus riche (synthèse).

IDÉALISME

Doctrine d'après laquelle le monde extérieur n'a de valeur, de vérité que dans les idées que nous en avons. En conséquence, les idées ont une valeur supérieure au monde sensible.

Même si Marx et Engels ont été profondément influencés par les concepts hégéliens de dialectique, de contradiction, d'aliénation, de primauté du processus historique, etc., ils n'en ont pas moins condamné vigoureusement l'**idéalisme** de Hegel, qui concevait la réalité et l'histoire comme la réalisation progressive de l'Esprit ou de l'Idée[12], une sorte de «divinité philosophique»... Marx et Engels reprochent à Hegel d'avoir remplacé l'homme réel, vivant dans le monde réel, par l'Idée, et la réalité humaine par la «Conscience» qui se découvre elle-même. Par cette critique, ils rompent définitivement avec la philosophie **spéculative** et transforment radicalement la pratique de la philosophie en «remettant la dialectique sur ses pieds».

SPÉCULATIF

Qui appartient à la théorie, à la recherche abstraite.

Marx et Engels, qui sont MATÉRIALISTES, réinterprètent la dialectique en termes matérialistes. Revenons sur l'énoncé hégélien présenté précédemment, selon lequel la matière se transforme par le choc de forces opposées (thèse et antithèse) — forces qui s'éliminent en se transformant —, cette transformation les faisant toutefois passer à un stade plus élevé (synthèse). Engels propose l'exemple du grain d'orge pour illustrer de façon matérialiste la dialectique hégélienne. Le grain d'orge tombe dans la terre et il pourrit (il y est «détruit», «nié»). À partir de ce premier état, la plante pousse, et de sa négation, la mort, résulte à nouveau le grain, mais à un niveau supérieur, puisqu'il est multiplié.

> Le matérialisme constitue un courant philosophique soutenant que la matière est la base de toute la réalité, qu'il n'existe pas d'esprit antérieur à la matière et que la pensée humaine elle-même relève de l'univers physique objectif.

ANTAGONISTE

Se dit de l'opposition de deux forces rivales.

Quant à Marx, il présente une transposition de la philosophie de l'histoire de Hegel en proposant une lecture de la marche de l'HISTOIRE DE L'HUMANITÉ fondée sur les rapports sociaux concrets qui découlent du développement de deux classes **antagonistes** mises en présence à une époque donnée.

> «**Les** hommes font leur propre histoire [...] Dans des conditions directement données et héritées du passé.» (Karl Marx, *Le 18 Brumaire de Louis Bonaparte*, Paris, Éditions Sociales, 1963, p. 13.)

Le matérialisme historique de Marx

La «base matérielle» à partir de laquelle Marx échafaude sa théorie correspond aux conditions pratiques de l'existence humaine, c'est-à-dire les conditions de vie économiques et sociales qui se sont modifiées au cours de l'histoire à la suite de l'affrontement de classes sociales qui défendaient des intérêts contradictoires.

---

11. Le terme «supprimer» doit ici être pris dans le double sens du mot allemand *aufheben*: «conserver» et «mettre fin à».

12. Les termes Concept, Absolu et Totalité sont aussi utilisés par Hegel.

La division du travail correspond à la fonction occupée par chacun dans la production des richesses à une période donnée de l'histoire de l'humanité. Plus particulièrement, la division du travail est la méthode de production de biens par laquelle le processus de travail est découpé en opérations distinctes de façon à le rendre plus rentable.

Les modes de production correspondent aux différentes manières de produire les biens et les services au cours de l'histoire (par exemple les modes de production esclavagiste, féodal, capitaliste).

La philosophie marxienne[13] est un matérialisme historique puisqu'elle explique l'évolution des sociétés à partir de l'organisation économique qu'ont connue les différentes sociétés au cours de l'histoire de l'humanité. Selon Marx, chacune des sociétés humaines s'est construite à partir d'une DIVISION DU TRAVAIL qui s'est constitué en un MODE DE PRODUCTION spécifique fondé sur un type de propriété des MOYENS DE PRODUCTION qui a déterminé à son tour des RAPPORTS SOCIAUX DE PRODUCTION où se sont opposées deux classes rivales (*voir la figure 3.1*).

Les divers stades de développement de la division du travail présentent autant de formes différentes de la propriété; autrement dit, chaque nouveau stade de la division du travail détermine également les rapports des individus entre eux [...][14].

Les moyens de production correspondent à tout ce qui intervient dans le processus de travail: ressources naturelles (matières premières), instruments de production (machines, outils, manufactures, etc.) et main-d'œuvre disponible.

Les rapports sociaux de production correspondent à la manière dont les hommes entrent en relation avec les autres dans le cadre d'une organisation économique donnée (par exemple les rapports maître/esclave, seigneur/serf, capitaliste/ouvrier).

Le passage d'un mode de production à un autre résulte d'une lutte de classes entre possédants et non-possédants. Il survient lorsque la division du travail se développe suffisamment pour amener les conditions nécessaires à l'avènement d'un nouveau mode de production. De ce fait, de nouvelles classes sociales apparaîtront.

Figure 3.1 Les concepts du matérialisme historique

Division du travail

Mode de production

Propriété des moyens de production

Rapports sociaux de production

Classes sociales antagonistes

---

13. Tout au long de cet exposé, nous utiliserons l'expression «philosophie marxienne» pour désigner la pensée propre de Karl Marx telle qu'elle se révèle dans ses œuvres, le terme «marxiste» servant à nommer les diverses interprétations et applications qui ont dérivé de la théorie marxienne.

14. Karl Marx et Friedrich Engels, *L'idéologie allemande,* trad. H. Auger, G. Badia, J. Baudrillard et R. Cartelle, Paris, Éditions sociales, coll. «Essentiel», 1988, p. 72.

Ainsi, selon Marx, la tribu primitive constitue la première forme d'organisation sociale de l'humanité. À ce stade rudimentaire de développement, la seule division du travail existante est celle qui est liée à la force physique nécessaire pour chasser, pêcher, élever du bétail ou cultiver un lopin de terre.

La structure sociale se borne à une extension de la famille: chef de la tribu patriarcale avec, au-dessous d'eux, des membres de la tribu et enfin des esclaves. L'esclavage latent de la famille se développe peu à peu avec l'accroissement de la population et des besoins, et aussi avec l'extension des relations extérieures, de la guerre tout autant que du troc[15].

ANTIQUITÉ
Époque historique qui fait référence aux anciennes civilisations d'Égypte, de Grèce et de Rome.

Ainsi vint un temps où plusieurs tribus se sont réunies pour constituer les villes dans lesquelles subsiste et se développe l'esclavage. Cette époque de l'**Antiquité** a vu, en effet, se développer une propriété à la fois communautaire et privée. L'État (la collectivité des citoyens actifs) possède les esclaves; et certains citoyens possèdent en privé des biens meubles alors que d'autres sont les propriétaires de biens immobiliers. Cette organisation sociale se caractérise par la propriété absolue des citoyens libres (les maîtres) sur toutes les sources de richesses, y compris les esclaves, qui sont considérés comme de simples instruments de travail. À ce moment de l'histoire, la division du travail est plus avancée que dans la tribu primitive et «les rapports de classes entre citoyens et esclaves ont atteint leur complet développement[16]». Le nom de *mode de production esclavagiste* est donné à cette forme d'organisation sociale d'abord embryonnaire chez la tribu, et qui a connu son plein épanouissement dans l'Antiquité.

Mais un jour, toute la structure sociale fondée sur l'esclavagisme s'est effondrée lorsque s'est développée d'une manière plus accentuée la propriété foncière. Le mode de production esclavagiste a alors été remplacé par le mode de production féodal.

MOYEN ÂGE
Période historique comprise entre la chute de l'Empire romain d'Occident (476) et la prise de Constantinople (1453).

Le *mode de production féodal* correspond à l'organisation en vigueur au **Moyen Âge.** La classe dominante est la noblesse terrienne. Le seigneur concède à ses serfs («petits paysans asservis qui constituent la classe directement productive[17]») des parcelles de terre que ces derniers cultivent pour leur propre survie. En retour, ils doivent obéissance au seigneur et sont obligés de travailler sans salaire sur ses terres. Dans les villes se développe une hiérarchie semblable à celle de la campagne: des apprentis sont sous l'autorité de maîtres artisans réunis dans des corporations.

Petits industriels et petits commerçants, les artisans accumulent peu à peu des capitaux et constituent une nouvelle classe sociale appelée la bourgeoisie. Le mode de production féodal fait alors place au mode de production capitaliste.

Le *mode de production capitaliste* se caractérise par la constitution de deux nouvelles classes sociales antagonistes: celle des exploiteurs (la bourgeoisie qui possède les moyens de production) et celle des exploités (le prolétariat qui ne possède que sa force de travail). Cet antagonisme dialectique ne pourra, selon Marx, être dépassé que par la révolution sociale, qui permettra la constitution d'un état ouvrier (étape du «socialisme») et l'édification d'une société sans classes où les hommes seront égaux et libres (étape du «communisme»).

Le *mode de production communiste* établira une propriété collective des moyens de production où les capacités de l'être humain, qui ne seront plus asservies, pourront enfin

15. *Ibid.,* p. 73.

16. *Ibid.,* p. 73.

17. *Ibid.,* p. 75.

se développer librement. Cette société sans classes demandera à chacun de contribuer au développement de la communauté suivant ses capacités propres et, en contrepartie, elle donnera à chacun suivant ses besoins (*voir la figure 3.2*).

Figure 3.2 Le schéma marxien de l'évolution des sociétés

La primauté de la vie économique

L'apport fondamental de la philosophie marxienne a été d'établir que le type d'organisation économique, c'est-à-dire le mode de production matérielle, constitue la base sur laquelle se construit l'ensemble de l'édifice social; en d'autres mots, que l'*infrastructure économique* détermine la *superstructure*.

> Dans la production sociale de leur existence, les hommes nouent des rapports déterminés, nécessaires, indépendants de leur volonté; ces rapports de production correspondent à un degré donné du développement de leurs forces productives matérielles. L'ensemble de ces rapports forme la structure économique de la société, la fondation réelle sur laquelle s'élève un édifice juridique et politique, et à quoi répondent des formes déterminées de la conscience sociale[18].

Le mode de production mis en place à une époque donnée est assorti de rapports sociaux[19], issus de l'organisation du travail, qui déterminent les conditions d'existence particulières des agents de la production. Mais l'influence de l'infrastructure économique ne s'arrête pas là. C'est elle qui détermine la superstructure, c'est-à-dire l'ensemble de l'organisation juridique, politique et idéologique propre à une société donnée. Ainsi, l'État, les lois, les idées, les valeurs et les croyances que connaît une société ne sont pas des éléments neutres, mais ils découlent de l'infrastructure économique et lui permettent

---

18. Karl Marx, *Critique de l'économie politique, in Œuvres (Économie),* tome I, trad. Maximilien Rubel et Louis Évrard, Paris, Gallimard, «Bibliothèque de la Pléiade», 1972, p. 272-273.

19. Les rapports sociaux de production sont les relations qui s'établissent entre les hommes dans le processus de production; elles concernent les formes de la propriété et celles des échanges et de la distribution des richesses produites. Dans le régime capitaliste, par exemple, les rapports entre le propriétaire des moyens de production et les travailleurs se concrétisent sous la forme du salariat. Selon Marx, ce salariat vient camoufler la réalité de l'exploitation des travailleurs par les capitalistes. Dans la seconde moitié du XIXe siècle, en effet, le mode de production capitaliste crée des conditions d'existence misérables et dégradantes pour des millions de prolétaires, alors qu'une minorité (la classe bourgeoise), parce qu'elle est propriétaire des mines, des industries et de la finance, vit dans l'aisance et la liberté.

de se reproduire. Plus particulièrement, les conceptions que l'on se fait de l'être humain proviennent du mode de production économique qui les a générées et s'expliquent par lui. En simplifiant un peu, nous pourrions dire que c'est parce que nous vivons dans une infrastructure économique capitaliste que nous trouvons normal de penser l'homme et son existence sous l'angle du «chacun pour soi», du «qui veut peut», du «profit réciproque» et de la «rentabilité obligée».

Par ailleurs, il faut ajouter que si le type d'organisation économique (l'infrastructure) détermine les activités politiques, juridiques, culturelles, philosophiques, etc. (la super-structure), d'une société donnée, en revanche ces activités viennent consolider, par le biais de l'idéologie, l'infrastructure économique. En d'autres mots, il existe un va-et-vient constant entre la superstructure et l'infrastructure, les deux s'influençant mutuellement. L'infrastructure économique est l'assise de la société, mais il n'en demeure pas moins que les idées en vigueur renforcent et reproduisent généralement le mode économique de production dans une société particulière (*voir la figure 3.3*).

Nous illustrerons cette idée maîtresse de Marx en établissant un rapport entre le type d'éducation valorisé dans les collèges classiques du Québec dans les années 60 et celui qu'a institué la réforme des cégeps en 1994. Une lecture marxiste nous ferait considérer la culture humaniste dite libérale véhiculée dans les collèges classiques comme étant la chasse gardée d'une élite francophone dédiée exclusivement aux professions libérales (médecine, droit, notariat) étant donné qu'elle ne possédait ni ne dirigeait l'économie capitaliste de l'époque. Poursuivant cette interprétation marxiste, nous pourrions dire que les propriétaires de l'industrie québécoise actuelle ont fait pression sur le gouverne-ment afin que l'éducation postsecondaire soit davantage orientée en fonction des besoins du marché. En conséquence, l'enseignement donné dans les cégeps tente désormais de développer des compétences mesurables et utilisables dans le monde du travail capitaliste de la fin du XXe siècle et du début du XXIe siècle.

Figure 3.3 Le schéma de la conception marxienne de la société

L'HOMME COMME ÊTRE SOCIAL ET HISTORIQUE

Comme tous les philosophes de la tradition occidentale, Marx se questionne sur la nature humaine. Il se demande ce qu'est l'essence de l'être humain, ce qui le caractérise fondamentalement. Cependant, il ne peut accepter que l'essence de l'homme se trouve dans une idée ou un concept sous lequel se rangeraient tous les individus. Adhérer à une telle vision de l'être humain, c'est croire qu'une abstraction **générique** se loge dans tous les individus comme une qualité ou une puissance qui les fait exister tels qu'ils sont. Or, selon Marx, les idées humaines sont le reflet des choses et des événements réels ; en conséquence, l'idée d'homme, la «conscience» que l'homme a de lui-même, ne peut que refléter ses activités, ses conditions de vie, etc., toutes choses changeantes qui supposent des idées changeantes et différentes.

À l'opposé de cette vision marxienne, Descartes accorde à l'être humain une essence **a priori,** soit la raison ; ce faisant, il ne tient aucunement compte dans sa définition de l'homme des conditions concrètes d'existence. Marx se trouve à mille lieues de Descartes, puisque sa conception de l'homme s'appuie essentiellement sur ce qui existe entre les humains à un moment historique donné, du fait de leurs rapports réciproques dans la société.

Marx décrit l'être humain comme un «animal social» qui appartient à une classe et à une société données. Lorsqu'il écrit, dans les *Manuscrits de 1844,* que «l'individu est l'être social», cela signifie que l'individu, puisqu'il s'imbrique dans des rapports sociaux déterminés, se caractérise fondamentalement par sa relation à la société. La *VIe thèse sur Feuerbach* apporte un éclairage additionnel en affirmant ceci : «L'essence humaine n'est pas une abstraction inhérente à l'individu singulier. Dans sa réalité, c'est l'ensemble des rapports sociaux[20].» D'une part, cela veut dire que ce qui distingue l'être humain ne peut être trouvé dans un ensemble de caractères abstraits et universels qui conviendraient à tous les individus. Les hommes individuels et réels ne sont pas des exemplaires de la catégorie Homme. D'autre part, cela signifie que l'essence de l'être humain ne provient pas de son Moi individuel ou de l'ensemble des individus isolés qui participent à une collectivité particulière, mais elle réside bel et bien dans les rapports sociaux qu'entretiennent ces individus. En d'autres termes, ce qui caractérise fondamentalement la nature intime de l'être humain est produit dans et par les rapports sociaux. Dans *L'idéologie allemande,* nous assistons à un rejet catégorique du concept d'Homme abstrait. Ce texte rompt définitivement avec l'attitude purement spéculative d'appréhension du monde et de l'homme, pour mieux faire apparaître le monde et l'homme réels. Le concept d'Homme abstrait est remplacé par celui d'homme en tant qu'être social historiquement déterminé.

En somme, c'est dans le processus de vie réelle, autrement dit dans les conditions sociales objectives d'existence, qu'il faut chercher l'essence concrète de l'homme. Désormais, Marx tente de cerner les hommes qui existent et agissent réellement «dans leur contexte social donné, dans leurs conditions de vie données qui en ont fait ce qu'ils sont[21]». Ce qui intéresse Marx, «ce sont les hommes, non pas isolés et figés de quelque manière imaginaire, mais saisis dans leur processus de développement réel dans des conditions déterminées, développement visible empiriquement[22]». C'est pour cette raison

GÉNÉRIQUE
Ce qui est commun à un groupe d'êtres ou d'objets et qui en constitue le genre.

A PRIORI
Qui est antérieur à toute expérience. S'oppose à *a posteriori,* qui est postérieur à l'expérience.

---

20. Karl Marx, *Thèses sur Feuerbach, in L'idéologie allemande,* p. 52

21. Karl Marx et Friedrich Engels, *L'idéologie allemande,* p. 85.

22. *Ibid.,* p. 79.

qu'il faut, selon Marx, ne plus se référer à la philosophie spéculative, qui ne fait qu'interpréter, à l'aide de catégories abstraites, l'homme et le monde, mais enfin présenter une conception scientifique (et, conséquemment, objective) des êtres humains concrets et de leur développement historique.

Marx poursuit l'entreprise amorcée par Rousseau qui consiste à montrer le caractère évolutif et historique de l'être humain. L'homme se définissant comme un être historique, les conditions sociales matérielles d'existence deviennent alors la «base concrète de ce que les philosophes se sont représenté comme "substance" et "essence de l'homme"[23]». Les caractères sociaux, que les rapports de production transmettent aux individus à un moment précis de l'histoire, les déterminent et les définissent irrémédiablement. Ils forment l'*être de l'homme*.

> La façon dont les individus manifestent leur vie reflète exactement ce qu'ils sont. Ce qu'ils sont coïncide donc avec leur production, aussi bien avec ce qu'ils produisent qu'avec la façon dont ils le produisent. Ce que sont les individus dépend donc des conditions matérielles de leur production[24].

Les êtres humains, selon Marx, ne sont pas seulement conditionnés par les rapports sociaux, ils sont carrément déterminés par eux, à un point tel que leur conscience même dépend entièrement des conditions de leur vie sociale. «Ce n'est pas la conscience des hommes qui détermine leur existence, c'est au contraire leur existence sociale qui détermine leur conscience[25]».

Prenons comme exemple un ouvrier non spécialisé, marié, père de deux enfants, qui gagne un salaire de 38 000 $ par année et qui doit subvenir seul aux besoins de sa famille. La moindre augmentation du coût du panier de provisions sera considérée comme catastrophique et le budget familial hebdomadaire en souffrira nécessairement. Au contraire, cette même augmentation sera jugée négligeable par le propriétaire de l'usine où travaille l'ouvrier en question.

Par cet exemple, nous voyons que la conscience n'est pas une activité psychique ou intellectuelle qui s'exerce en dehors de la réalité. Elle découle d'une pratique particulière, d'une manière de vivre propre à une classe ou à une société donnée. La conscience est, en quelque sorte, un produit social. Elle se construit dans le concret. La représentation que nous nous faisons des choses, des événements et des hommes ne nous vient donc pas de nous-mêmes en tant qu'êtres autonomes de pensée, mais elle provient de notre «processus de vie réelle[26]», c'est-à-dire de la manière dont nous produisons notre vie matérielle. En d'autres termes, ce que nous faisons ou fabriquons pour gagner notre vie et subvenir à nos besoins s'inscrit dans une organisation économique et sociale dont notre conscience est tributaire. Ce que nous appelons fièrement notre propre manière de penser, ce que nous défendons comme nos propres opinions, tout cela n'est, en fait, que le résultat d'un **déterminisme** issu de la structure sociale et des conditions de production ambiantes.

> La production des idées, des représentations et de la conscience est d'abord directement et intimement mêlée à l'activité matérielle et au commerce matériel des hommes; elle est le langage de la vie réelle. Les représentations, la pensée, le commerce intellectuel des hommes apparaissent ici encore comme l'émanation directe

DÉTERMINISME
Doctrine selon laquelle tous les phénomènes (pensées, actions, événements, etc.) résultent nécessairement des causes antérieures qui les ont produits.

---

23. *Ibid.,* p. 103-104.

24. *Ibid.,* p. 71.

25. Karl Marx, *Critique de l'économie politique, in Œuvres (Économie),* tome I, p. 273.

26. Karl Marx et Friedrich Engels, *L'idéologie allemande,* p. 77-78.

de leur comportement matériel. Il en va de même de la production intellectuelle telle qu'elle se présente dans la langue de la politique, celle des lois, de la morale, de la religion, de la métaphysique, etc., de tout un peuple. Ce sont les hommes qui sont les producteurs de leurs représentations, de leurs idées, etc., mais les hommes réels, agissants, tels qu'ils sont conditionnés par un développement déterminé de leurs forces productives et du mode de relations qui y correspond[27].

Ainsi en est-il de la conception de l'amour et du mariage qui a changé du tout ou tout quand on est passé du mode de production féodal (mariages arrangés et nécessité d'unir les terres) au mode de production capitaliste (le couple et la famille nucléaire contemporains comme unités de consommation). Donnons un autre exemple de la détermination de la conscience par le mode de production. Si les citoyens de la Chine communiste actuelle n'ont pas, généralement, les mêmes représentations et conceptions des choses et des hommes, s'ils n'ont pas les mêmes critères d'évaluation de la réalité que les Américains, c'est parce qu'ils vivent dans un régime économique et social différent de celui des Américains[28]. En résumé, il est possible d'affirmer avec Marx que «les idées, les conceptions et les notions des hommes, en un mot leur conscience change avec tout changement survenu dans leurs conditions de vie, leurs relations sociales, leur existence sociale[29]».

LES CHINOIS ONT DES IDÉES ET DES CONCEPTIONS QUI ÉMANENT DIRECTEMENT DU RÉGIME ÉCONOMIQUE ET SOCIAL DE LA CHINE COMMUNISTE.

L'ÊTRE HUMAIN ET LE TRAVAIL

La question du travail occupe un rôle déterminant dans la philosophie marxienne et, en particulier, dans la conception de l'être humain qui y est mise en avant. Selon Marx, en effet, le travail constitue la différence spécifique de l'homme; en d'autres mots, l'espèce humaine se distingue de toutes les autres espèces animales en ceci qu'elle produit elle-même les biens nécessaires à sa survie et transforme elle-même, au cours de l'histoire, ses propres conditions d'existence. Marx s'oppose ainsi au rationalisme de Descartes qui ramenait l'essence de l'homme à sa seule raison.

Bien sûr, l'être humain possède la raison, mais cette raison, selon Marx, c'est dans l'activité concrète de transformation du milieu qu'elle se réalise et se développe. Pour Marx, on ne peut pas séparer la pensée de l'action ou la vie intellectuelle du travail concret; les activités d'ordre intellectuel, comme la science, les arts ou la philosophie, servent elles aussi à transformer notre monde et, par conséquent, à nous transformer nous-mêmes. Marx nomme *praxis* cette nécessaire union de la pensée et de la pratique, du savoir et de l'action.

---

27. *Ibid.*, p. 77.

28. Précisons toutefois qu'à des fins d'expérimentation la Chine communiste a permis depuis quinze ans l'expression et le développement du capitalisme dans la zone économique de Shenzhen. Située dans le sud de la Chine, cette région est considérée comme une oasis de la libre entreprise et de l'économie de marché!

29. Karl Marx et Friedrich Engels, *Manifeste du parti communiste*, p. 44.

Le travail : humanisation de la nature et définition de l'homme

LE TRAVAIL doit être cette «activité libre et consciente» par laquelle l'être humain transforme la nature. En effet, c'est par le travail que l'homme agit sur la nature, qu'il l'humanise en quelque sorte afin qu'elle devienne son œuvre. La nature reçoit par l'intermédiaire du travail l'empreinte humaine : elle s'en trouve profondément, durablement marquée. Dans *L'idéologie allemande*[30], Marx donne l'exemple du cerisier qui, comme la plupart des arbres fruitiers, a été transplanté en Europe par le *commerce* des hommes inscrits dans une société donnée à une époque donnée.

> Le travail est considéré par Marx comme un processus créateur qui sert d'intermédiaire entre l'homme et le monde.

Par le travail, l'être humain transforme la nature afin que celle-ci réponde à ses besoins ; ce faisant, il se transforme lui-même.

> C'est précisément en façonnant le monde des objets que l'homme commence à s'affirmer [...]. Grâce à cette production, la nature apparaît comme son œuvre et sa réalité. [...] L'homme ne se recrée pas seulement d'une façon intellectuelle, dans sa conscience, mais activement, réellement, et il se contemple lui-même dans un monde de sa création[31].

ACTUALISER (s')
Matérialiser dans des actes les virtualités (pouvoirs, talents, qualités, etc., que possède un individu) qui n'étaient pas encore réalisées dans la vie.

C'est donc en fabriquant un monde d'objets, en façonnant la nature à son image, que l'être humain s'affirme comme être conscient qui **s'actualise** dans le réel. Le travail est «l'activité propre de l'homme» qui doit lui permettre d'exprimer ses capacités intellectuelles et physiques et, par conséquent, de se réaliser lui-même. En plus de répondre à la satisfaction de ses besoins, l'homme se crée lui-même par le travail productif. Il se fait par le travail dans la mesure où c'est en produisant qu'il se définit en tant qu'être humain.

Le travail est de prime abord un acte qui se passe entre l'homme et la nature. L'homme y joue lui-même vis-à-vis de la nature le rôle d'une puissance naturelle. Les forces dont son corps est doué, bras et jambes, tête et mains, il les met en mouvement, afin de s'assimiler des matières en leur donnant une forme utile à sa vie. En même temps qu'il agit par ce mouvement sur la nature extérieure et la modifie, il modifie sa propre nature, et développe les facultés qui y sommeillent. Nous ne nous arrêtons pas à cet état primordial du travail où il n'a pas encore dépouillé son mode purement instinctif. Notre point de départ c'est le travail sous une forme qui appartient exclusivement à l'homme. Une araignée fait des opérations qui ressemblent à celles du tisserand, et l'abeille confond par la structure de ses cellules de cire l'habileté de plus d'un achitecte. Mais ce qui distingue dès l'abord le plus mauvais architecte de l'abeille la plus experte, c'est qu'il a construit la cellule dans sa tête avant de la construire dans la ruche. Le résultat auquel le travail

L'ABEILLE CONFOND PAR LA STRUCTURE DE SES CELLULES DE CIRE L'HABILETÉ DE PLUS D'UN ARCHITECTE.

---

30. Karl Marx et Friedrich Engels, *L'idéologie allemande*, p. 83.

31. Karl Marx, *Économie et philosophie (Manuscrits de 1844)*, in *Œuvres (Économie)*, tome II, trad. Jean Malaquais et Claude Orsini, Paris, Gallimard, «Bibliothèque de la Pléiade», 1972, p. 64.

aboutit préexiste idéalement dans l'imagination du travailleur. Ce n'est pas qu'il opère seulement un changement de forme dans les matières naturelles; il y réalise du même coup son propre but dont il a conscience, qui détermine comme loi son mode d'action, et auquel il doit subordonner sa volonté. Et cette subordination n'est pas momentanée. L'œuvre exige pendant toute sa durée, outre l'effort des organes qui agissent, une attention soutenue, laquelle ne peut elle-même résulter que d'une tension constante de la volonté. Elle l'exige d'autant plus que, par son objet et son mode d'exécution, le travail entraîne moins le travailleur, qu'il se fait moins sentir à lui comme libre jeu de ses forces corporelles et instinctuelles, en un mot, qu'il est moins attrayant[32].

Le travail comme médiation sociale

Par le biais du travail, l'homme peut donc être perçu comme un être en relation avec la nature et avec lui-même. Mais le travail met aussi l'être humain en relation avec ses semblables. Il instaure les liens de «sociabilité», de «réciprocité» et de solidarité humaine sans lesquels aucune production matérielle ne serait possible. Laissons la parole à Marx, qui décrit ce que devrait être idéalement le travail dans un contexte de solidarité réciproque:

> Supposons que nous produisions comme des êtres humains: chacun de nous s'affirmerait doublement dans sa production, soi-même et l'autre. 1° Dans ma production, je réaliserais mon individualité, ma particularité; j'éprouverais, en travaillant, la jouissance d'une manifestation individuelle de ma vie, et, dans la contemplation de l'objet, j'aurais la joie individuelle de reconnaître ma personnalité comme puissance réelle, concrètement saisissable et échappant à tout doute. 2° Dans ta jouissance ou ton emploi de mon produit, j'aurais la joie spirituelle immédiate de satisfaire par mon travail un besoin humain, de réaliser la nature humaine et de fournir au besoin un autre objet de sa nécessité. 3° J'aurais conscience de servir de médiateur entre toi et le genre humain, d'être reconnu et ressenti par toi comme un complément à ton propre être et comme une partie nécessaire de toi-même, d'être accepté dans ton esprit comme dans ton amour. 4° J'aurais, dans mes manifestations individuelles, la joie de créer la manifestation de ta vie, c'est-à-dire de réaliser et d'affirmer dans mon activité individuelle ma vraie nature, ma sociabilité humaine [*Gemeinwesen*]. Nos productions seraient autant de miroirs où nos êtres rayonneraient l'un vers l'autre[33].

Le travail doit donc servir de médiation sociale. Tant sur le plan de la production que sur celui de la distribution des biens et services, s'installent des rapports entre ouvriers, des rapports entre patrons, des rapports, enfin, entre patrons et ouvriers. La relation entre ces différents protagonistes économiques peut être harmonieuse et permettre le plein développement de l'individu; au contraire, elle peut être dégradante et produire un être mutilé qui se déshumanise mentalement et physiquement. Or, selon Marx, le système économique et social du milieu du XIXᵉ siècle domine et exploite le travailleur. Ce système capitaliste produit un homme malade, morcelé, qui ne se possède pas et qui se perd dans sa relation au travail et à l'objet qu'il produit. «Le travail, seul lien qui les [individus] unisse encore aux forces productives et à leur propre existence, a perdu chez eux toute apparence de manifestation de soi et ne maintient leur vie qu'en l'étiolant[34].»

---

32. Karl Marx, *Capital*, troisième section, *in Œuvres (Économie)*, tome I, trad. Joseph Roy revue par Maximilien Rubel, p. 727-728.

33. Karl Marx, *Notes de lecture, in Œuvres (Économie)*, tome II, p. 33.

34. Karl Marx et Friedrich Engels, *L'idéologie allemande*, p. 150.

Dans un tel contexte de dépersonnalisation, le travailleur devient étranger aux objets que fabriquent ses mains, étranger à son essence qui est de manifester son être propre en produisant et d'entrer ainsi en rapport avec la nature et avec les autres hommes. Marx utilise le concept d'ALIÉNATION pour désigner, notamment, cette dépossession de soi-même et des fruits de son travail.

> **M**arx utilise la notion d'aliénation dans ses premiers écrits. Dans ses œuvres dites de maturité, il utilise l'expression «réification» ou «chosification», qui désigne la réalité de l'être humain réduit à l'état de chose, d'objet à l'intérieur des rapports sociaux établis par le système capitaliste industriel.

LES DIFFÉRENTES FORMES DE L'ALIÉNATION HUMAINE

Parce que la doctrine marxienne veut donner la possibilité à l'«homme total» de se réaliser dans l'histoire, elle analyse, afin de mieux les combattre, les aliénations majeures qui pèsent sur l'homme. Mais qu'est-ce que l'aliénation? L'aliénation désigne l'état de l'individu qui, par suite des circonstances extérieures, cesse de s'appartenir en propre, est étranger à lui-même, devient l'esclave d'une puissance étrangère qu'il ne contrôle pas. Or, selon Marx, le travailleur-prolétaire, qui constitue la majorité du genre humain de son époque, est justement un être aliéné sur les plans économique, politique et religieux.

L'aliénation économique

OBJECTIVER (S')

En parlant de l'individu, manifester extérieurement un fait de conscience subjectif.

D'après Marx, l'émancipation de l'homme passe d'abord par une libération de l'aliénation économique, car c'est elle qui engendre toutes les autres, et son abolition entraînera nécessairement la suppression des autres formes d'aliénation. Or, dans les conditions de l'économie capitaliste, l'être humain est aliéné par le travail lui-même. Ce système économique, dominé par la division du travail et par la propriété privée des moyens de production, fait en sorte que l'homme **s'objective** de façon inhumaine. Expliquons brièvement ces deux premiers éléments de l'aliénation économique.

LA DIVISION DU TRAVAIL   La division du travail en tant que telle s'actualise «au moment où s'opère une division entre travail manuel et travail intellectuel», et où, conséquemment, «la jouissance et le travail, la production et la consommation échoient en partage à des individus différents[35]». À l'intérieur du mode de production artisanal, le cordonnier, par exemple, entretenait un rapport direct et global avec son œuvre; il se représentait en esprit le type de chaussures qu'il se proposait de créer durant sa journée de travail. Il en imaginait la structure, la forme, la couleur, les différentes étapes par lesquelles il passerait, etc. Bref, il pensait le travail à accomplir. Ensuite, ses mains se mettaient à l'ouvrage. En étant conscient de son ouvrage, il exécutait avec minutie chaque geste, chaque tâche nécessaire à la réalisation de la paire de chaussures. À la fin de sa journée de travail, l'artisan cordonnier pouvait regarder son œuvre avec fierté puisqu'elle était entièrement de lui et qu'il pouvait s'y reconnaître.

Il en est tout autrement avec la venue du machinisme, puis de la grande industrie, où l'ouvrier n'a plus à penser son travail, et où il doit se soumettre à une parcellisation de plus en plus poussée de son travail. Dès lors, il ne doit exécuter qu'un élément limité et défini de l'ensemble des tâches essentielles à la production de l'objet, d'où l'obligation de répéter mécaniquement le même geste à longueur de journée. Le travail génère alors la plus inhumaine monotonie. Le travailleur devient lui-même une machine faisant fonctionner une machine. Ainsi, l'ouvrier devient un être divisé, enchaîné toute sa vie durant

---

35. *Ibid.*, p. 91.

à une fonction productive partielle. Le travail en tant qu'activité le déshumanise, le rend étranger à lui-même :

> Dans son travail, l'ouvrier ne s'affirme pas, mais se nie ; il ne s'y sent pas satisfait, mais malheureux ; il n'y déploie pas une libre énergie physique et intellectuelle, mais mortifie son corps et ruine son esprit. C'est pourquoi l'ouvrier n'a le sentiment d'être à soi qu'en dehors du travail ; dans le travail, il se sent extérieur à soi-même. Il est lui quand il ne travaille pas et, quand il travaille, il n'est pas lui. Son travail n'est pas volontaire, mais contraint. *Travail forcé,* il n'est pas la satisfaction d'un besoin, mais seulement un *moyen* de satisfaire des besoins en dehors du travail. Le caractère étranger du travail apparaît nettement dans le fait que, dès qu'il n'existe pas de contrainte physique ou autre, le travail est fui comme la peste. Le travail extérieur, le travail dans lequel l'homme s'aliène, est un travail de sacrifice de soi, de mortification. Enfin, le caractère extérieur à l'ouvrier du travail apparaît dans le fait qu'il n'est pas son bien propre, mais celui d'un autre, qu'il ne lui appartient pas, que dans le travail, l'ouvrier ne s'appartient pas lui-même, mais appartient à un autre[36].

La division du travail fait en sorte que les ouvriers ne peuvent exercer leur travail comme une « manifestation de soi », dans la mesure où ce qu'ils produisent devient « un être étranger », une « puissance indépendante » qui se situe à l'extérieur d'eux-mêmes. En d'autres mots, le rapport de l'ouvrier aux objets qu'il fabrique est un rapport aliéné, en ce sens que ces objets, situés en face de lui, contiennent la force de travail dont il a été dépouillé, et qu'en plus ces objets ne lui appartiennent pas en propre. Parce qu'il est aliéné, le travail ne remplit pas le rôle qu'il devrait remplir sur le plan de la production et sur celui de la réalisation de l'essence humaine (réalisation de soi, de son potentiel, de ses capacités, de sa sociabilité, etc.).

LE TRAVAIL SUR UNE CHAÎNE DE MONTAGE D'AUTOMOBILES EST UN TRAVAIL ALIÉNÉ DANS LA MESURE OÙ L'OUVRIER DOIT RÉPÉTER UNE TÂCHE PARTIELLE À LONGUEUR DE JOURNÉE.

LA PROPRIÉTÉ PRIVÉE DES MOYENS DE PRODUCTION

La division manufacturière ou technique du travail implique nécessairement la notion de propriété. D'ailleurs, c'est par l'analyse de la division du travail que Marx aborde la problématique de la propriété privée. La propriété privée est « la raison, la cause du travail aliéné[37] ». C'est donc dire que la propriété privée se présente à Marx comme la source première ou le fondement de l'aliénation. Précisons tout de suite de quel type de propriété privée il s'agit. Marx n'a jamais condamné la propriété privée des biens de consommation. Tout ce qui concourt, d'une manière nécessaire, à la satisfaction des besoins et à la survie des hommes n'est pas remis en question par Marx. L'individu peut donc être l'heureux propriétaire d'une chaîne stéréo, d'un vélo, d'une voiture, d'une maison, etc. Ce type de propriété n'entraîne aucune forme d'exploitation.

D'après Marx, c'est la propriété privée des moyens de production qui, seule, pose problème. Elle est une source d'aliénation dans la mesure où la majorité des hommes et des femmes doivent, pour gagner leur vie, s'en remettre à la volonté du bourgeois capitaliste qui est le propriétaire des ressources naturelles et des instruments de production (usine, machines, outils), alors que l'ouvrier ne possède en propre que sa force de travail.

---

36. Karl Marx, *Économie et philosophie (Manuscrits de 1844), in Œuvres (Économie),* tome II, p. 60-61.

37. *Ibid.,* p. 67.

Un être, dit Marx, se considère comme indépendant dès qu'il est son propre maître, et il n'est son propre maître que s'il doit son existence à lui-même. Un homme qui vit de la grâce d'un autre se considère comme dépendant[38].

LA PLUS-VALUE OU LE VOL DU TRAVAILLEUR   Pour compléter l'explication sur l'aliénation économique dont souffre la classe prolétarienne, il faut se référer au concept de la plus-value, qui peut être défini comme la différence entre ce que le travailleur coûte pour produire et ce qu'il rapporte en produisant. Selon Marx, le capitaliste exploite l'ouvrier, car il lui paie un salaire dont la valeur est moindre que celle des biens produits par l'ouvrier dans sa journée de travail. À titre d'exemple, supposons qu'un ouvrier requiert, pour RENOUVELER quotidiennement SA FORCE DE TRAVAIL, une valeur qui corresponde à six heures de travail (le «travail nécessaire»). Or, le capitaliste du milieu du XIXᵉ siècle fait travailler l'ouvrier quatorze heures par jour. Ces huit heures supplémentaires sont du «surtravail» dont le fruit constitue la plus-value que le capitaliste met dans sa poche. La plus-value est carrément du travail non payé à l'ouvrier. En régime capitaliste, le profit se fait sur le dos du travailleur, qui est littéralement volé par son patron. En profitant des travailleurs, le groupe restreint de patrons (bourgeois capitalistes) se constitue en classe sociale dominante. Pour contrer cette exploitation éhontée de l'ouvrier, Marx propose l'abolition pure et simple du salariat, car une simple hausse du salaire ne constituerait «qu'une *meilleure rémunération d'esclaves;* ce ne serait ni pour le travailleur ni pour le travail une conquête de leur vocation et de leur dignité humaines[39]».

> **R**enouveler sa force de travail signifie se loger, se reposer, se nourrir, s'habiller, etc., bref, tout ce qui est nécessaire pour revenir le lendemain au travail avec la capacité de produire de nouveau.

PENDANT QUE LES BOURGEOIS DU XIXᵉ SIÈCLE SE PRÉLASSAIENT À LA CAMPAGNE, LES PROLÉTAIRES TRAVAILLAIENT 14 HEURES PAR JOUR DANS LES MANUFACTURES ET DANS LES MINES.

L'aliénation politique

L'aliénation politique découle de l'aliénation économique. La dépendance économique entraîne nécessairement la dépendance politique. Nous avons vu précédemment que l'État fait partie de la superstructure générée par une société qui se fonde sur des classes économiquement antagonistes. Plus particulièrement, la classe qui domine sur le plan économique s'empare du pouvoir politique et utilise l'État afin de maintenir ses privilèges. L'État bourgeois n'est donc pas un appareil neutre au service de toute la société. Il est l'incarnation illusoire de la communauté, car en réalité la classe possédante s'en sert comme instrument de domination de la classe prolétarienne. L'État bourgeois agit exclusivement en fonction des intérêts de la bourgeoisie. «Le gouvernement moderne, dit Marx, n'est qu'un comité qui gère les affaires de la classe bourgeoise tout entière[40].» En conséquence, les prolétaires doivent, s'ils veulent s'affirmer et s'émanciper à la fois comme individus et comme groupe social, «conquérir le pouvoir politique [en renversant l'État], s'ériger en classe dirigeante de la nation, devenir [eux-mêmes] la nation[41]». De toute façon, «les prolétaires n'ont rien à perdre que leurs chaînes[42]!» Et les

38. *Ibid.,* p. 88.

39. Karl Marx, *Économie et philosophie (Manuscrits de 1844), in Œuvres (Économie),* tome II, p. 68.

40. Karl Marx et Friedrich Engels, *Manifeste du parti communiste,* p. 22.

41. *Ibid.,* p. 43.

42. *Ibid.,* p. 62.

derniers mots du *Manifeste* constituent un cri de ralliement lancé aux travailleurs du monde entier: «Prolétaires de tous les pays, unissez-vous[43]!»

Cependant, l'État bourgeois ne pourra être efficacement et définitivement renversé par la révolution prolétarienne que si une autre aliénation est liquidée: l'aliénation religieuse.

L'aliénation religieuse

Même si c'est l'aliénation économique qu'il importe de comprendre et de supprimer en premier lieu, la dénonciation de l'illusion religieuse et la lutte contre l'aliénation qui en découle exigent, selon Marx, une vigueur particulière. Pourquoi? Parce que la religion — en demandant, en règle générale, aux croyants de se résigner, de se soumettre, d'accepter leurs conditions misérables d'existence — paralyse tout essai de révolution et toute possibilité de progrès.

La religion est une institution idéologique et, en cela, elle exprime et reflète la misère économique et sociale des croyants, et y apporte une réponse. En effet, le besoin religieux qu'éprouvent les masses asservies s'explique par la nécessité, pour elles, de s'évader de leur réalité pitoyable.

> La religion, écrit Marx, est le soupir de la créature accablée par le malheur, l'âme d'un monde sans cœur, comme elle est l'esprit d'une existence sans esprit. Elle est l'opium du peuple. L'abolition de la religion en tant que bonheur illusoire du peuple est une exigence de son bonheur réel. Exiger que le peuple renonce à ses illusions sur sa condition, c'est exiger qu'il abandonne une condition qui a besoin d'illusions. [...] La religion n'est que le soleil illusoire qui se meut autour de l'homme, aussi longtemps que celui-ci ne se meut pas autour de lui-même[44].

Pour supporter leur indigence terrestre, les gens du peuple s'inventent un bonheur illusoire en compagnie d'un Dieu imaginaire qu'ils rencontreront dans un au-delà fantasmagorique. Selon Marx, la religion soustrait donc l'homme à lui-même pour le transporter dans un monde fictif où il se berce d'illusions. Ainsi, en cherchant à soumettre les croyants à un monde de chimères, la religion transforme l'homme libre et autonome en un être qui n'a plus aucune prise sur son existence et sur son destin. Le prolétaire — économiquement, socialement et politiquement exploité — ne prend même pas conscience de l'aliénation dans laquelle il est plongé. Il souffre et prie en silence, en espérant la venue d'un monde meilleur après la vie terrestre. Cette mise à l'écart de la prise de conscience et de l'action de la classe prolétarienne n'est pas sans

Le peuple souffre et prie en silence dans l'espoir d'un monde meilleur dans l'au-delà.

combler d'aise et de bonheur la classe dirigeante! Marx dénonce vigoureusement la collusion historique entre le pouvoir économique et le pouvoir religieux. En effet, les possédants s'appuient sur la religion officielle pour justifier leur domination, pour endormir le peuple, pour l'empêcher de réfléchir sur les injustices dont il est victime et de revendiquer ses droits par la révolution. C'est dans cette mesure que la religion est «l'opium du peuple»!

---

43. *Ibid.*, p. 62.

44. Karl Marx, *Critique de la philosophie hégélienne du droit, in Pages de Karl Marx*, trad. Maximilien Rubel, Paris, Payot, 1970, p. 105.

LIBERTÉ ET LIBÉRATION COLLECTIVE

La problématique de la liberté humaine s'est posée à la majeure partie des philosophes. Descartes, par exemple, associe la liberté humaine au pouvoir de la volonté de chaque individu de faire ou de ne pas faire ce que sa raison lui propose. Une telle définition de la liberté donne à la conscience individuelle le pouvoir de faire des choix. Marx accorde un autre sens à la liberté humaine. On l'a vu précédemment, c'est par le travail que l'être humain devrait pouvoir exprimer librement ses capacités intellectuelles et physiques, et ainsi se réaliser lui-même. Plus précisément, c'est en transformant la nature par la production d'œuvres dans lesquelles il se reconnaît que l'homme se construit comme être libre. Par ailleurs, c'est en travaillant avec d'autres hommes dans une communauté où les rapports sociaux de production sont harmonieux et égalitaires que l'être humain peut réaliser sa liberté.

Cependant, Marx fait le constat suivant: le capitalisme fait de l'homme un être prisonnier économiquement, politiquement et spirituellement. Le projet marxien consiste à libérer concrètement l'être humain de ces aliénations et des institutions qui les fondent. Le but ultime de Marx est donc l'émancipation de l'homme dans la société, c'est-à-dire la libération des aliénations dont il est l'objet afin de lui redonner son intégrité et sa dignité. En ce sens, Marx peut être considéré comme l'un des grands fondateurs de la modernité critique: il dénonce l'aliénation économique et politique qui afflige la majorité des humains, et il fustige l'aliénation religieuse en démontrant l'illusion dans laquelle elle plonge les miséreux. Marx espérait qu'un jour les conditions sociales seraient propices à la réalisation de l'homme total qui se développerait en toute liberté à la fois intellectuellement et manuellement dans un travail socialement productif. Ainsi seraient réunis les éléments essentiels à la construction d'une société juste, vraiment humaine, rien qu'humaine, où les individus seraient heureux parce que pouvant s'y épanouir.

La conception marxienne de l'être humain se fonde sur une croyance implicite en la bonté naturelle de l'homme. En cela, Marx rejoint Rousseau, mais il s'y oppose aussi dans la mesure où ROUSSEAU défendait l'individu libre et perfectible qui aurait réussi à contrer les pressions et les conditionnements de la civilisation. Au contraire, Marx propose des moyens concrets pour que la collectivité se libère du joug capitaliste. En effet, il pensait que le jour où il y aurait la suppression collective des entraves économique, politique et religieuse, l'être humain pourrait s'affirmer sans abuser du pouvoir et sans l'utiliser exclusivement à ses propres fins. C'est donc la libération collective de l'humanité prolétarienne qui intéresse Marx. Il croit que c'est en agissant collectivement sur leurs conditions d'existence aliénées que les hommes réussiront à se libérer de leurs chaînes.

> Marx a critiqué avec vigueur la philosophie politique de Rousseau, l'accusant de naturalisme idéologique d'origine bourgeoise.

MARX AUJOURD'HUI

> Régime politique autoritaire et répressif instauré par Staline (1879-1953) en Union des républiques socialistes soviétiques de 1928 à 1953.

Nous reconnaissons aujourd'hui que les buts poursuivis par Marx étaient nobles, mais que les moyens mis en avant par certains dirigeants politiques pour instaurer le communisme sont pour le moins condamnables (par exemple le STALINISME).

MESSIANIQUE
Relatif à la venue d'un messie qui viendrait libérer les hommes et le monde.

Il faut dire que la philosophie marxienne propose des solutions qui, en pratique, peuvent conduire à des excès. En effet, Marx accorde à la classe prolétarienne un rôle **messianique:** c'est à elle que revient le mandat d'assurer le salut de milliers de travailleurs. À cette fin, l'intérêt personnel doit être subordonné à l'intérêt de la classe sociale prolétarienne. Avec Marx, le collectif l'emporte sur l'individuel! Ce qui l'amène à juger nécessaire la DICTATURE DU PROLÉTARIAT et la constitution temporaire d'un État centralisé et autoritaire jusqu'à ce que les conditions nécessaires à l'établissement du communisme aient été réalisées.

Ne peut-on reconnaître dans cette étape du processus révolutionnaire (phase du socialisme), où serait institué un État aux pouvoirs illimités, le précurseur de l'État bureaucratique et tentaculaire des mondes industrialisés de l'époque actuelle? Bien sûr, l'État technocratique contemporain n'a pas pour objectif l'instauration du communisme, mais il n'en demeure pas moins qu'il régit de plus en plus la totalité des activités humaines; il atomise et dépersonnalise les individus dans un contexte social où les politiques ont tout prévu. De sorte que le citoyen «ordinaire» se sent aujourd'hui de moins en moins préoccupé par les affaires publiques; il éprouve une impuissance devant la mécanique implacable de l'appareil gouvernemental des sociétés capitalistes modernes; conséquemment, il se réfugie dans la sphère privée de son existence. Ce désenchantement du citoyen face à ses obligations politiques fait en sorte qu'il s'en remet entièrement à des «professionnels» des affaires publiques (technocrates, députés, ministres, etc.) qui gèrent la collectivité. Le citoyen est désormais incapable de percevoir la société comme étant sa société. Il a perdu toute conscience sociale et politique. En lieu et place, le citoyen des pays industrialisés contemporains de tradition démocratique réclame à gogo des droits en omettant d'y associer des devoirs ou des responsabilités! Grand consommateur de biens et de services, le citoyen ordinaire est devenu aujourd'hui un consommateur de droits. Il se laisse bercer par l'illusion de l'État providence, dispensateur de services multiples, qui voit à tout et qui le prend sous son aile bienveillante.

> À la suite d'une révolution, les travailleurs liquident le régime politique en place et instaurent une dictature du prolétariat, c'est-à-dire un nouveau régime défendant les intérêts des prolétaires.

La philosophie marxienne, nous l'avons vu, accorde une importance fondamentale au travail, qui devient en quelque sorte l'essence de l'être humain. Aujourd'hui, le travail demeure une donnée capitale dans la définition de l'homme. Même si l'on a fait miroiter dans les années 70 l'idée de l'entrée de l'Occident dans une ère de loisirs, il reste que le travail que l'on fait est révélateur de ce que l'on est. Certains iront même jusqu'à affirmer que la fonction sociale que l'on occupe nous constitue comme personne. Ne va-t-on pas de nos jours jusqu'à proclamer que «sans travail, nous ne sommes rien»? Qui plus est, dans la foulée de l'analyse marxiste des classes sociales, force est de constater que la société capitaliste nord-américaine actuelle se construit en excluant certains groupes sociaux: les chômeurs, les assistés sociaux, les jeunes et les mères monoparentales sans travail dit productif. En cette période de graves difficultés économiques et d'endettement généralisé, ces catégories de personnes sont de plus en plus dévalorisées, considérées comme des citoyens de second ordre ne devant plus avoir voix au chapitre et ne devant plus bénéficier des largesses de l'État. Un jugement aussi sévère n'est possible que si l'on réduit l'être humain aux dimensions de son être historique qui produit, transforme et consomme.

Certains reprochent justement à Marx d'avoir surestimé les facteurs économiques dans sa définition de l'homme. En s'intéressant presque exclusivement à l'activité économique de l'être humain dans un contexte essentiellement social, il se fait de l'homme une vision qui s'en trouve quelque peu simplifiée. Ce faisant, il aurait commis l'erreur de considérer que la libération économique collective entraîne automatiquement la liberté, la justice, la coopération entre les individus. Une telle vision négligerait l'importance chez l'être humain d'une volonté individuelle à l'écoute de ses propres instincts et de ses propres besoins, volonté qui aspire à s'affirmer et à exprimer la vie qu'elle porte en son sein. Friedrich Nietzsche se fit l'ardent défenseur de cette forte volonté individuelle.

RÉSUMÉ DE L'EXPOSÉ

Karl Marx et sa lutte contre le capitalisme du XIXe siècle

Karl Marx (1818-1883), philosophe, économiste, militant politique, a laissé à l'humanité une œuvre capitale dont la pensée et l'action ont marqué d'une manière décisive la fin du XIXe siècle et la majeure partie du XXe siècle.

Le capitalisme du XIXe siècle

1. Marx analyse et critique les conditions d'existence misérables instaurées par le régime capitaliste de son époque.

2. Marx dénonce l'exploitation éhontée de la classe prolétarienne par la classe bourgeoise et il propose un nouveau modèle d'organisation économique et sociale qui permettrait la réalisation intégrale de l'être humain.

Le matérialisme historique ou l'interprétation dialectique de l'histoire

Marx réinterprète la dialectique idéaliste hégélienne en termes matérialistes. Il propose une lecture de l'histoire fondée sur les rapports sociaux qui résultent du développement de deux classes antagonistes s'affrontant à une époque donnée.

Le matérialisme historique de Marx

1. Pour appréhender le monde réel, il faut partir de la «base matérielle» de l'existence humaine, c'est-à-dire des conditions de vie économiques et sociales.

2. Chacune des sociétés humaines s'est construite à partir d'une division du travail qui s'est constitué en un mode de production spécifique fondé sur un type de propriété des moyens de production. Celui-ci a déterminé à son tour des rapports sociaux de production où se sont opposées deux classes rivales.

La primauté de la vie économique

1. L'infrastructure économique (le mode de production matérielle) constitue la base de l'édifice social et détermine la superstructure idéologique et juridico-politique.

2. En revanche, les activités politiques, juridiques, culturelles, philosophiques, etc., de la superstructure viennent consolider, par le biais de l'idéologie, l'infrastructure économique.

L'homme comme être social et historique

1. Selon Marx, l'essence de l'homme ne se trouve pas dans une idée ou un concept Homme sous lequel se rangeraient tous les individus.

2. L'individu est un «animal social», c'est-à-dire qu'il se définit par son appartenance à une classe et selon les rapports sociaux dans lesquels il est inscrit:
   • Ce sont les conditions sociales et matérielles d'existence qui définissent l'homme.
   • L'homme est un être historique.
   • L'existence sociale détermine la conscience des hommes.

L'être humain et le travail

Par le travail, l'homme devient un être de praxis: il agit concrètement dans la réalité tout en possédant une connaissance théorique de son action.

1. Le travail: humanisation de la nature et définition de l'homme

    Par le travail, l'homme humanise la nature et se définit lui-même comme être conscient qui actualise ses capacités intellectuelles et physiques.

2. Le travail comme médiation sociale

    Le travail met l'être humain en relation avec ses semblables. Il établit des liens de sociabilité, de réciprocité et de solidarité humaine.

Les différentes formes de l'aliénation humaine

En régime capitaliste, l'homme est aliéné: il devient l'esclave d'une puissance étrangère sur les plans économique, politique et religieux.

1. **L'aliénation économique** s'explique par la division entre le travail manuel et le travail intellectuel, la propriété privée des moyens de production et la plus-value, qui est du travail non payé à l'ouvrier.

2. **L'aliénation politique** vient du fait que la classe possédante (la bourgeoisie) s'empare du pouvoir politique et utilise l'État comme instrument de domination de la classe prolétarienne.

3. **L'aliénation religieuse** est «l'opium du peuple». Les possédants se servent de la religion pour justifier leur domination, pour endormir le peuple et pour l'empêcher de revendiquer ses droits par la révolution.

Liberté et libération collective

La liberté marxienne ne correspond pas à un pouvoir de choix de la conscience individuelle; elle se pose en des termes de libération et d'émancipation collective, de rupture des chaînes qui asservissent la classe sociale exploitée des travailleurs.

Marx aujourd'hui

1. Un parallèle peut être établi entre la vision centralisée du pouvoir politique défendue par Marx dans la «phase du socialisme» et l'État bureaucratique et tentaculaire du monde industrialisé d'aujourd'hui.

    L'individu-citoyen se sent désenchanté et impuissant face à ses obligations politiques. Il devient un consommateur de droits, lesquels sont dissociés des devoirs qui y sont rattachés.

2. Aujourd'hui, le travail reste une donnée capitale dans la définition de l'homme. La fonction sociale que l'on occupe nous constitue-t-elle comme personne? Sans travail, ne sommes-nous rien? La société capitaliste nord-américaine se développe-t-elle en excluant des catégories de personnes jugées non productives?

LECTURES SUGGÉRÉES

La lecture de l'une des œuvres suivantes est suggérée dans son intégralité ou en extraits importants:

Karl Marx et Friedrich Engels. *L'idéologie allemande,* Paris, Éditions Sociales, coll. «Essentiel», 1988, 279 p.

Karl Marx et Friedrich Engels. *Manifeste du parti communiste,* Paris, Union générale d'éditions, coll. «10-18», 1962, 189 p.

L'essentiel

Selon Karl Marx, l'être humain trouve la **plénitude de son être social** dans le travail. Or, l'organisation du travail dans un mode de production capitaliste aliène l'**homme** et l'empêche de manifester son être propre. À cette **aliénation économique** s'ajoute une **aliénation politique** et une **aliénation religieuse** du prolétariat, puisque l'État et l'Église sont des instruments de domination de la classe possédante. Toutefois, l'être humain peut changer sa condition : l'histoire démontre que les conditions de vie économiques et sociales se transforment conséquemment à la **lutte des classes** sociales défendant des intérêts contradictoires.

Cette conception dite matérialiste et historique définit l'homme à partir des rapports qu'il entretient dans un mode de production donné. En effet, chacune des sociétés humaines s'est construite à partir d'une **division du travail,** qui s'est constituée en un **mode de production** spécifique fondé sur un type particulier de **propriété des moyens de production,** qui a déterminé à son tour des rapports sociaux de production où se sont opposées deux **classes sociales antagonistes.** Ainsi, au cours de l'histoire, le **mode de production esclavagiste** s'est transformé en un **mode de production féodal,** qui s'est lui-même transformé en un **mode de production capitaliste,** qui se transformera à son tour en un **mode de production communiste** ou **sans classes,** où les hommes seront égaux et libres.

Réseau de concepts

ACTIVITÉS D'APPRENTISSAGE

Analyse et critique de texte

■

Objectifs spécifiques

L'élève doit être capable:

- de démontrer sa compréhension d'un texte de Marx et d'Engels en transposant dans ses propres mots un contenu partiel de ce texte philosophique;

- d'appliquer la doctrine à une situation réelle, c'est-à-dire de trouver un exemple qui illustre la véracité ou l'inexactitude d'une thèse défendue dans ce texte;

- d'évaluer le contenu, c'est-à-dire d'exprimer son accord ou son désaccord (et en donner les raisons):

  — sur la conception marxienne de la conscience de l'homme;

  — sur la thèse marxienne de la domination spirituelle de la classe dominante.

■

TEXTE DE MARX ET D'ENGELS

L'IDÉOLOGIE ALLEMANDE

[4ᵉ fragment]

Voici donc les faits ; des individus déterminés qui ont une activité productive selon un mode déterminé entrent dans des rapports sociaux et politiques déterminés. Il faut que, dans chaque cas particulier, l'observation **empirique** montre dans les faits, et sans aucune spéculation ni mystification, le lien entre la structure sociale et politique et la production. La structure sociale et l'État résultent constamment du processus vital d'individus déterminés ; mais de ces individus non point tels qu'ils peuvent s'apparaître dans leur propre représentation ou apparaître dans celle d'autrui, mais tels qu'ils sont *en réalité,* c'est-à-dire tels qu'ils œuvrent et produisent matériellement ; donc tels qu'ils agissent dans des limites, des présuppositions et des conditions matérielles déterminées et indépendantes de leur volonté.

La production des idées, des représentations et de la conscience est d'abord directement et intimement mêlée à l'activité matérielle et au commerce matériel des hommes, elle est le langage de la vie réelle. Les représentations, la pensée, le commerce intellectuel des hommes apparaissent ici encore comme l'émanation directe de leur comportement matériel. Il en va de même de la production intellectuelle telle qu'elle se présente dans la langue de la politique, celle des lois, de la morale, de la religion, de la métaphysique, etc., de tout un peuple. Ce sont les hommes qui sont les producteurs de leurs représentations, de leurs idées, etc., mais les hommes réels, agissants, tels qu'ils sont conditionnés par un développement déterminé de leurs forces productives et du mode de relations qui y correspond, y compris les formes les plus larges que celles-ci peuvent prendre. La conscience ne peut jamais être autre chose que l'Être conscient et l'Être des hommes est leur processus de vie réel. Et si, dans toute l'idéologie, les hommes et leurs rapports nous apparaissent placés la tête en bas comme dans une *camera obscura*[45], ce phénomène découle de leur processus de vie historique, absolument comme le renversement des objets sur la rétine découle de son processus de vie directement physique.

À l'encontre de la philosophie allemande qui descend du ciel sur la terre, c'est de la terre au ciel que l'on monte ici. Autrement dit, on ne part pas de ce que les hommes disent, s'imaginent, se représentent, ni non plus de ce qu'ils sont dans les paroles, la pensée, l'imagination et la représentation d'autrui, pour aboutir ensuite aux hommes en chair et en os ; non, on part des hommes dans leur activité réelle ; c'est à partir de leur processus de vie réel que l'on représente aussi le développement des reflets et des échos **idéologiques** de ce processus vital. Et même les **fantasmagories** dans le cerveau humain sont des **sublimations** résultant nécessairement du processus de leur vie matérielle que l'on peut constater empiriquement et qui est lié à des présuppositions matérielles. De ce fait, la morale, la religion, la **métaphysique** et

---

45. Chambre noire.

EMPIRIQUE
Qui se situe sur le plan de l'expérience et de l'observation.

IDÉOLOGIQUE
Relatif à l'ensemble des idées, des croyances et des doctrines propres à une époque, à une société ou à une classe donnée.

FANTASMAGORIE
Production de l'imagination : image irréelle, fantastique et surnaturelle.

SUBLIMATION
Synonyme de transposition, de transformation.

MÉTAPHYSIQUE
Partie de la philosophie qui fait la recherche rationnelle, au-delà des données de l'expérience, des causes premières et des principes des choses. En ce sens, la métaphysique est la science de l'être en tant qu'être.

le reste de l'idéologie, ainsi que les formes de conscience qui leur correspondent, perdent aussitôt toute apparence d'autonomie. Elles n'ont pas d'histoire, elles n'ont pas de développement; ce sont au contraire les hommes qui, en développant leur production matérielle et leurs rapports matériels, transforment, avec cette réalité qui leur est propre, et leur pensée et les produits de leur pensée. Ce n'est pas la conscience qui détermine la vie, mais la vie qui détermine la conscience. Dans la première façon de considérer les choses, on part de la conscience comme étant l'individu vivant, dans la seconde façon, qui correspond à la vie réelle, on part des individus réels et vivants eux-mêmes et l'on considère la conscience uniquement comme *leur* conscience [...].

[6ᵉ fragment]

Les pensées de la classe dominante sont aussi, à toutes les époques, les pensées dominantes, autrement dit la classe qui est la puissance *matérielle* dominante de la société est aussi la puissance dominante *spirituelle*. La classe qui dispose des moyens de la production matérielle dispose, du même coup, des moyens de la production intellectuelle, si bien que, l'un dans l'autre, les pensées de ceux à qui sont refusés les moyens de production intellectuelle sont soumises du même coup à cette classe dominante. Les pensées dominantes ne sont pas autre chose que l'expression idéale des rapports matériels dominants, elles sont ces rapports matériels dominants saisis sous forme d'idées, donc l'expression des rapports qui font d'une classe la classe dominante; autrement dit, ce sont les idées de sa domination. Les individus qui constituent la classe dominante possèdent, entre autres choses, également une conscience, et en conséquence ils pensent; pour autant qu'ils dominent en tant que classe et déterminent une époque historique dans toute son ampleur, il va de soi que ces individus dominent dans tous les sens et qu'ils ont une position dominante, entre autres, comme êtres pensants aussi, comme producteurs d'idées, qu'ils règlent la production et la distribution des pensées de leur époque; leurs idées sont donc les idées dominantes de leur époque. Prenons comme exemple un temps et un pays où la puissance royale, l'aristocratie et la bourgeoisie se disputent le pouvoir et où celui-ci est donc partagé; il apparaît que la pensée dominante y est la doctrine de la division des pouvoirs qui est alors énoncée comme une «loi éternelle». Nous retrouvons ici la division du travail [...] comme l'une des puissances capitales de l'histoire. Elle se manifeste aussi dans la classe dominante sous forme de division entre le travail intellectuel et le travail matériel, si bien que nous aurons deux catégories d'individus à l'intérieur de cette même classe. Les uns seront les penseurs de cette classe, les idéologues actifs, qui réfléchissent et tirent leur substance principale de l'élaboration de l'illusion que cette classe se fait sur elle-même tandis que les autres auront une attitude plus passive et plus réceptive en face de ces pensées et de ces illusions, parce qu'ils sont, dans la réalité, les membres actifs de cette classe et qu'ils ont moins de temps pour se faire des illusions et des idées sur leurs propres personnes. À l'intérieur de cette classe, cette scission peut même aboutir à une certaine opposition, à une certaine hostilité des deux parties en présence. Mais, dès que survient un conflit pratique où la classe tout entière est menacée, cette opposition tombe d'elle-même, tandis que l'on voit s'envoler l'illusion que les idées dominantes ne seraient pas les idées de la classe dominante et qu'elles auraient un pouvoir distinct du pouvoir de cette classe. L'existence d'idées révolutionnaires à une époque déterminée présuppose déjà l'existence d'une classe révolutionnaire [...].

Admettons que, dans la manière de concevoir la marche de l'histoire, on détache les idées de la classe dominante de cette classe dominante elle-même et qu'on en fasse une entité.

Mettons qu'on s'en tienne au fait que telles ou telles idées ont dominé à telle époque, sans s'inquiéter des conditions de la production ni des producteurs de ces idées, en faisant donc abstraction des individus et des circonstances mondiales qui sont à la base de ces idées. On pourra alors dire, par exemple, qu'au temps où l'aristocratie régnait, c'était le règne des concepts d'honneur, de fidélité, etc., et qu'au temps où régnait la bourgeoisie, c'était le règne des concepts de liberté, d'égalité, etc. C'est ce que s'imagine la classe dominante elle-même dans son ensemble. Cette conception de l'histoire commune à tous les historiens, tout spécialement depuis le XVIIIe siècle, se heurtera nécessairement à ce phénomène que les pensées régnantes seront de plus en plus abstraites, c'est-à-dire qu'elles affecteront de plus en plus la forme de l'universalité. En effet, chaque nouvelle classe qui prend la place de celle qui dominait avant elle est obligée, ne fût-ce que pour parvenir à ses fins, de représenter son intérêt comme l'intérêt commun de tous les membres de la société ou, pour exprimer les choses sur le plan des idées: cette classe est obligée de donner à ses pensées la forme de l'universalité, de les représenter comme étant les seules raisonnables, les seules universellement valables. [...]

Karl Marx et Friedrich Engels. *L'idéologie allemande,* Paris, Éditions Sociales, coll. «Essentiel», 1988, p. 76-79, 111-113.

QUESTIONS D'ANALYSE ET DE CRITIQUE

1. Dans ce texte (*4e fragment*), Marx postule ceci: «Ce n'est pas la conscience qui détermine la vie, mais la vie qui détermine la conscience. Dans la première façon de considérer les choses, on part de la conscience comme étant l'individu vivant, dans la seconde façon, qui correspond à la vie réelle, on part des individus réels et vivants eux-mêmes et l'on considère la conscience uniquement comme *leur* conscience.»

a) Dites, dans vos propres mots, ce que Marx entend par là.

Commentaire critique

b) Êtes-vous d'accord avec la manière dont Marx se représente la conscience de l'homme ainsi que son origine? Vous devez fonder vos jugements, c'est-à-dire apporter deux arguments pour appuyer vos affirmations. *(Minimum suggéré: une page.)*

2. Dans ce texte (*6e fragment*), Marx affirme ceci: «Les pensées de la classe dominante sont aussi, à toutes les époques, les pensées dominantes; autrement dit la classe qui est la puissance *matérielle* dominante de la société est aussi la puissance dominante *spirituelle*.»

a) Dites, dans vos propres mots, ce que Marx entend par là.

b) Illustrez par un exemple actuel (en conséquence autre que ceux qui sont utilisés par Marx) la véracité ou l'inexactitude de cette thèse.

B

Analyse et critique de texte

Objectifs spécifiques

L'élève doit être capable:

- de démontrer sa compréhension d'un texte d'Herbert Marcuse en transposant dans ses propres mots un contenu partiel de ce texte philosophique;

- d'évaluer le contenu, c'est-à-dire d'exprimer son accord ou son désaccord (et en donner les raisons) sur une thèse avancée par Marcuse dans ce texte.

Herbert Marcuse (1898-1979) est un philosophe américain d'origine allemande. Conjuguant des sources marxiennes et freudiennes, Marcuse développe une critique de la civilisation industrielle et de la société de consommation qui «manipule les consciences». Ses principaux ouvrages sont *Raison et révolution* (1941), *Éros et civilisation* (1955), *Le marxisme soviétique* (1958), *L'homme unidimensionnel* (1964), *Pour une théorie critique de la société* (1969), *Contre-révolution et révolte* (1973).

TEXTE DE MARCUSE

LE CONCEPT D'INDIVIDUALISME ET SON ÉVOLUTION

Le conflit qui se manifeste au sein des traditions philosophiques[46] reflète celui qui se développe dans la réalité sociale. La liberté était censée être la qualité essentielle de l'individu, en théorie et en pratique, dans la pensée et dans l'action; elle devait être une qualité de l'homme intérieur et extérieur. En ce sens, l'individu était le **corollaire** de l'entreprise privée: la responsabilité morale et la personnalité autonome devaient avoir leur fondement effectif dans la liberté économique et politique. L'individu est *propriétaire,* non seulement en ce sens qu'il possède des ressources et des biens matériels, qu'il dispose des services nécessaires à la réalisation (démonstration, confirmation) de sa liberté dans la société, mais en ce sens qu'il a acquis ces choses en vertu de son propre travail et du contrôle qu'il exerce sur le travail d'un autre (déjà chez **Locke**) et qu'il les a faites siennes — qu'il en a fait l'expression matérielle de sa personnalité productive, créatrice. Ce concept de l'individu en tant que propriétaire, qui domine la théorie philosophique de l'individu de **Hobbes** à Hegel, pouvait difficilement recevoir une application générale dans une société acquisitive où la majorité de la population restait privée d'une telle autonomie. Mais il existait une classe — longtemps dirigeante —, celle des entrepreneurs agraires et industriels, dont on pouvait dire qu'ils étaient maîtres de leur entreprise: individuellement responsables de leurs décisions, de leurs choix, de leurs risques, récompensés de leur décision si elle était bonne, punis si elle était mauvaise, selon le verdict du marché de la libre compétition. À travers la liberté de l'entreprise privée, cette classe (en gros, la «bourgeoisie») développa les forces productives sur un fondement individualiste, dans les conditions du capitalisme libéral qui régna dans les pays industriels jusqu'à la fin du XIXe siècle. Ces maîtres de l'économie étaient en même temps des individus autonomes dans leur propre foyer: ils déterminaient l'éducation de leurs enfants, le niveau de leur train de vie, leur ligne de conduite — ils imposèrent le **Principe de Réalité** d'une manière passablement autoritaire. Étant «leurs propres maîtres» aussi bien dans leurs affaires que chez eux, ils pouvaient se passer du gouvernement, de «public relations», de mass média standardisés: c'est pourquoi ils pouvaient être considérés comme les représentants vivants de la culture individualiste.

COROLLAIRE
Conséquence directe.

LOCKE, JOHN
(1632-1704)
Philosophe anglais et penseur empiriste. Ce partisan du libéralisme politique s'est porté à la défense de la propriété privée.

HOBBES, THOMAS
(1588-1679)
«L'homme est un loup pour l'homme», telle est la nature originelle de l'être humain ! En conséquence, ce philosophe anglais pense que l'établissement d'un contrat social devrait permettre aux individus d'abandonner leurs droits naturels dans l'intérêt de la paix.

PRINCIPE DE RÉALITÉ
Expression freudienne signifiant un rapport direct, exact, objectif avec le monde extérieur.

---

46. Marcuse fait référence au conflit entre deux conceptions de l'individu: celle de l'individu en tant que «sujet de la lutte capitaliste pour l'existence» élaborée par Hobbes, Locke, Adam Smith et Bentham, et celle de l'individu comme «sujet de l'autonomie individuelle, morale et intellectuelle» mise en avant par la philosophie des Lumières, Leibniz et Kant.

Aujourd'hui, il n'est pas nécessaire d'entrer dans de longues discussions pour montrer que les conditions dans lesquelles cette forme d'entreprise individuelle a pu fleurir ont disparu. La société américaine contemporaine a dépassé le stade de productivité où des unités individuelles de production s'affrontent dans une libre compétition; avec la transformation du capitalisme libéral en capitalisme organisé, l'«individualité» est devenue périmée dans le domaine économique (et pas seulement là); elle s'est étiolée par suite de la croissance rapide et bouleversante de la productivité du travail et par suite de la croissance des moyens et des instruments qui utilisent cette productivité. En face de cette évolution historique, nous devons nous demander où et comment nous pouvons envisager, dans la société industrielle de notre type, le développement de l'individualité créatrice.

Herbert Marcuse. *Pour une théorie critique de la société,* trad. Cornélius Heim, Paris, Denoël/Gonthier, coll. «Bibliothèque Méditations», 1971, p. 184-186.

QUESTIONS D'ANALYSE ET DE CRITIQUE

1. Dans vos propres mots donnez les caractéristiques théoriques du concept de l'individu en tant que propriétaire, présenté par Marcuse dans ce texte.

2. Selon Marcuse, seule la bourgeoisie a pu actualiser les caractéristiques théoriques de la culture individualiste. Dans vos propres mots, reprenez les raisons sur lesquelles Marcuse fonde son affirmation.

Commentaire critique

3. À l'instar de Marcuse, êtes-vous d'accord pour dire que dans la «société américaine contemporaine, [...] l'''individualité'' est devenue périmée dans le domaine économique (et pas seulement là)»? Vous devez fonder vos jugements, c'est-à-dire apporter deux arguments pour appuyer vos affirmations. *(Minimum suggéré: une page.)*

Exercice comparatif: Marx et Rousseau

Objectif spécifique

L'élève doit être capable de procéder à une comparaison entre deux conceptions de l'être humain à propos d'un même thème.

Contexte de réalisation

Individuellement, dans un texte d'environ 350 mots (une page et demie), comparer (c'est-à-dire examiner les rapports de ressemblance et de différence) la conception rousseauiste avec la conception marxienne de l'être humain à propos du thème de la société.

Étapes suggérées

1. *a)* Caractériser la conception rousseauiste de l'être humain au regard du thème de la société. Par exemple, demandez-vous en quoi et comment, selon Rousseau, la société dénature l'être humain en défigurant son être profond.

    b) Caractériser la conception marxienne de l'être humain au regard du thème de la société. Par exemple, demandez-vous dans quelle mesure, selon Marx, la société définit essentiellement l'être humain en lui imposant des conditions concrètes d'existence.

2. *a)* S'il y a lieu, préciser les liens ou les similitudes entre la conception rousseauiste et la conception marxienne de l'être humain à propos du thème de la société.

    b) S'il y a lieu, dégager les oppositions ou les antagonismes entre la conception rousseauiste et la conception marxienne de l'être humain à propos du thème de la société.

L'homme
comme être d'instincts,
de désirs et de passions

NIETZSCHE

OU

LA PHILOSOPHIE

À COUPS DE MARTEAU

L'HOMME EST UNE CORDE TENDUE ENTRE LA BÊTE ET LE SURHOMME, UNE CORDE AU-DESSUS D'UN ABÎME. DANGER DE LE FRANCHIR, DANGER DE RESTER EN ROUTE, DANGER DE REGARDER EN ARRIÈRE...

Friedrich Nietzsche, *Ainsi parlait Zarathoustra*, p. 20.

NIETZSCHE : LE MAÎTRE DU «DEVIENS QUI TU ES»

Friedrich Nietzsche naît le 15 octobre 1844 à Röcken, dans le royaume de Saxe (Allemagne orientale). Son père, pasteur luthérien[2], meurt alors que Friedrich n'a que cinq ans. Entouré de sa mère (elle-même fille de pasteur), de sa sœur Élisabeth et de deux tantes aux mœurs sévères, il passe une enfance et une adolescence calmes et pieuses.

HUMANITÉS (LES)
Étude de la langue et de la littérature grecques et latines.

En octobre 1858, obtenant une bourse de la ville de Naumbourg, Nietzsche entre au collège de Pforta pour y poursuivre ses études secondaires. Ce collège est réputé pour la qualité de son enseignement en langue et en littérature allemandes, mais on y fait surtout l'étude des **humanités**. Les premiers contacts avec le théâtre et la philosophie des Grecs seront déterminants pour le jeune Nietzsche.

THÉOLOGIE
Le Petit Robert (1994) définit la théologie comme l'«étude des questions religieuses fondée principalement sur les textes sacrés, les dogmes et la tradition».

En septembre 1864, Nietzsche entreprend des études en **théologie** et en **philologie** classique (grec ancien et latin), d'abord à l'Université de Bonn, puis à Leipzig. Un seul de ses professeurs fait impression sur lui : le philologue Ritschl. Nietzsche s'intéresse aux leçons du professeur Ritschl parce qu'il ne fait pas que présenter l'histoire des formes littéraires gréco-romaines, mais il aborde aussi l'étude de la pensée et des institutions de l'Antiquité. Inspiré par son maître, Nietzsche se met à la tâche de découvrir les sources de Diogène Laërce (début du IIIe siècle après Jésus-Christ), le grand historien des philosophes grecs. Il passe de nombreux mois à chercher, à scruter, à déchiffrer des documents. Le 1er août 1867, il dépose son essai qui porte en exergue cette maxime évocatrice de l'œuvre à venir : «Tu dois devenir ce que tu es[3]». Cet ouvrage lui vaut le premier prix du concours annuel de l'Université de Leipzig.

PHILOLOGIE
Le Petit Robert (1994) définit la philologie comme l'«étude d'une langue par l'analyse critique des textes».

Pendant ces années de formation, la lecture de l'ouvrage d'Arthur Schopenhauer (1788-1860) *Le monde comme volonté et comme représentation* (1818) marque profondément Nietzsche. Il n'entérinera pas les thèses défendues par Schopenhauer, mais il s'inspirera de certains thèmes traités par ce dernier, dont la «volonté absolument libre» et le «vouloir-vivre». À cette époque, Nietzsche prend aussi connaissance de la philosophie d'Emmanuel Kant (1724-1804), fondateur d'une morale du devoir ; il s'intéresse également au rationalisme expérimental[4] anglais désireux de ne fonder la connaissance que sur les faits et l'expérimentation.

Nietzsche doit interrompre ses études pour faire son service militaire. Le 9 octobre 1867, il entre au 4e régiment d'artillerie de campagne. Dans une lettre écrite à cette époque il dit apprécier cette nouvelle vie, car elle nécessite «un appel constant à l'énergie de l'individu» et constitue «un contrepoison décisif à l'érudition froide, étroite, pédante». Cependant, au mois de mars 1868, Nietzsche subit un grave accident de cheval au cours d'un exercice de cavalerie. Cet accident est suivi d'une longue convalescence qui met un terme à son service militaire. Le 19 octobre 1868, il est de retour à Leipzig pour y terminer ses études.

---

1. «Comment philosopher à coups de marteau ?» est le sous-titre d'un ouvrage de Nietzsche intitulé *Le crépuscule des idoles* (1888). L'expression «philosopher à coups de marteau» peut être interprétée dans le sens d'une critique radicale qui fracasse les idoles et les faux dieux, afin de procéder à la construction et à l'affirmation de son propre vouloir.

2. Notons que la conception de l'être humain prônée par Luther (1483-1546) et par Calvin (1509-1564) s'appuyait sur le principe que le bonheur de l'homme ne devait pas être considéré comme le but de la vie, mais n'était qu'un moyen pour réaliser des fins voulues par Dieu, l'État ou le commerce. En conséquence, l'individu devait se soumettre à des autorités toutes-puissantes et orienter sa vie en fonction de buts extérieurs à lui-même.

3. Ces mots sont du poète grec Pindare (~518 — ~438).

4. Voir le chapitre 1.

Le 12 février 1869, Nietzsche obtient un poste de professeur de langue et de littérature grecques à l'Université de Bâle. Au même moment, passionné par la musique et lui-même bon pianiste et improvisateur, il se lie d'amitié avec Richard Wagner (1813-1883), chez qui il admire le génie musical, le sens du tragique et la volonté héroïque à l'œuvre dans ses opéras. Cette amitié ne durera toutefois que quelques années.

En 1872, Nietzsche publie *La naissance de la tragédie*. Cet ouvrage porte un regard neuf sur l'Antiquité grecque. La culture hellénique n'est pas seulement constituée de l'art APOLLINIEN, qui véhicule la sérénité, l'harmonie, la «juste mesure» et la sagesse rationnelle. Nietzsche montre que l'**hellénisme** a aussi donné naissance à la tragédie (Eschyle, Sophocle, etc.), qui, sur un fond DIONYSIAQUE, met en scène l'homme luttant contre un destin implacable. Selon Nietzsche, la tragédie grecque réunit de façon sublime l'esprit dionysiaque et l'esprit apollinien. Mais vient la philosophie grecque rationnelle, qui donnera la mort à la *vision tragique*[5], source de

> **A**pollon, dieu de la lumière et de la clarté, est le fils de Zeus, le dieu suprême du polythéisme grec. Incarnant l'idéal grec de la beauté, il symbolise la mesure, l'ordre et l'harmonie.

> **HELLÉNISME**
> Ensemble de la civilisation grecque. Plus particulièrement, le siècle de Périclès (v.~495-~429), qui marqua le triomphe de l'hellénisme.

dépassement de soi. *La naissance de la tragédie* perturbe l'interprétation traditionnelle de la civilisation hellénique et, conséquemment, ne fait pas l'unanimité auprès des philologues de l'époque. Nietzsche est fortement contesté; sa réputation est ébranlée.

> **D**ans la mythologie grecque, Dionysos est le dieu de l'ivresse, du rire, de l'exaltation et de la démesure.

Nietzsche a trente ans et il souffre d'incessants maux de tête et de troubles oculaires. Au printemps 1879, il se voit obligé de quitter son poste de professeur. Dès lors, à la recherche d'un climat favorable à sa santé précaire ainsi qu'à l'éclosion de son œuvre, il entreprend de nombreux voyages en Suisse, en France et en Italie. Ces neuf années d'errance correspondent à une période fébrile de création où le philosophe solitaire et souffrant arrive à un sommet de fécondité intellectuelle. Il écrit coup sur coup *Humain trop humain*, *Le voyageur et son ombre*, *Aurore*, *Le gai savoir*, *Ainsi parlait Zarathoustra*, *Par-delà le bien et le mal*, *La généalogie de la morale*, *Le cas Wagner*, *Le crépuscule des idoles*, *L'Antéchrist*, *Nietzsche contre Wagner* et *Ecce homo* (qui ne paraîtra qu'en 1908).

Un tempérament passionné, une écriture exubérante

> **Femme libre et intellectuellement douée, Lou Andreas-Salomé (1861-1937) a publié une vingtaine d'ouvrages et une centaine d'articles traitant principalement d'art et de littérature, de religion et de psychologie.**

À la fin de mars 1882, Nietzsche fait la connaissance de LOU ANDREAS-SALOMÉ, une belle et brillante Russe dont il devient éperdument amoureux. Mais Lou ne l'aime pas et lui préfère son ami, le poète et philosophe Paul Rée (1849-1901). Nietzsche sortira meurtri de cet imbroglio sentimental qui éclate en octobre 1883.

Les principaux traits de la personnalité de Nietzsche nous sont révélés par Lou Andreas-Salomé dans le premier livre (Vienne, 1894) qui lui fut consacré. Nietzsche y est décrit comme un homme ambivalent.

LOU ANDREAS-SALOMÉ EST SANS DOUTE UNE DES FEMMES LES PLUS IMPORTANTES DANS LA VIE DE NIETZSCHE.

---

5. Voir, plus loin, «Le projet de la démesure assumée».

Ses gestes, et d'une façon générale tout son maintien, donnaient une impression de silence et de réserve. Il ne se départait jamais d'une grande courtoisie et d'une douceur presque féminine[6].

Cependant, Lou Andreas-Salomé dit également de lui qu'il était «l'homme des extrêmes»: autant son tempérament se caractérisait par la douceur et la bienveillance, autant il pouvait être fougueux, exalté et violent.

APHORISTIQUE
Qui se rapporte à l'aphorisme, sorte de maxime qui résume, de façon concise et parfois lapidaire, une appréciation ou un jugement d'ordre moral. Généralement énigmatique, son sens nécessite une interprétation minutieuse.

Quant à son œuvre philosophique, on peut dire qu'elle est un cri d'une grande beauté poétique à l'image de la vie intérieure tourmentée de son auteur. Rares sont les philosophes qui ont utilisé une écriture aussi exubérante, flamboyante, incandescente! Au regard du langage philosophique traditionnel, son style polémique, éclaté, **aphoristique** sait «danser avec les mots». Nietzsche possède une voix provocante, intempestive, prophétique, visionnaire, qui parle pour les siècles à venir. Aussi est-il difficile d'en saisir toute la portée avec certitude, car Nietzsche livre sa pensée sous le couvert d'un symbolisme qui la dérobe à notre appréhension. Pour comprendre la philosophie nietzschéenne, il faut se laisser imprégner par les images frémissantes, par les métaphores et les paraboles colorées; il faut apprendre à lire entre les lignes. Par ailleurs, il ne faut pas se laisser rebuter et détourner par ce qui peut sembler contradictoire dans les propos de l'auteur: la pensée de Nietzsche, toujours inachevée, ne veut jamais sacrifier la vie à la logique et à l'esprit de système.

Le 3 janvier 1889, Nietzsche est terrassé par une crise de folie[7]. Dorénavant, ce ne sera plus que délires, convulsions et paralysie progressive. Il n'écrira plus jamais. La maladie l'enferme dans un mutisme presque complet. Il est d'abord interné dans une maison de santé à Iéna. Par la suite, sa mère et sa sœur le soigneront pendant onze ans. Nietzsche meurt à Weimar le 25 août 1900 sans savoir qu'il est devenu célèbre.

NIETZSCHE ET LE NIHILISME EUROPÉEN DE LA FIN DU XIXᵉ SIÈCLE

Par ses écrits, Nietzsche s'est fait le dénonciateur d'un nihilisme «passif» et l'annonciateur passionné d'un nihilisme «actif». De quoi s'agit-il au juste?

GLORIOLE
Gloire vaniteuse et ostentatoire tirée de petites choses.

L'État allemand, sorti vainqueur des guerres contre l'Autriche (1866) et contre la France (1870), prétendait servir de modèle de civilisation à l'Europe. Cet *esprit* allemand devait donner l'exemple de hautes vertus patriotiques, morales et artistiques. Or, il n'en fut rien. L'Allemagne sombre dans la **gloriole**, la bureaucratie, l'obsession technique, le petit bonheur du confort matériel. Au lieu d'offrir des valeurs nouvelles et nobles, cette Allemagne ne fait qu'incarner, aux yeux de Nietzsche, la décadence morale de l'Europe tout entière.

Le nihilisme passif

Dans un premier temps, Nietzsche affirme que l'humanité européenne de son époque souffre d'un nihilisme passif, symptôme de la décadence de cette civilisation. Ce nihilisme — que Nietzsche condamne vigoureusement — est une attitude qui se caractérise d'abord par la croyance en des valeurs supérieures. Selon Nietzsche, cette croyance

---

6. Lou Andreas-Salomé, *Friedrich Nietzsche*, Paris, Réimpressions Gordon et Breach, 1970, p. 17.

7. Quelle a été la cause de cette démence? Nous ne le saurons sans doute jamais avec assurance, mais plusieurs commentateurs invoquent une méningite syphilitique contractée dès 1865.

en un monde idéal témoigne précisément de la négation de celui dans lequel il se trouve. L'expression «nihilisme» veut dire d'abord que la vie terrestre n'est rien, car seules comptent les valeurs auxquelles on aspire. Mais de quelles valeurs s'agit-il et que représentent-elles, selon Nietzsche?

> Les valeurs supérieures [ex. la Vérité, le Bien] au service desquelles l'homme devait vivre, surtout quand elles disposaient de lui au prix de lourdes peines: ces valeurs sociales, on les a, en vue de leur amplification, érigées au-dessus de l'homme, comme si elles étaient les commandements de Dieu, en tant que la «réalité», en tant que le monde «vrai», en tant qu'espoir et avenir du monde[8].

Ne peut-on voir dans le nihilisme décrié par Nietzsche les signes avant-coureurs du nihilisme actuel, qui considère qu'une opinion en vaut une autre, qu'aucune valeur ou idéal n'est supérieur à un autre?

Constatant à regret la petitesse des valeurs auxquelles il croyait, le *Dernier Homme*[9] entre alors dans un processus de dépréciation des anciennes valeurs et de leur hiérarchie. Ne sachant plus désormais à quelles valeurs s'accrocher, le Dernier Homme en vient à penser que tout est vain, que tout est dénué de sens et de but. Or, si plus rien n'a de sens, aucune valeur ne peut prétendre être supérieure à une autre: TOUT EST ÉGAL, TOUT SE VAUT. Une telle attitude incite à être pessimiste, à considérer que tout est absurde, à vivre une grande lassitude, à plonger dans le confort consistant à croire qu'il ne sert plus à rien de se demander «pourquoi?». Aux yeux de Nietzsche, ce NIHILISME décadent constitue «la pensée la plus paralysante qui soit[10]». Il faut renverser et dépasser ce nihilisme passif, et le remplacer par un nihilisme actif.

Le nihilisme actif

Nietzsche recommande un nihilisme actif ou «extatique», qui, au lieu de s'apitoyer sur l'absence de sens, s'instaure lui-même comme une dissolution, une destruction volontaire et active des anciennes tables de valeurs.

Les principales tables de valeurs qui fondent la civilisation européenne et qui, selon Nietzsche, doivent être fracassées sont celles que véhiculent: 1) le christianisme, qui valorise de petites vertus comme la charité, le devoir, l'espérance, l'humilité, la pitié et le **ressentiment**; 2) l'ascétisme, qui considère que le développement moral ne se fait qu'au prix d'une lutte contre les exigences du corps; les valeurs d'austérité, de mortification, de pénitence et de privation étant dès lors encouragées; 3) le rationalisme, qui accorde à la raison seule le pouvoir de connaître et qui met en avant une valeur unique: la Vérité; 4) la science, qui ne croit qu'en ce qui est exact, vérifiable et en ce qui s'exprime dans des lois universelles, l'objectivité devenant alors le seul critère qui permette une représentation fidèle de la réalité; 5) la démocratie, qui défend l'idée que tous les hommes sont égaux; en soutenant le principe universel de l'égalité, l'idéal démocratique postule qu'un homme en vaut un autre; 6) le socialisme, qui fait prévaloir l'intérêt général aux dépens des intérêts particuliers et qui, ce faisant, prône l'**égalitarisme** et le **collectivisme**.

RESSENTIMENT
Souvenir rancunier des torts qu'on a subis. Amertume.

ÉGALITARISME
Doctrine qui prône l'égalité absolue entre les individus sur les plans politique et social.

COLLECTIVISME
Poursuite d'objectifs communs par une action de l'État au niveau de la nation entière et défense de la propriété des moyens de production et d'échange par la collectivité.

---

8. Friedrich Nietzsche, *Le nihilisme européen*, trad. Angèle Kremer-Mariatti, Paris, Union Générale d'Éditions, coll. «10–18», 1976, p. 173-174.

9. Nous reparlerons plus loin du *Dernier Homme*, de l'*homme du commun* ou de l'*homme du ressentiment*. Ces trois dénominations différentes renvoient à un seul et même homme: l'homme faible, incapable de supporter la vie dans sa réalité sensible, qui évite tous les risques et se contente de son plat bonheur.

10. Friedrich Nietzsche, *Le nihilisme européen*, p. 156.

RATIONALISME

Doctrine d'après laquelle toute connaissance certaine provient de la raison. Conséquemment, selon cette philosophie, l'esprit humain possède la faculté de former des concepts et des principes rationnels lui permettant de rendre intelligibles et compréhensibles les choses et les êtres. Les idées et les jugements seraient soit innés, soit construits par l'esprit; ils ne proviendraient pas des données de l'expérience.

Nietzsche veut renverser toutes ces tables de valeurs décadentes. Il cherche à édifier une culture nouvelle en procédant à une transmutation radicale des idéaux, des valeurs, des idoles éternelles qui fondent la civilisation européenne depuis SOCRATE (~469-~399). La philosophie nietzschéenne conteste la tradition philosophique, qui assujétit l'homme à des principes extérieurs à lui-même. Ainsi, Nietzsche s'oppose particulièrement à toutes les systématisations **rationalistes** (dont celle de Descartes), qui comportent un excès de confiance dans les pouvoirs de la raison humaine: la raison seule ne peut tout expliquer, et il n'y a pas nécessairement «adéquation entre les choses et la pensée». On a édifié artificiellement un «monde-vérité» (monde métaphysique, monde des apparences) afin de le superposer à la réalité, d'immobiliser celle-ci, de la rendre logique et de la falsifier.

> **S**ocrate a été le premier philosophe occidental à imposer la raison et la vérité comme sources de la vertu et du bonheur.

La «vérité» n'est pas quelque chose qui est là et qu'il faut trouver et découvrir, — mais quelque chose qu'il faut créer, qui donne son nom à une opération, mieux encore à la volonté de remporter une victoire, volonté qui, par elle-même, est sans fin: introduire la vérité, c'est un processus *ad infinitum*, une détermination active, — et non point la venue à la conscience de quelque chose qui serait fixe et déterminé[11].

Pour Nietzsche, ce n'est pas la recherche de la Vérité ou du Bien (telle que poursuivie par Descartes) qui doit animer l'être humain; ce sont les passions du vouloir-vivre. D'ailleurs, à y regarder de près, la recherche des grands idéaux traditionnels a toujours été motivée par des intérêts vitaux...

La tradition philosophique occidentale et le christianisme ont trop longtemps surestimé la raison au détriment du corps, dans le but avoué ou non de maîtriser les passions. Pour retrouver la source de vie originale, Nietzsche renverse ce schéma millénaire en réhabilitant chez l'être humain «les anciens instincts qui jusqu'ici faisaient sa force, sa joie et son caractère redoutable[12]».

IDÉALISTE

Brièvement défini, se dit, en philosophie, de la doctrine d'après laquelle le monde extérieur n'a de valeur de vérité que dans les idées que nous en avons.

LE DÉPASSEMENT DE SOI DANS L'AFFIRMATION DE SES INSTINCTS, DE SES DÉSIRS ET DE SES PASSIONS

INSTINCTUEL

Qui appartient à l'instinct. Forte impulsion conduisant à agir d'une manière conforme à la nature de l'homme. Tendance innée, commune à tous les hommes.

Les grandes philosophies **idéalistes** ainsi que la morale judéo-chrétienne ont, sous une forme ou sous une autre, valorisé le monde de l'esprit et condamné le monde sensible. Par exemple, la philosophie de Descartes, en postulant le *cogito*, fait de la pensée l'essence de l'homme. Descartes n'accorde aucun crédit à la connaissance issue des sens et il nous recommande de contrôler nos passions. Le dogme chrétien, quant à lui, apparente le monde vrai à un royaume de Dieu comme ultime récompense d'une vie terrestre vertueuse. En associant le péché au corps et en réprouvant toutes les joies autres que spirituelles, la morale chrétienne, selon Nietzsche, poursuit depuis vingt siècles un unique objectif: le dressage de l'homme **instinctuel** et, conséquemment, la production de l'*homme du ressentiment*.

---

11. Friedrich Nietzsche, *La volonté de puissance. Essai d'une transmutation de toutes les valeurs*, trad. Henri Albert, Paris, Librairie Générale Française, coll. «Le Livre de poche/Classiques de philosophie», 1991, p. 310.

12. Friedrich Nietzsche, *La généalogie de la morale*, trad. Henri Albert, Paris, Gallimard, coll. «Idées», p. 121.

L'homme du ressentiment

Si la philosophie idéaliste, la religion et la morale ont ainsi dévalorisé les sens et les instincts, c'est par faiblesse et décadence, pense Nietzsche. Éliminer de la vie les sentiments, les passions et les pulsions demeure la solution à laquelle recourent les volontés anémiques et dégénérées. C'est vouloir produire un type d'homme «faible» qui s'est coupé d'une partie importante de lui-même, la part la plus concrète, soit le sensible. Précisons tout de suite que, chez Nietzsche, la notion de faible ne désigne pas quelqu'un qui serait opprimé socialement et économiquement, ou encore handicapé physiquement ou mentalement; ce concept fait plutôt référence à un type d'homme domestiqué, soumis à des valeurs petites, tristes, mesquines, coupables et rancunières. Il s'agit en fait de l'*homme du ressentiment* ou *Dernier Homme* ou *homme du commun*, qui éprouve de l'amertume, de la rancœur face à la vie. Il renonce à tout ce qui demande de la maîtrise, à tout ce qui est changeant et **équivoque**: le corps, les sens et les passions. À l'endroit de tout ce qui est fort, créateur, exceptionnel, il se montre envieux, méprisant et accusateur. N'ayant pas le courage d'assumer l'existence terrestre, l'homme du ressentiment réclame des certitudes toutes faites, intemporelles et immuables. Incapable d'affronter les forces multiples et contraires de la vie, il préconise «la vie intérieure» et le repliement timide sur soi.

L'homme du corps

À l'idéal de la raison abstraite et du besoin d'un absolu hors du monde, Nietzsche oppose le projet d'un accroissement de la vie. Il se porte à la défense du «sens de la terre» que procure le corps.

C'est le corps qui définit essentiellement l'homme: «Je suis corps tout entier et rien d'autre[13].» Nietzsche traite du corps comme d'un «Soi» (*das Selbst*) qui constitue «une grande raison», alors que la pensée consciente généralement associée au moi n'est qu'«une petite raison [...], n'est qu'un instrument de ton corps, et un bien petit instrument, un jouet de ta grande raison [le corps][14]».

Le corps est une grande raison en ce sens qu'il est un guide assuré. On peut s'y fier, s'en servir comme d'une raison qui nous indique notre propre vérité. Les raisons d'agir du corps sont vraies et authentiques; notre corps juge bien ce qui nous rend heureux: l'actualisation de nos désirs et de nos pulsions.

Nietzsche se fait donc l'apôtre du corps, car c'est lui qui est le maître du moi (l'esprit, la conscience). Le corps ne ment pas sur ses besoins et désirs. Son unique souci est de vivre. Et vivre, c'est plonger dans l'abondance chaotique de forces et de contradictions que la vie recèle en son sein; c'est accorder le droit de cité aux instincts et aux passions que les morales ont depuis longtemps réprouvés sous prétexte que l'animalité de l'homme l'empêchait d'accéder à l'au-delà. Or, puisque aucun monde suprasensible ne se superpose au monde terrestre, l'objectif de l'être humain est, selon Nietzsche, d'accroître toutes les forces créatrices de la vie qui dorment en lui et qui sont sources de dépassement de soi. Pour Nietzsche, ces forces instinctives constituent la seule réalité puisqu'elles sont le triomphe de la vie sur la mort. Il s'agit de vivre sa vie en écoutant la voix de son corps, en se dépensant sans retenue ni avarice, loin du souci de se conserver. «Osez donc d'abord croire en vous-mêmes, dit Nietzsche, — en vous-mêmes et en vos entrailles! Quiconque n'a pas foi en lui-même ment toujours[15].»

ÉQUIVOQUE
Ce qui est mystérieux, louche, suspect, inquiétant.

---

13. Friedrich Nietzsche, *Ainsi parlait Zarathoustra*, trad. Maurice Betz, Paris, Gallimard, coll. «Le Livre de poche classique», 1965, p. 44.

14. *Ibid.*, p. 44.

15. *Ibid.*, , p. 145.

La mort de Dieu

La condition nécessaire à un tel dépassement de soi par l'affirmation de ses désirs, instincts et passions implique toutefois l'obligation de «faire mourir Dieu», c'est-à-dire de nier l'existence d'un Dieu, maître suprême qui fonde la Morale.

> Mon moi, écrit Nietzsche, m'a enseigné une nouvelle fierté, je l'enseigne aux hommes: ne plus enfouir leur tête dans le sable des choses célestes, mais la porter fièrement, une tête terrestre qui crée les sens de la terre[16]!

Selon Nietzsche, Dieu — plus précisément le Dieu de la Bible et du christianisme — doit être nié parce qu'il est à l'origine de morales d'esclaves fondées sur des valeurs telles que la patience et la résignation, qui commandent l'abdication face aux contraintes et aux misères de l'existence; l'humilité, qui, en réprimant tout mouvement d'orgueil conduit à l'abaissement volontaire de soi devant sa propre faiblesse ou insuffisance; la charité, qui appelle au sacrifice de soi, voire à l'oubli de soi; l'espérance en un monde surnaturel, inventé de toutes pièces, venant après la vie terrestre, qui nous libérerait enfin de notre souffrance et de notre impuissance. Bref, Dieu et ses morales instituées fondent leur souveraineté sur la faiblesse et sur l'ignorance des hommes.

Sous la domination d'un Dieu tout-puissant, ces morales s'édifient à partir du nivellement des esprits («l'esprit de troupeau», dit Nietzsche); elles empêchent l'expression des valeurs individuelles fortes. Elles font de l'homme un être bonasse qui s'est coupé de la vie.

D'ailleurs, ces morales impliquent généralement l'obéissance passive et la soumission aveugle à des dogmes et à des règles qui briment l'expression des désirs, des instincts et des passions, bref, qui nient la vie. En ce sens, elles ne peuvent convenir qu'aux «malades et moribonds qui ont méprisé le corps et la terre[17]». Les individus qui veulent s'inventer et se créer audacieusement, qui veulent faire coïncider en eux leur être (c'est-à-dire ce qu'ils sont profondément) et leur devenir (c'est-à-dire le désir d'être plus), n'accepteront plus d'être sous le joug d'un Dieu, maître de leur destinée. Ils feront non seulement mourir Dieu, mais également tous les maîtres, toutes les idoles afin de pouvoir pleinement s'appartenir eux-mêmes, de pouvoir être «ce moi qui crée, qui veut, qui donne la mesure et la valeur des choses[18]».

Il faut donc cesser de croire en Dieu, fondement de la morale, si l'on veut rester fidèle à la vie, aux désirs et aux passions au-delà du bien et du mal. Une précision s'impose ici. Nietzsche valorise l'exaltation des sentiments, l'ivresse de la vie, l'effervescence du corps et des instincts; mais il ne nous invite pas à les extérioriser brutalement, à déchaîner anarchiquement les forces animales contenues en nous par une frêle pellicule de civilité. Au contraire, il nous exhorte à les diriger pour qu'elles s'expriment en une volonté de puissance.

LA VOLONTÉ DE PUISSANCE

La volonté de puissance constitue le concept-clé de la vision nietzschéenne de l'être humain. Mais il faut prendre garde de ne pas l'interpréter à un premier degré. La volonté

---

16. *Ibid.*, p. 42.

17. *Ibid.*, p. 42.

18. *Ibid.*, p. 42.

de puissance ne correspond pas à un désir de dominer psychologiquement les autres en les écrasant de sa supériorité intellectuelle, par exemple. Aucune idée d'agressivité ou de compétition ne s'y trouve. Non plus que l'idée de domination politique, sociale ou économique dans le but d'en retirer de la gloire, du prestige ou des richesses. Il ne s'agit pas d'avoir la volonté d'être le maître du monde ou de devenir puissant, mais d'exercer la puissance de sa volonté, d'être plus fort, autrement dit de vouloir avec force sa propre progression. La force dont parle Nietzsche se situe «en dehors de toutes les conventions sociales».

> Les plus forts [sont] les plus modérés, ceux qui n'ont pas besoin de dogmes extrêmes, ceux qui non seulement admettent, mais aiment aussi une bonne part de hasard, de non-sens. Ceux qui peuvent songer à l'homme, en réduisant quelque peu sa valeur, sans qu'ils se sentent par là diminués et affaiblis [...] — des hommes qui sont certains de leur puissance et qui, avec une fierté consciente, représentent la force à laquelle l'homme est parvenu[19].

La volonté de puissance est la possession de soi et le surpassement de soi

La volonté de puissance, c'est la volonté de possession de soi pour mieux se surpasser soi-même. La volonté de puissance, cet «acte de se surmonter soi-même», permet à l'individu de découvrir son être propre. Et d'après Nietzsche, l'être humain devient ce qu'il est profondément en osant vivre un «égoïsme souverain». Car, pour s'affirmer soi-même, il ne faut penser qu'à soi, il faut tout subordonner à son plaisir, à son intérêt et à son développement individuels. Il faut trouver que:

> Le fruit le plus mûr de l'arbre est l'individu souverain, l'individu qui n'est semblable qu'à lui-même, l'individu affranchi de la moralité des mœurs, l'individu autonome et supermoral (car «autonome» et «moral» s'excluent), bref l'homme à la volonté propre, indépendante et persistante, l'homme qui peut promettre, — celui qui possède en lui-même la conscience fière et vibrante de ce qu'il a enfin atteint par là, de ce qui s'est incorporé en lui, une véritable conscience de la liberté et de la puissance, enfin le sentiment d'être arrivé à la perfection de l'homme[20].

Les notions d'appropriation, de force, de conquête, de lutte, de prépondérance et de croissance colorent la volonté de puissance nietzschéenne. L'«acte de se surmonter soi-même» possède, en effet, une double signification: combattre les obstacles qui s'opposent à ce que l'individu devienne ce qu'il est vraiment et, ce faisant, passer à une forme supérieure d'être.

Concrètement, l'actualisation de la volonté de puissance implique deux stades distincts.

La volonté de puissance est le rejet des «tu dois»

Dans un premier temps, il faut rejeter catégoriquement toutes les lois morales, toutes les règles et prescriptions morales, bref, tous les «tu dois» qui nous ont été enseignés, puisqu'ils conduisent, selon Nietzsche, à une «tyrannie et à un **arbitraire** [...] qui inculquent le besoin des horizons limités[21]». Dans tous les cas, les innombrables «tu dois» et «tu ne dois pas» proviennent de ce que Nietzsche appelle «la morale *contre nature*,

ARBITRAIRE
Règle non fondée et artificielle présentée comme un absolu.

---

19. Friedrich Nietzsche, *La volonté de puissance. Essai d'une transmutation de toutes les valeurs*, p. 48.

20. Friedrich Nietzsche, *La généalogie de la morale*, p. 78-79.

21. Friedrich Nietzsche, *Par-delà le bien et le mal*, trad. Geneviève Bianquis, Paris, Union Générale d'Éditions, coll. «10-18», 1967, p. 113.

c'est-à-dire presque toute morale enseignée, honorée, prêchée jusqu'à ce jour *contre* les instincts de la vie [...]. Elle est une *condamnation*, tantôt secrète, tantôt brutale et fracassante, de ces instincts[22]». Cette morale correspond à une *éthique du troupeau* fondée sur de petites valeurs qui s'adressent à de petites gens. Il est évident que cette morale et ses nombreux «tu dois» forment des contraintes qui rétrécissent les perspectives de la liberté.

La volonté de puissance est la création de valeurs nouvelles

La volonté est créatrice, — ainsi parle ZARATHOUSTRA. Tout ce «qui fut» est fragment, énigme et cruel hasard, — jusqu'à ce que la volonté créatrice ajoute: «Mais c'est là ce que j'ai voulu.» — Jusqu'à ce que la volonté créatrice ajoute: «C'est là ce que je veux! C'est ainsi que je le voudrai[23].»

> Zarathoustra était un prophète et un réformateur religieux iranien qui vécut au VIe siècle. Sa doctrine se caractérisait par une conscience aiguë du bien et du mal, et par la notion de choix moral. Dans *Ainsi parlait Zarathoustra*, Nietzsche se sert du personnage (il est Zarathoustra) pour dénoncer les valeurs millénaires de la morale établie, pour affirmer la transformation totale des valeurs et la nécessité du dépassement de soi.

Une telle volonté affirme «la puissance d'un vouloir» qui crée ses propres valeurs sans chercher l'approbation des autres. Ces valeurs ne naîtront pas d'un rationalisme de glace car, d'après Nietzsche, la volonté rationnelle, lucide et réfléchie a vu le jour grâce au dressage par la société de la sauvagerie primitive de l'homme. Donc, elle obéit à des règles extérieures à elle-même. La volonté de puissance, au contraire, n'obéit qu'à elle-même; elle n'accepte pas d'être domptée et transformée en une esclave soumise aux contraintes rationnelles et sociales. De sorte que les valeurs nouvelles créées sous son influence intensifieront la volonté de vivre, déborderont d'une énergie vitale, glorifieront la réalisation des instincts au détriment des valeurs de la raison. Méfions-nous de la raison, car elle se veut logique et linéaire; elle fige alors le devenir des choses en une analyse froide et statique!

La vie s'exprime davantage par les instincts que par la raison, écrit Nietzsche. Quel qu'il soit, l'instinct est source de liberté, l'instrument de progrès[24].

Un exemple de volonté de puissance

La vie du célèbre écrivain américain Henry Miller (1891-1980) illustre bien la volonté de puissance nietzschéenne. Né dans le quartier populaire de Brooklyn (New York), Miller ne semble pas promis à un grand destin. Alors qu'il peine à gagner sa vie comme chef des coursiers à la Western Union Telegraph, il décide à trente-trois ans de devenir romancier. Il se rend en France et mène, dans le Paris du début des années 30, une vie de bohème où il divinise les plaisirs de la chair et de l'esprit réunis. Le monde qu'il côtoie est celui des bas-fonds de la ville: celui des illuminés, des obsédés, des poètes et des prostituées. Il y trouve la liberté, la faim et la misère. Mais rien ne réussit à le détourner de son projet d'écrire qui lui permet de s'appartenir en propre et de n'accepter

HENRY MILLER TÉMOIGNE D'UNE VOLONTÉ INÉBRANLABLE À ÊTRE CE QU'IL VEUT ÊTRE : UN ÉCRIVAIN QUI EXPRIME CE QU'IL PENSE ET RESSENT.

---

22. Friedrich Nietzsche, *Le crépuscule des idoles*, trad. Jean-Claude Hemery, Paris, Gallimard, coll. «Idées», 1977, p. 49-50.

23. Friedrich Nietzsche, *Ainsi parlait Zarathoustra*, p. 165-166.

24. Friedrich Nietzsche, *Par-delà le bien et le mal*, p. 69.

de servitudes que celles qu'il se serait données lui-même. Homme fort, ardent, passionné, imprévisible, il empoigne la vie et la croque à belles dents. Il ne s'interdit pas de désirer et de jouir en repoussant les civilités, les interdits. Son existence sert de toile de fond à ses romans. Miller écrit comme il vit : avec audace, acharnement, vigueur, dérèglement. Son premier roman, *Tropique du cancer* (1934) fait scandale. Jugée obscène, l'œuvre de Miller est interdite aux États-Unis pendant plus de trente ans. En 1964, la Cour suprême de l'Illinois autorise la diffusion de *Tropique du cancer*. La qualité de l'œuvre de Miller est enfin reconnue. Il deviendra le grand Henry Miller.

La volonté de puissance consiste à affronter avec force les désirs et les pulsions qui habitent notre corps. Non pas tenter de les contrôler, de les maîtriser comme le recommande Descartes en se distanciant des passions qui nous animent. Non pas tenter de les éliminer ou de les refouler, comme le fait l'homme faible, en inventant l'idée du mal pour expulser de sa vie ces forces dont il a peur parce qu'il ne sait comment les maîtriser. Au contraire, il s'agit de déployer ces forces, il faut «croître et s'étendre, accaparer, conquérir la prépondérance, non pas pour je ne sais quelles raisons morales ou immorales, mais parce que la vie, précisément, est volonté de puissance[25]». Cette vie, pourrait-on ajouter, exige son propre dépassement dans le surhumain.

LE SURHUMAIN

«"Tous les dieux sont morts ; nous voulons à présent que le Surhomme vive ! Que ceci soit un jour, au grand midi, notre suprême volonté !" Ainsi parlait Zarathoustra[26].» Le surhomme n'est pas un individu, un être suprême ou un gourou qui viendrait sauver le monde. Il représente symboliquement la cime de toute l'humanité. Il évoque le modèle, le portrait de l'être humain idéal. Zarathoustra est le prophète du Surhomme ; il annonce la venue d'un nouveau type d'humanité qui n'existe pas encore. Conséquemment, il nous semble préférable d'utiliser l'expression «surhumain» plutôt que celle de «surhomme»[27]. Voyons brièvement ses principales caractéristiques.

Le surhumain est l'affirmation de l'individualité

Le surhumain s'oppose de façon absolue à ce que Nietzsche appelle l'homme du commun, c'est-à-dire l'être faible, égalisé et passif, bref, l'être totalement réduit à la bête de troupeau. Il correspond à cet état dans lequel j'ai la volonté et le courage de me mettre afin de me dépasser moi-même. De simple humain que je suis, je travaille à devenir plus que ce que je suis. Ce faisant, je me veux unique. Je suis celui qui s'affirme dans son individualité héroïque, qui va au bout de sa différence sans ressentir le besoin d'une ratification venant de l'extérieur.

Je vous enseigne le Surhomme. L'homme est quelque chose qui doit être surmonté. Qu'avez-vous fait pour le surmonter[28] ?

---

25. *Ibid.*, p. 210.

26. Friedrich Nietzsche, *Ainsi parlait Zarathoustra*, p. 94.

27. De toute façon, les traducteurs utilisent tantôt «surhumain», tantôt «surhomme» ! Notons aussi que le terme allemand ainsi traduit — *Übermensch* — n'a pas de connotation spécifiquement «masculine».

28. Friedrich Nietzsche, *Ainsi parlait Zarathoustra*, p. 18.

Le surhumain est un hymne à la vie

Le surhumain, affirmant la volonté de puissance dans sa plénitude, est un hymne puissant à la vie. Il s'emploie à affirmer et à exalter la vie. Il magnifie les pulsions et les passions parce qu'elles constituent justement la source de toute énergie vitale. Le Surhumain est l'instinct de vie, la volonté de vivre par excellence; il est celui qui intensifie la vie. Or, la vie est décrite par Nietzsche dans les termes de force, d'appropriation, d'agression, d'assujettissement de tout ce qui est étranger et plus faible. Vivre, c'est faire sa place et, par sa seule volonté, détrôner toutes les idoles et tous les dieux.

Le surhumain et l'éternel retour

Vivre avec le poids de la «mort de Dieu» peut toutefois être déstabilisant. Le Dieu créateur était rassurant en proposant un commencement et en donnant une finalité au cours du monde et à l'existence de l'individu. En cessant de croire en Dieu qui promettait l'éternité, l'individu fait face au néant.

Afin de contrer le pessimisme qui pourrait naître d'un tel constat — je suis né pour mourir, et après il n'y a plus rien — Nietzsche propose l'idée de l'éternel retour.

> Cette vie telle que tu la vis maintenant et que tu l'as vécue, tu devras la vivre encore une fois et d'innombrables fois; et il n'y aura rien de nouveau en elle, si ce n'est que chaque douleur et chaque plaisir, chaque pensée et chaque gémissement et tout ce qu'il y a d'indiciblement petit et grand dans ta vie devront revenir pour toi, et le tout dans le même ordre et la même succession — [...] L'éternel sablier de l'existence ne cesse d'être renversé à nouveau — et toi avec lui. [...] Si cette pensée exerçait sur toi son empire, elle te transformerait, faisant de toi, tel que tu es, un autre, te broyant peut-être: la question posée à propos de tout, et de chaque chose: «voudrais-tu ceci encore une fois et d'innombrables fois?» pèserait comme le poids le plus lourd de ton agir[29]!

L'éternel retour ne veut pas dire que tous les faits ou événements se répètent à l'identique éternellement. Cette intuition nietzschéenne de l'éternel retour veut mettre l'individu face à l'entière responsabilité de ses actes terrestres: ce que je vis maintenant est-il assez porteur de sens pour que je le revive éternellement? L'idée de l'éternel retour met en rapport «l'innocence du devenir» qui offre tous les possibles et l'instant présent où un acte est accompli — encore faut-il que ce choix compte plus qu'un autre, qu'il repose sur des critères qui importent! L'éternel retour place donc le surhumain devant l'exigence du dépassement de soi dans l'instant.

Grâce à l'éternel retour, le surhumain peut refaire lui-même l'éternité. Dans le temps d'une vie, le surhumain aura vécu tout ce qu'il y a dans l'éternité. De sorte que la mort n'aura pas de prise sur lui — ce ne sera pas la fin d'une expérience —, chaque instant de vie deviendra un «oui» à la vie, chaque instant deviendra l'éternité.

Amoureux de la vie, sans rechercher aucune échappatoire, le surhumain est capable de désirer et d'assumer l'éternel retour de toutes choses, y compris de tous les instants de sa vie. Ainsi, le surhumain réconcilie le temps terrestre qu'il vit pleinement et l'éternité que les religions et une grande part de la tradition philosophique avaient dissociées et opposées.

---

29. Friedrich Nietzsche, *Le gai savoir*, trad. Pierre Klossowski, Paris, Union Générale d'Éditions, coll. «10-18», p. 330-331.

Le surhumain est amoral

Le surhumain est amoral, en ce sens qu'il ne se soumet pas aux principes de la morale établie, c'est-à-dire à ceux qui sont condidérés comme acceptables et convenables par la culture ambiante. L'individu qui adhère à l'état de surhumain ne fait pas le mal pour faire le mal, mais il ne suit pas nécessairement la morale en place qui dit ce qui est bien et ce qui est mal. Ici, Nietzsche lui-même peut servir d'exemple même s'il ne s'est jamais cru l'incarnation du surhumain. Dans une Vienne rigide et puritaine, il heurte les convenances en formant un couple élargi avec son ami Paul Rée et Lou Andreas-Salomé. Les deux hommes aiment la même femme et ne s'en cachent pas. Leur désir de vie commune s'actualise par l'expérience de la «trinité».

En fait, c'est «par-delà le bien et le mal» que Nietzsche nous invite à penser et à agir. Cela ne veut pas dire que le surhumain ne ferait que des actes contraires à la morale dominante, mais que, même extérieurement conformes à la morale, ses actions ne seraient pas forcément dictées par celle-ci. Ainsi, donner à manger à l'individu qui a faim pourrait être en accord avec la morale en vigueur et accompli par-delà le bien et le mal en n'étant pas fait par devoir et par «obligation morale» mais par «surabondance vitale».

Même si Nietzsche a pu heurter les convenances de son époque en participant au fameux «trio», il faut reconnaître que, en règle générale, sa vie est plutôt irréprochable. C'est par ses écrits que Nietzsche critique avec virulence la morale instituée. La morale chrétienne est la première visée parce que «la foi chrétienne, dans son principe, est sacrifice de l'esprit, de toute sa liberté, de tout son orgueil, de toute confiance en soi; par surcroît, elle est asservissement, risée et mutilation de soi[30]». Le surhumain la condamne sans ambages parce qu'elle prêche, en plus des valeurs de petitesse que nous avons précédemment désignées, les qualités de renoncement et de sacrifice. Une autre morale qui subit les foudres du surhumain est la morale ASCÉTIQUE, laquelle enseigne l'affranchissement de l'esprit par le mépris du corps, l'austérité, la privation et la mortification. Elle aussi affirme qu'il faut satisfaire le moins possible les instincts, maîtriser ses désirs, se débarrasser des passions et dominer les sensations de plaisir et de douleur! Enfin, en accordant la primauté à l'exceptionnel par rapport au commun, le surhumain tente de contrer la morale démocratique, qui prône l'égalité.

> **U**n bel exemple d'ascétisme nous est donné par saint Jérôme (347-420), qui partit vivre dans le désert et poussa la frugalité jusqu'à faillir mourir d'inanition.

Le surhumain est élitiste

Le surhumain est élitiste dans la mesure où il pense que «toute élévation du type humain a toujours été et sera toujours l'œuvre d'une société aristocratique qui croit à de multiples échelons de hiérarchie et de valeurs entre les hommes [...] condition indispensable au progrès en dignité du type humain[31]». Une hiérarchie *naturelle* existe donc entre les êtres humains. Dans une même société, on trouve des individus d'exception qui s'élèvent par rapport à l'individu-masse nivelé, uniformisé, servile et amorphe. Nietzsche se sert de l'*aristocrate* comme modèle de ce type d'individus supérieurs qu'il appelle aussi les hommes d'élite. Notons qu'il n'est pas question ici d'une aristocratie fondée sur l'hérédité ou sur l'argent. Est aristocrate l'individu qui possède de manière exceptionnelle la volonté de puissance, celui qui a de l'envergure, qui connaît sa valeur, a foi en lui-même, est fier et altier, a le respect de lui-même.

---

30. Friedrich Nietzsche, *Par-delà le bien et le mal*, p. 72.
31. Friedrich Nietzsche, *Par-delà le bien et le mal*, p. 207.

Tout ce qu'il trouve en soi, il l'honore ; une telle morale consiste dans la glorification de soi-même. Elle met au premier plan le sentiment de la plénitude, de la puissance qui veut déborder, le bien-être d'une tension interne, la conscience d'une richesse désireuse de donner et de se prodiguer ; l'aristocrate aussi vient en aide au malheureux, non par pitié le plus souvent, mais poussé par la profusion de force qu'il sent en lui. L'aristocrate révère en soi l'homme puissant et maître de soi, qui sait parler et se taire, qui aime exercer sur soi la rigueur et la dureté, et qui respecte tout ce qui est sévère et dur[32].

L'*homme du commun*, aussi appelé le *Dernier Homme*, au contraire, valorise le relâchement, l'assoupissement et le repos. Il est pessimiste, méfiant et avachi. Au lieu de vivre en pleine lumière, son esprit se plaît dans les recoins et les faux-fuyants. Il garde le silence, attend, se rapetisse. Constamment, l'homme du commun fait preuve de faiblesse et appelle «patience», parfois même «vertu», ce qui, en fait, n'est que lâcheté.

Ce qu'il honore, quant à lui, c'est la pitié, la main complaisante et toujours ouverte, la bonté du cœur, la patience, l'assiduité, l'humilité, l'affabilité, car ce sont les qualités les plus utiles et presque les seuls moyens de supporter le poids de l'existence[33].

Le surhumain est dur

Autre caractéristique du surhumain : la dureté. Le surhumain est dur envers lui-même et envers les autres. «Ô mes frères, je place au-dessus de vous cette table nouvelle : DEVENEZ DURS[34] ! » Encore là, il faut dépasser la lecture que nous en donnerait le langage courant. La dureté du surhumain n'en fait pas un monstre qui s'imposerait à lui-même et à autrui des souffrances atroces.

SELON LA PHILOSOPHIE NIETZSCHÉENNE, UN ENFANT MONGOLIEN POURRA SE SURPASSER SI SES PARENTS SONT EXIGEANTS ENVERS LUI.

Il faut être dur parce que «les créateurs sont durs [sachant que] le plus dur seul est le plus noble[35]». Il faut être dur si l'on ne veut pas tomber dans la facilité de la douceur et de la pitié. Il faut être dur envers soi, c'est-à-dire avoir la force, le courage et la tenacité de faire ce qu'il faut faire pour être soi-même et se dépasser. Il faut être dur si l'on ne veut pas s'apitoyer sur son propre sort en disant : «Je ne suis pas capable. Je suis trop petit. Je suis faible. Je ne réussirai jamais...»

S'il faut être dur envers soi-même, il faut aussi être dur envers les autres afin qu'ils se surpassent. Un document de la télévision suisse-romande présenté à Télé-Québec illustre à merveille cette philosophie de la DURETÉ. On y montrait l'attitude d'un couple envers leur enfant mongolien. Au lieu de le couver, de le protéger sans cesse contre le monde extérieur et contre lui-même, ses parents l'obligeaient à participer à toutes les activités de la famille : randonnées à vélo, alpinisme, ski alpin, etc. L'apprentisage de ces différentes disciplines sportives ne se fait pas sans difficulté puisque les individus atteints de cette affection congénitale ont tendance à se décourager devant l'effort, à abandonner, même, dès le premier échec. À première vue, certaines

En réprouvant la molesse, le fléchissement du caractère, la timidité peureuse, la dureté permet, selon Nietzsche, d'aller plus loin, de se dépasser.

---

32. *Ibid.*, p. 211.

33. *Ibid.*, p. 213.

34. Friedrich Nietzsche, *Ainsi parlait Zarathoustra*, p. 248.

35. *Ibid.*, p. 247-248.

scènes de ce document paraissaient d'une grande dureté. Par exemple, l'enfant vient de faire une chute spectaculaire en ski, ou de tomber de son vélo: il souffre, se plaint, préfère arrêter. Ne se laissant pas amadouer, ses parents exigent alors de lui qu'il se relève et qu'il recommence. Mais quelle joie, quelle immense satisfaction pouvions-nous lire sur le visage de cet enfant lorsque, après de multiples efforts et de nombreux échecs, il réussit enfin à se surpasser!

Le surhumain est maître de soi et créateur

Enfin, le surhumain est un *grand homme*, un *génie*, un *maître*: non pas maître des autres, c'est-à-dire conducteur du troupeau, mais maître de soi et de ses actes. Il est celui qui se donne sa propre loi, dont le fondement est la pure affirmation de soi.

> L'homme le plus grand, écrit Nietzsche, c'est le plus solitaire, le plus caché, le plus isolé, celui qui se place au-delà du bien et du mal, le maître de ses propres vertus, l'homme au vouloir surabondant[36].

Le surhumain affirme l'essence de la vie. Il ne possède ni le pouvoir politique ni la richesse. Il ne domine pas le monde.

Son règne est celui de la création qui incarne la possibilité même de l'avenir. «Le créateur, écrit Nietzsche, est celui qui donne un but aux hommes et qui donne son sens et son avenir à la terre: lui seul crée le bien et le mal de toutes choses[37].» Le surhumain est foncièrement et intégralement créateur; il est un créateur impétueux.

> Il sent qu'il détermine lui-même ses valeurs, il n'a pas à chercher l'approbation; il juge: «Ce qui m'est nuisible est nuisible en soi.» Il a conscience que c'est lui qui confère de l'honneur aux choses, c'est lui qui crée les valeurs[38].

Les valeurs n'existent pas en soi. Ce sont les hommes qui les inventent en proclamant que ceci est bien ou que cela est beau. Selon Nietzsche, la vie constitue le seul critère de mesure des valeurs. Les valeurs qui vont contre la vie, qui l'empêchent de se manifester ou qui la freinent sont à rejeter. Les valeurs qui affirment la vie et qui la font se développer sont à préconiser.

Le surhumain symbolise justement le grand génie solitaire qui possède le pouvoir de créer et d'exalter la beauté qui stimule la volonté de vivre. Mais plus que cela, c'est l'art qui, à travers lui, est reconnu par Nietzsche comme la valeur suprême, puisque c'est dans la création artistique que l'on peut le plus et le mieux aller au-delà de soi:

> Dans cet état, l'on enrichit tout de sa propre plénitude, tout ce que l'on voit, tout ce que l'on veut, on le voit gonflé, tendu, fort, plein à craquer de force. L'homme qui connaît cet état transfigure les choses jusqu'à ce qu'elles lui renvoient l'image de sa puissance — jusqu'à ce qu'elles ne soient plus que des reflets de sa perfection. Ce qui l'oblige à tout transfigurer, à tout rendre parfait, c'est l'art. Même tout ce qui n'est pas devient, malgré tout, pour l'homme une occasion de jouir de son être: dans l'art, l'homme tire jouissance de se voir parfait[39].

---

36. Friedrich Nietzsche, *Par-delà le bien et le mal*, p. 150.
37. Friedrich Nietzsche, *Ainsi parlait Zarathoustra*, p. 227.
38. Friedrich Nietzsche, *Par-delà le bien et le mal*, p. 211.
39. Friedrich Nietzsche, *Le crépuscule des idoles*, p. 92-93.

L'art est le «grand stimulant de la vie»; il pousse le créateur à se surmonter lui-même, à plonger à l'intérieur de son propre chaos pour en faire sugir une explosion de réalités nouvelles, autres, magnifiées. En fait, nous assistons par l'intermédiaire du surhumain à la glorification de l'artiste par Nietzsche. Mieux que n'importe qui, l'artiste chante l'ivresse de la vie à travers sa création. Il exprime les sentiments, les instincts et les impulsions cachés au plus profond de son être; il plonge au cœur des forces primitives de la vie où aucune voie n'est tracée à l'avance, où il n'y a ni loi ni maître, que sa propre volonté de créer. À titre d'exemple, pensons au peintre français PAUL GAUGUIN (1848-1903), qui, en 1883, quitte son emploi d'agent de change. Ne pouvant plus supporter de n'être qu'un peintre du dimanche, il abandonne

> En 1887, Gauguin rompt définitivement avec l'impressionnisme pour créer son propre esthétisme pictural, qui cherche à rejoindre les sources primitives de l'art.

femme et enfants pour se consacrer exclusivement à son œuvre. Une nécessité s'impose à lui: devenir Gauguin. Animé d'une vigoureuse volonté, il affronte mille sacrifices et souffrances pour aller au bout de lui-même et de son art. Parlant de sa vie, Gauguin dit qu'il a voulu établir le droit de tout oser.

AUTOPORTRAIT AU CHAPEAU, DE GAUGUIN, 1893.

LE PROJET DE LA DÉMESURE ASSUMÉE

Après ce que nous venons de voir, la conception nietzschéenne de l'être humain peut être interprétée comme une invitation à s'inscrire dans un projet de vie dangereux, où l'on choisit les sentiers difficiles et abrupts sur lesquels peu de gens osent s'aventurer. Par son projet de la démesure assumée, Nietzsche nous invite à toujours côtoyer le risque et de le susciter sans cesse. Il nous demande d'aimer la vie difficile et dangereuse, car elle permet le dépassement de soi. «J'aime ceux qui ne savent vivre qu'en sombrant, car ils passent au-delà[40].» Et Nietzsche ajoute:

> L'homme est une corde tendue entre la bête et le surhomme, une corde au-dessus d'un abîme. Danger de le franchir, danger de rester en route, danger de regarder en arrière — frisson et arrêt dangereux[41].

La vision tragique

Le point de départ d'un tel projet est la *vision tragique* de l'existence que Nietzsche emprunte aux Grecs présocratiques (Eschyle et Sophocle, entre autres), qui proposaient le portrait d'un homme ayant le courage d'assumer le destin implacable et le tragique de la vie avec ses contradictions et ses douleurs. La vision tragique, c'est en quelque sorte une plongée volontaire dans le non-sens, dans l'absurde où il n'y a aucun but, aucune fin. Or, en face du non-sens (donc, de l'absence de valeur), les gens éprouvent généralement un déchirement, une douleur, un vide qui les insécurisent. Le tragique nietzschéen,

40. Friedrich Nietzsche, *Ainsi parlait Zarathoustra*, p. 21.

41. *Ibid.*, p. 20.

quant à lui, ne ressent ni tristesse, ni crainte, ni pessimisme. Il connaît même un énorme bonheur devant le non-sens de la vie, parce qu'il a alors la pleine responsabilité de vivre intensément cette existence terrestre. D'autant plus qu'il est désormais «dépositaire de cet ultime secret: "Rien n'est vrai, tout est permis..."[42]»

À l'instar du tragique grec, le projet de démesure auquel nous convie Nietzsche se veut l'affirmation joyeuse de la vie. Son culte est celui de Dionysos, dieu grec du vin et du délire extatique qui personnifie l'affirmation des instincts, du rire et de la fête. Nietzsche restaure les grandes émotions tragiques; il dit oui à l'intensification de la vie, il affirme la liberté sans limite, celle des enfants, des rêves, de la folie où il est permis de «perdre pied pour une fois! Planer! Errer! Être fou[43]!».

Et cela sera possible si nous osons plonger dans l'imprévisible, dans l'inattendu, dans «l'innocence du devenir»; si nous embrassons pleinement le hasard au lieu de l'éviter ou de le contredire. Il faut avoir foi en chaque instant de la vie auquel on s'ouvre sans prudence, car dans l'instant senti comme nécessaire et vécu pleinement, l'être humain découvre la force d'appréhender les autres instants à venir avec la même intensité. Chemin faisant, il s'ouvre à la volonté de puissance, qui commande de ne pas laisser pourrir au fond de soi les désirs, les potentialités et les talents, mais de les actualiser avec vigueur et passion. Nietzsche dénonce la faiblesse humaine, qui exige «quelque chose de sûr». Il nous demande de vivre en dehors des limites fixées d'avance, de nous abandonner à la passion et à l'irrationnel car la DÉMESURE est la route qui conduit au surhumain.

> Nietzsche appelle à une rupture d'équilibre où nous prenons le risque d'assumer notre propre démesure en faisant sortir la folie qui est en nous et qui porte au dépassement de soi.

NIETZSCHE AUJOURD'HUI

Au-delà d'une philosophie profondément individualiste de l'être humain, à quoi peut bien correspondre aujourd'hui ce vibrant appel à la démesure et au dépassement de soi que nous lance Nietzsche?

Une remise en question de soi

De nos jours, l'individu vivant dans un pays industrialisé occidental est tellement aux prises avec des conditionnements et des contrôles sociaux qu'il s'en trouve dépersonnalisé. Le même moule pour tous; tous dans le même moule! L'«individu moyen» possède une conscience satisfaite et obscurcie par les «bienfaits» de la société de consommation. Dès lors, la conception nietzschéenne de l'être humain nous exhorte à ne jamais nous contenter de notre petit confort, de nos petites joies, de nos petits mensonges, bref, de notre bonheur standardisé. Cette philosophie nous met en garde contre la facilité et contre nous-mêmes. Et, ce faisant, Nietzsche pose le problème le plus brûlant pour nous, hommes et femmes modernes, menacés par un optimisme ouaté et un confort bourgeois qui rendent impossibles la croissance et le dépassement de soi: comment être créateurs de nos propres valeurs quand règne, dans la civilisation que nous habitons, la loi du moindre effort et du contentement, quand tout nous incite à nous asseoir sur nos acquis, au lieu de travailler à nous développer, à accroître nos potentialités?

---

42. Friedrich Nietzsche, *La généalogie de la morale*, p. 228.
43. Friedrich Nietzsche, *Le gai savoir*, p. 122.

La conception nietzschéenne de l'être humain appelle à une remise en question de notre condition et de notre situation pour que nous devenions des êtres uniques. «L'individu ose à présent être individuel et se distinguer de la généralité[44].» En somme, Nietzsche nous invite à vivre dans la tempête, balayés par le vent du large, ébranlés par un incessant questionnement venu de nos propres profondeurs.

Un renforcement de l'individualisme contemporain

Cette invitation possède cependant une facette moins reluisante. Il faut admettre que Nietzsche propose une philosophie de l'homme farouchement individualiste qui peut renforcer l'individualisme contemporain tant valorisé en cette fin du XXe siècle. Ce dernier proclame l'affirmation, la liberté et la souveraineté de l'individu dans un univers entièrement désacralisé. Cet individualisme, fruit de maintes luttes et pierre angulaire de notre actuelle civilisation, ne s'est-il pas enfermé dans ce qu'Alexis de Tocqueville nommait les «petits et vulgaires plaisirs[45]»? Quels idéaux animent aujourd'hui la vie des humains? Attentifs à leur seule personne, éprouvant un souci de soi démesuré, les individus que nous sommes devenus s'enferment désormais dans le monde du quant-à-soi et de l'hédonisme tous azimuts. En conséquence, nous pourrions décrire notre rapport à nous-mêmes et à autrui comme étant profondément narcissique.

Un sondage CROP réalisé en 1993 révélait que soixante-dix millions de dollars étaient dépensés annuellement au Québec en développement personnel.

L'Occident, en effet, donne naissance à des NARCISSES, qui, tombant amoureux de leur propre image, deviennent incapables d'aimer autrui. Leurs principales préoccupations consistent à bichonner leur corps et à atteindre la paix de l'esprit. Ils s'adonnent donc exclusivement à des PRATIQUES (*jogging, body building,* méditation transcendantale, thérapies de croissance personnelle, etc.) visant l'amélioration de leurs potentialités privées. Ils font le choix de se développer seuls plutôt que de prendre le risque de se limiter ou de se perdre dans les autres. Ils se veulent un «je» autosuffisant donné au regard de l'autre, mais un autre non engageant, un autre gardé à distance. Au lieu de s'investir dans la relation à autrui, les Narcisses d'aujourd'hui misent avant tout sur eux-mêmes. Ils pensent que ce repli sur soi est une protection efficace contre l'éventuel envahissement de l'autre dans leur vie. Cet individualisme narcissique contemporain a été décrié par plusieurs (D. Bell, C. Lasch et G. Lipovetsky, entre autres) comme correspondant à un repliement sur soi qui conduit inévitablement à une inconscience des enjeux et des grandes problématiques de notre monde. C'est comme si, étant exclusivement préoccupé de soi, l'individu entretenait un rapport au monde où il ne puise que ce qui peut alimenter son propre moi.

LES NARCISSES S'ADONNENT EXCLUSIVEMENT À DES PRATIQUES VISANT L'AMÉLIORATION DE LEURS POTENTIALITÉS PRIVÉES.

---

44. Friedrich Nietzsche, *Par-delà le bien et le mal*, p. 217.

45. Alexis de Tocqueville, *De la démocratie en Amérique*, vol. 2, Paris, Gallimard, coll. «Folio/Histoire», 1991, p. 385.

Un autre auteur, Charles Taylor, voit derrière cet individualisme actuel, malgré les formes d'expression controversées qu'il peut prendre, un idéal moral de quête de «véracité à soi-même[46]». Taylor utilise le concept d'«authenticité» pour décrire cet idéal auquel correspond la «recherche de l'épanouissement de soi». Il ne se fait pas pour autant le défenseur de la «culture de l'authenticité», qui «veut qu'une société libérale reste neutre sur les questions qui concernent la nature d'une bonne vie». La poursuite de l'authenticité personnelle est toutefois considérée par Taylor comme un idéal moral qui, bien que s'étant dégradé, «reste extrêmement valable et capable de redresser notre conduite».

Nietzsche aurait sûrement apprécié cette «recherche de l'épanouissement de soi», ce besoin de «véracité à soi-même», cette «poursuite d'authenticité» qui caractériseraient l'individualisme contemporain. Pour autant que cette quête se fasse sous l'angle des instincts, des appétits et des passions énergiques qui permettent l'affirmation, le dépassement de soi et de la vie que l'on porte en soi.

Tout au long de ce chapitre, nous avons vu que Nietzsche a prôné le règne de la vie libérée de toute entrave et affranchie des idoles condamnant son éclosion et sa vigueur. Cet appel nietzschéen à la vie instinctuelle démasquée, mise à nue, n'annonçait-il pas déjà Freud, qui, au début du XXe siècle, propose une analyse des profondeurs de l'âme humaine?

---

46. Charles Taylor, *Grandeur et misère de la modernité*, Montréal, Bellarmin, coll. «L'Essentiel», 1993, p. 28-38.

RÉSUMÉ DE L'EXPOSÉ

Nietzsche : le maître du « deviens qui tu es »

Philosophe solitaire, tourmenté et souffrant, Nietzsche propose une œuvre exubérante et provocante qui fracasse les dieux, les idoles afin que l'individu devienne ce qu'il est.

Nietzsche et le nihilisme européen de la fin du xixe siècle

1. Le nihilisme passif

La fin du XIXe siècle souffre d'un nihilisme passif où les valeurs qui orientaient traditionnellement la vie des hommes sont désormais dépréciées. Cela a amené une perte du sens, le relativisme et le pessimisme.

2. Le nihilisme actif

Symptôme de la décadence de la civilisation européenne, cette attitude doit être dépassée, selon Nietzsche, par un nihilisme actif ou extatique, qui détruit volontairement les anciennes tables de valeurs afin d'édifier une culture nouvelle. Ce qui doit être particulièrement renversé, c'est la croyance que la raison, la vérité, le bien ou Dieu doivent guider la vie des hommes.

Le dépassement de soi dans l'affirmation de ses instincts, de ses désirs et de ses passions

1. L'homme du ressentiment

Renoncer au corps, aux sens et aux passions, et dénigrer tout ce qui est fort, c'est être un *homme du ressentiment* qui éprouve de l'amertume face à la vie et qui n'a pas la force d'assumer l'existence terrestre.

2. L'homme du corps

Au contraire, Nietzsche défend le « sens de la terre » que permet le corps. Il se fait l'apôtre du corps, qui définit essentiellement l'être humain.

3. La mort de Dieu

Se dépasser soi-même par l'affirmation de ses instincts, de ses désirs et de ses passions demande de ne plus croire en Dieu parce qu'Il est à l'origine d'une morale d'esclaves fondée sur de petites valeurs qui font appel à l'esprit de troupeau et qui commandent de se soumettre à des dogmes et à des règles qui nient la vie.

La volonté de puissance

1. La volonté de puissance, c'est la puissance de la volonté qu'on exerce pour se posséder et se surpasser soi-même. À cette fin, il faut être égoïste, c'est-à-dire s'affirmer pleinement en ne pensant qu'à soi.

2. Concrètement, l'actualisation de la volonté de puissance implique :

   a) le rejet des « tu dois », qui vont « contre les instincts de la vie » et qui limitent la liberté individuelle ;

   b) la création de ses propres valeurs sans chercher l'approbation des autres.

Le surhumain

Le surhumain représente le modèle, l'état idéal auquel doit tendre le genre humain.

1. Le surhumain est l'affirmation de l'individualité

Il est un être unique qui affirme sa différence. Ce faisant, il s'oppose à l'homme du commun, c'est-à-dire à l'être faible passif qui fait partie du troupeau.

2. Le surhumain est un hymne à la vie

Il vit pleinement sa vie en affirmant ses pulsions et ses passions.

3. Le surhumain et l'éternel retour

Ce que le surhumain vit maintenant est porteur de sens à un tel point qu'il pourrait le revivre éternellement. L'éternel retour place le surhumain devant l'exigence du dépassement de soi dans l'instant.

4. Le surhumain est amoral

Il agit par-delà la morale établie: la morale chrétienne, qui prêche le renoncement et le sacrifice; la morale ascétique, qui enseigne la privation, la mortification, le mépris du corps; la morale démocratique, qui prône l'égalité.

5. Le surhumain est élitiste

Il croit qu'une hiérarchie «naturelle» existe entre les êtres humains. Il y a ceux qui possèdent une *âme aristocratique*, qui ont de l'envergure, qui connaissent leur valeur et ont foi en eux-mêmes. Et il y a l'*homme du commun*, méfiant, pessimiste, qui valorise le relâchement et la petitesse.

6. Le surhumain est dur

Il est exigeant envers lui-même et envers les autres. Il s'oppose à la mollesse et à la pitié, la dureté lui permettant de se dépasser.

7. Le surhumain est maître de soi et créateur

Il détermine lui-même ses valeurs. Comme l'artiste, il ose plonger à l'intérieur de lui-même pour faire naître une nouvelle manière de voir et de faire.

Le projet de la démesure assumée

La conception nietzschéenne de l'être humain correspond à un projet de vie dangereux fondé sur une vision tragique de l'existence.

La vision tragique

Elle consiste en une plongée volontaire dans le non-sens, dans l'absurde. Il faut côtoyer le risque, affirmer joyeusement la vie, vivre en dehors des limites fixées d'avance et se mettre en rupture d'équilibre de façon à assumer sa propre démesure qui est une source de dépassement de soi.

Nietzsche aujourd'hui

1. Une remise en question de soi

La philosophie nietzschéenne de l'homme nous met en garde contre notre bonheur standardisé fait de petits conforts. Elle appelle à une remise en question de notre conscience satisfaite et obscurcie par les «bienfaits» de la société de consommation.

2. Un renforcement de l'individualisme contemporain

Farouchement individualiste, cette philosophie de l'homme peut renforcer les deux formes actuelles d'individualisme: l'individualisme narcissique, soit le repli dans le quant-à-soi et l'hédonisme tous azimuts, et la recherche de l'authenticité et de l'épanouissement de soi.

L'essentiel

Nietzsche propose un **nihilisme actif** renversant la croyance que la raison, la vérité, le bien ou Dieu doivent guider la vie des hommes. À la place, Nietzsche défend le **dépassement de soi dans l'affirmation des instincts, des désirs et des passions**. De sorte que c'est le **corps** qui définit essentiellement l'être humain. Le corps s'exprime en une volonté de puissance. La **volonté de puissance** est la volonté de **possession de soi** et de **surpassement de soi**. Elle s'exprime par le **rejet des « tu dois »** et la **création de valeurs nouvelles**. La volonté de puissance trouve son achèvement dans le **surhumain**, qui représente le modèle idéal de l'humanité. Il est une pure **affirmation de l'individualité**. Il est un **hymne à la vie**. Il s'inscrit dans l'**éternel retour**, puisque l'instant peut se revivre éternellement. Il est **amoral** en agissant par-delà la morale établie. Il est **élitiste** en croyant à l'existence d'êtres exceptionnels. Il est **dur**, c'est-à-dire exigeant envers lui-même et autrui. Comme l'artiste, il est **maître de soi et créateur** en déterminant ses propres valeurs.

En somme, la conception nietzschéenne de l'homme correspond à un **projet de vie dangereux** fondé sur une **vision tragique** de l'existence où nous osons assumer notre propre **démesure** qui est une source de **dépassement de soi**.

Réseau de concepts

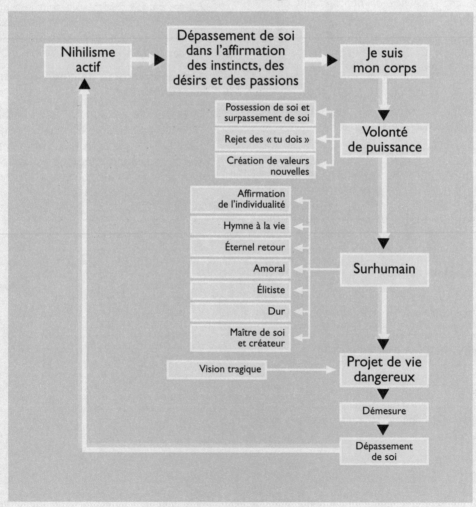

ACTIVITÉS D'APPRENTISSAGE

A

Analyse et critique de texte

■

Objectifs spécifiques

L'élève doit être capable :

- de démontrer sa compréhension d'un texte de Nietzsche en illustrant par une citation appropriée la thèse qui y est défendue;

- de transposer dans ses propres mots le contenu partiel de ce texte philosophique;

- d'évaluer le contenu, c'est-à-dire d'exprimer son accord ou son désaccord (et en donner les raisons) sur quelques interprétations de l'être humain avancées par Nietzsche dans ce texte.

■

TEXTE DE NIETZSCHE

AINSI PARLAIT ZARATHOUSTRA[47]
De l'homme supérieur

1

Lorsque je vins pour la première fois parmi les hommes, je fis la folie du solitaire, la grande folie : je me mis sur la place publique.

Et comme je parlais à tous, je ne parlais à personne. Mais le soir, des danseurs de corde et des cadavres furent mes compagnons ; et moi-même j'étais presque un cadavre. Mais, avec le matin, une vérité m'apparut : alors j'appris à dire : « Que m'importent la place publique et la populace, le vacarme de la populace et les longues oreilles de la populace ! »

Hommes supérieurs, apprenez de moi ceci : sur la place publique personne ne croit aux hommes supérieurs. Si vous voulez parler sur la place publique, soit ! Mais la populace clignera de l'œil : « Nous sommes tous égaux. »

« Hommes supérieurs ? — ainsi parle la populace en clignant de l'œil, — il n'y a pas d'hommes supérieurs, nous sommes tous égaux, un Homme vaut l'autre, devant Dieu nous sommes tous égaux ! »

Devant Dieu ! Voici que ce Dieu est mort. Mais devant la populace nous ne voulons pas être égaux. Hommes supérieurs, éloignez-vous de la place publique !

2

Devant Dieu ! — Voici que ce Dieu est mort. Hommes supérieurs, ce Dieu a été votre plus grand danger.

Vous n'êtes ressuscités que depuis qu'il gît dans la tombe. C'est maintenant seulement que vient le grand midi, à présent l'homme supérieur devient maître !

Avez-vous compris cette parole, ô mes frères ? Vous êtes effrayés : votre cœur est-il pris de vertige ? L'abîme bâille-t-il ici à vos yeux ? Le chien de l'enfer aboie-t-il à vos trousses ?

Allons ! Hommes supérieurs ! Maintenant seulement la montagne de l'avenir humain va enfanter. Dieu est mort : maintenant nous voulons que le Surhomme vive.

3

Les plus soucieux demandent aujourd'hui : « Comment conserver l'homme ? » Mais Zarathoustra demande, ce qu'il est le seul et le premier à demander : « Comment l'homme sera-t-il surmonté ? »

Le Surhomme me tient au cœur, c'est lui qui est pour moi la chose unique, — et non point l'homme : non pas le prochain, non pas le plus misérable, non pas le plus affligé, non pas le meilleur.

Ô mes frères, ce que je puis aimer en l'homme, c'est qu'il soit une transition et un déclin. Et, en vous aussi, il y a beaucoup de choses qui me font aimer et espérer.

---

47. Rappelons que, dans *Ainsi parlait Zarathoustra*, Nietzsche est Zarathoustra.

Vous avez méprisé, ô hommes supérieurs, c'est là ce qui me fait espérer. Car les grands méprisants sont aussi les grands adorateurs.

Vous avez désespéré, c'est ce qu'il faut honorer en vous. Vous n'avez pas appris comment vous pourriez vous rendre, vous n'avez pas appris les petites prudences.

Aujourd'hui, les petites gens sont devenus les maîtres, ils prêchent tous la résignation, et la modestie et la prudence, et l'application, et les égards et la longue énumération des petites vertus.

Ce qui relève de la femme ou du valet, et surtout le mélange populacier : c'est là ce qui veut à présent devenir maître de toutes les destinées humaines — ô dégoût ! dégoût ! dégoût !

Cela demande et redemande, et ne se lasse pas de demander : « Comment conserver l'homme le mieux, le plus longtemps, le plus agréablement ? » C'est ainsi qu'ils sont les maîtres d'aujourd'hui.

Ces maîtres d'aujourd'hui, surmontez-les-moi, ô mes frères, — ces petites gens : c'est eux qui sont le plus grand danger pour le Surhomme.

Surmontez-moi, hommes supérieurs, les petites vertus, les petites prudences, les égards pour les grains de sable, le fourmillement des fourmis, le misérable contentement de soi, « le bonheur du plus grand nombre ! »

Et désespérez plutôt que de vous rendre. Et, en vérité, je vous aime, parce que vous ne savez pas vivre aujourd'hui, ô hommes supérieurs ! Car c'est ainsi que vous vivez le mieux !

Friedrich Nietzsche. *Ainsi parlait Zarathoustra*, trad. Maurice Betz, Paris, Gallimard, coll. « Le Livre de poche classique », 1965, p. 326.

QUESTIONS D'ANALYSE ET DE CRITIQUE

1. *a)* Nietzsche pense-t-il que nous sommes tous égaux en tant qu'êtres humains? Illustrez la réponse que donne Nietzsche à cette question par un passage (une citation) de ce texte.

Commentaire critique

b) Quelle est votre opinion là-dessus? En d'autres mots, croyez-vous que les êtres humains sont égaux ou inégaux entre eux? Vous devez fonder vos jugements, c'est-à-dire apporter deux arguments pour appuyer vos affirmations. *(Minimum suggéré: une demi-page.)*

2. Nietzsche dit que «Dieu a été [le] plus grand danger» pour les hommes supérieurs; que ces derniers ne sont «ressuscités que depuis qu'il [Dieu] gît dans la tombe».

a) Expliquez dans vos propres mots le sens qu'on doit donner à cette affirmation.

Commentaire critique

b) Qu'en pensez-vous personnellement? Êtes-vous pour ou contre cette affirmation? Apportez deux arguments pour appuyer vos affirmations. *(Minimum suggéré: une demi-page.)*

3. *a)* Que dit Nietzsche de la résignation, de la modestie, de la prudence, de l'application et des égards? Plus précisément, comment les dénomme-t-il et à qui les attribue-t-il?

Commentaire critique

b) Et vous, que pensez-vous de la résignation, de la modestie, de la prudence, de l'application et des égards? Reprenez chacun de ces éléments en les définissant d'abord (consultez un dictionnaire) et en les évaluant ensuite (dites ce que vous en pensez et pourquoi). *(Minimum suggéré: une demi-page.)*

LECTURES SUGGÉRÉES

La lecture de l'une des œuvres suivantes est suggérée dans son intégralité ou en extraits importants:

Friedrich Nietzsche. *Le crépuscule des idoles*, trad. Jean-Claude Hemery, Paris, Gallimard, coll. «Idées», 1977, 153 p.

Friedrich Nietzsche. *Par-delà le bien et le mal*, trad. Geneviève Blanqui, Paris, Union Générale d'Éditions, coll. «10-18», 1967, 251 p.

B

Analyse et critique de texte

Objectifs spécifiques

L'élève doit être capable:

- de démontrer sa compréhension d'un texte de Taylor en répondant à des questions précises;

- de comparer la conception taylorienne avec la conception nietzschéenne de l'authenticité personnelle, c'est-à-dire d'examiner les différences entre ces conceptions;

- d'évaluer le contenu, c'est-à-dire d'exprimer son accord ou son désaccord (et en donner les raisons) sur la conception taylorienne et sur la conception nietzschéenne de l'authenticité personnelle.

Né en 1931, Charles Taylor est un philosophe, un historien et un politicologue canadien de réputation internationale. Il enseigne la philosophie à l'Université McGill et à l'Université de Montréal. L'Université d'Oxford, l'Université Berkeley (Californie), l'Université Goethe (Francfort), School of Social Science (Princeton) l'ont accueili comme professeur invité. L'ouvrage *Sources of the self, the Making of modern Identity* (Harvard University Press, 1989), traduit en six langues, a été publié en français sous le titre : *Grandeur et misère de la modernité*. Taylor y présente une réflexion profonde sur l'homme et le monde modernes.

TEXTE DE TAYLOR

L'AUTHENTICITÉ

APOLOGIE
Propos qui se porte à la louange et à la défense d'une thèse ou d'un comportement.

SUBJECTIVISTE
Se dit du principe découlant du subjectivisme qui ramène les jugements de valeur à des assentiments individuels.

RELATIVISME
Doctrine selon laquelle les valeurs — étant relatives aux circonstances sociales et à la vie de chaque individu — ne sont pas universelles.

AGENT
L'individu qui agit.

Dans certaines de ses formes, ce discours[48] [de l'authenticité] tourne à une **apologie** du choix pour lui-même: toutes les options se valent, parce qu'elles se font librement et que le choix leur confère à lui seul une valeur. Le principe **subjectiviste** qui sous-tend le **relativisme** doux est manifestement à l'œuvre ici. Mais du coup se trouve niée l'existence d'un horizon préexistant de signification, grâce auquel certaines choses valent plus que d'autres ou certaines rien du tout, préalablement à tout choix. [...]

Pour l'instant, retenons qu'on ne peut défendre l'authenticité en ignorant les horizons de signification. Même le sentiment que le sens de ma vie tient au choix personnel que j'ai fait — c'est le cas lorsque l'authenticité se fonde sur la liberté autodéterminée — dépend de ma prise de conscience qu'il existe *indépendamment de ma volonté* quelque chose de noble et de courageux, et donc de significatif dans le fait de donner forme à ma propre vie. Deux représentations de la vie humaine s'opposent ici: d'une part, le courage de celui qui se crée, d'autre part, le laisser-aller de celui qui cède aux facilités du conformisme. Nul n'invente cette opposition: on la découvre, et on perçoit aussitôt sa vérité. L'horizon est donné. [...]

Il importe certes de choisir ma vie, comme le soutient John Stuart Mill dans *On Liberty*[49], mais à moins que certaines options ne soient plus significatives que d'autres, l'idée même de choix personnel sombre dans la futilité et donc dans l'incohérence. L'idéal du libre choix ne fait sens que si certains *critères* valent plus que d'autres. Je ne peux pas prétendre avoir choisi ma vie et déployer tout un vocabulaire nietzschéen seulement parce que j'ai pris un bifteck-frites plutôt que de la poutine au déjeuner. Ce n'est pas moi qui détermine quelles questions comptent. Si c'était vrai, aucune alors n'importerait et l'idée même du libre choix en tant qu'*idéal moral* perdrait toute consistance.

L'idéal du libre choix suppose donc qu'il y ait d'*autres* critères de sens au-delà du simple fait de choisir. Cet idéal ne vaut pas par lui-même: il exige un horizon de critères importants, qui aident à définir dans quelle mesure l'autodétermination est signifiante. À la suite de Nietzsche, je serais vraiment un grand philosophe si je parvenais à redéfinir le système des valeurs. Mais il faudrait pour cela redéfinir des valeurs qui se rapportent aux questions importantes, et non pas le menu de chez McDonald's ou la mode de l'année prochaine.

L'**agent** qui cherche le sens de sa vie, qui essaie de se définir de façon significative, doit se situer par rapport à un horizon de questions essentielles. C'est ce qu'il y a d'autodestructeur dans les formes de la culture contemporaine qui se referment sur l'épanouissement de soi en s'opposant aux exigences de la société ou de la nature, et qui tournent le dos à l'histoire et aux exigences

---

48. Le discours dont il est question est celui de «l'acceptation moderne de l'authenticité en tant que différence, originalité, reconnaissance de la diversité».

49. «Il suffit d'avoir une dose suffisante de sens commun et d'expérience pour tracer le plan de vie le meilleur, non pas parce qu'il est le meilleur en soi, mais parce qu'il est personnel.» (John Stuart Mill, *De la liberté*, trad. Laurence Lenglet, à partir de la traduction de Dupond White, Paris, Gallimard, collection «Folio/Essai», 1990, p. 165.

TRANSCENDER
Se situer au-delà de, dépasser en étant supérieur.

de la solidarité. Ces formes égocentriques et «narcissiques» sont, en effet, bien superficielles et futiles; elles «aplatissent et rétrécissent» la vie, comme l'écrit Bloom[50]. Mais ce n'est pas parce qu'elles appartiennent à la culture de l'authenticité. C'est plutôt parce qu'elles esquivent ses exigences. Tourner le dos à tout ce qui **transcende** le moi, c'est justement supprimer les conditions de significations et courtiser du coup la futilité. Dans la mesure où les gens aspirent à un idéal moral, cet enfermement en soi est une contradiction dans les termes; il détruit les conditions dans lesquelles cet idéal peut se réaliser.

En d'autres termes, je ne peux définir mon identité qu'en me situant par rapport à des questions qui comptent. Éliminer l'histoire, la nature, la société, les exigences de la solidarité, tout sauf ce que je trouve en moi, revient à éliminer tout ce qui pourrait compter. Je pourrai me définir une identité qui ne sera pas futile seulement si j'existe dans un monde dans lequel l'histoire, les exigences de la nature, les besoins de mes frères humains ou mes devoirs de citoyen, l'appel de Dieu, ou toute autre question de cet ordre-là, existent vraiment. L'authenticité ne s'oppose pas aux exigences qui transcendent le moi: elle les appelle.

Charles Taylor. *Grandeur et misère de la modernité*,
trad. Charlotte Melançon, Montréal, Bellarmin, 1992, p. 54-58.

---

50. Il s'agit d'Allan Bloom et de son ouvrage *L'âme désarmée. Essai sur le déclin de la culture générale*, trad. Paul Alexandre, Paris et Montréal, Julliard et Guérin Littérature, 1987.

QUESTIONS D'ANALYSE ET DE CRITIQUE

1. *a)* Selon Taylor, à quelle condition peut-on défendre l'authenticité personnelle?

b) Selon Taylor, à partir de quelles exigences peut se construire une identité authentique?

2. Dans quelle mesure la conception qu'a Taylor de l'authenticité personnelle s'oppose-t-elle à celle mise en avant par Nietzsche?

Commentaire critique

3. Quelle est votre opinion là-dessus? Partagez-vous la position de Taylor ou celle de Nietzsche? Vous devez fonder vos jugements, c'est-à-dire apporter au moins deux arguments pour appuyer vos affirmations. *(Minimum suggéré: une page.)*

Exercice comparatif: Nietzsche et Descartes

Objectif spécifique

L'élève doit être capable de procéder à une comparaison entre deux conceptions modernes de l'être humain à propos d'un même thème.

Contexte de réalisation

Individuellement, dans un texte d'environ 350 mots (une page et demie), examinez les rapports de ressemblance et de différence entre la conception cartésienne et la conception nietzschéenne de l'être humain à propos du thème du corps.

Étapes suggérées

1. *a)* Caractérisez la conception cartésienne de l'être humain au regard du thème du corps. Par exemple, demandez-vous dans quelle mesure le corps est, pour Descartes, une source d'erreurs dont il faut se méfier et comment se situe l'esprit par rapport au corps.

    b) Caractérisez la conception nietzschéenne de l'être humain au regard du thème du corps. Par exemple, demandez-vous en quoi et comment le corps est, pour Nietzsche, l'instrument de la vie et l'esprit, un «symptôme» du corps.

2. *a)* S'il y a lieu, précisez les similitudes entre la conception cartésienne et la conception nietzschéenne de l'être humain à propos du thème du corps.

    b) S'il y a lieu, dégagez les oppositions entre la conception cartésienne et la conception nietzschéenne de l'être humain à propos du thème du corps.

L'homme
comme être régi par l'inconscient

FREUD
OU LA
PSYCHANALYSE

> L'INCONSCIENT EST LE PSYCHIQUE LUI-MÊME ET SON ESSENTIELLE RÉALITÉ. SA NATURE INTIME NOUS EST AUSSI INCONNUE QUE LA RÉALITÉ DU MONDE EXTÉRIEUR, ET LA CONSCIENCE NOUS RENSEIGNE SUR LUI D'UNE MANIÈRE AUSSI INCOMPLÈTE QUE NOS ORGANES DES SENS SUR LE MONDE EXTÉRIEUR.
>
> Sigmund Freud, *L'interprétation des rêves*, p. 520.

BIOGRAPHIE DE FREUD

Sigmund Freud naît le 6 mai 1856, à Freiberg, en Moravie (aujourd'hui la République tchèque). Son père, Jakob Freud, a quarante et un ans et sa mère, Amalie Nathanson, est âgée de vingt et un ans. La famille Freud est juive, de langue et de culture allemandes. En 1859, la crise économique ruine le commerce du père de Sigmund, négociant en laines. Fuyant l'antisémitisme, ce dernier installe alors sa famille à Vienne, en Autriche; Freud y passe la majeure partie de sa vie.

En 1873, Freud commence des études de médecine à l'Université de Vienne. C'est en 1876 qu'il entre au laboratoire de physiologie de Ernst Wilhelm von Brücke (1819-1892). Il y entreprend ses premières recherches: elles portent sur les glandes sexuelles des anguilles. À cette époque, Freud se consacre exclusivement à des travaux de recherche en laboratoire. Il s'intéresse surtout à la neurophysiologie, c'est-à-dire à l'étude du cerveau et du système nerveux. Freud publie, en 1877, un rapport de recherche sur le système nerveux central d'une larve de lamproie. En 1880, il traduit quatre ouvrages du philosophe et économiste anglais John Stuart Mill (1806-1873): *Sur la question ouvrière*, *De l'assujettissement des femmes*, *Le socialisme* et *Platon*.

FREUD, ÂGÉ DE 18 ANS, EST ACCOMPAGNÉ ICI DE SA MÈRE AMALIE.

HYSTÉRIE

«Classe de névroses présentant des tableaux cliniques très variés. Les deux formes symptomatiques les mieux isolées sont l'hystérie de conversion, où le conflit psychique vient se symboliser dans les symptômes corporels les plus divers, paroxystiques (exemple: crise émotionnelle avec théâtralisme) ou plus durables (exemple: anesthésies, paralysies hystériques, sensation de «boule» pharyngienne, etc.), et l'hystérie d'angoisse, où l'angoisse est fixée de façon plus ou moins stable à tel ou tel objet extérieur (phobies).» (Jean Laplanche et J.-B. Pontalis, *Vocabulaire de la psychanalyse*, Paris, PUF, 1981, p. 177-178.)

Freud obtient son diplôme de médecine le 31 mars 1881. Mais il veut être un savant, pas un médecin. Or, à cette époque, faire des recherches médicales ne constitue pas un métier assurant une sécurité financière. Et considérant les conditions modestes de sa famille, Freud est obligé d'embrasser la carrière médicale. De 1882 à 1885, il complète sa formation clinique à l'Hopital général de Vienne, se spécialisant en neuropathologie. Par la suite, appuyé par Brücke, il obtient une bourse qui lui permet d'étudier à Paris, à la Salpêtrière, avec Jean-Martin Charcot (1825-1893), neurologue alors mondialement connu qui mène des recherches sur l'**hystérie** et l'hypnose.

Au mois d'avril 1882, Freud rencontre Martha Bernays, jeune fille peu fortunée issue d'une famille d'intellectuels juifs. Le 15 juin, Freud lui écrit une lettre d'amour. Deux jours plus tard, ils se fiancent. Leurs fiançailles durent plus de quatre ans, dont trois années où ils sont séparés. Pendant cette période, Freud écrit à Martha plus de neuf cents lettres. Enfin, ils se marient le 13 septembre 1886.

---

1. Dans le cadre limité de ce chapitre, il aurait été peu pertinent d'essayer de présenter la théorie psychanalytique dans son ensemble. Nous nous limiterons donc aux seuls concepts qui esquissent la conception freudienne de l'être humain.

À partir de 1902, tous les mercredis, Freud rassemble quelques confrères dans sa salle d'attente du 19, Berggasse. De ces rencontres naîtra la Société psychanalytique de Vienne.

En 1891, Freud s'établit avec sa femme et leurs trois premiers enfants au 19, Berggasse, à Vienne. Il y ouvre un CABINET et commence à pratiquer comme spécialiste des maladies nerveuses : il rencontre ses premiers patients auxquels on donnait le nom de «nerveux». Au début de sa pratique, il utilise les méthodes de l'électrothérapie et de l'hypnose sous forme de **catharsis.**

CATHARSIS

Mot grec signifiant «purification», «purgation». Procédé expérimenté par le Dr Josef Breuer (1842-1925) qui consistait à extirper du patient mis sous hypnose les secrets (scènes traumatisantes) qui affectaient son comportement afin d'en permettre la reproduction.

Insatisfait des résultats que permettaient ces techniques de traitement des maladies nerveuses, Freud met patiemment en place une nouvelle méthode de psychologie clinique à laquelle il donne le nom de psychanalyse. Proclamant l'importance de l'**inconscient** et de la sexualité chez l'être humain, et ce, dès la naissance, Freud subit pendant les dix premières années de sa vie professionnelle l'incompréhension, voire l'hostilité, des milieux scientifiques officiels. Par ailleurs, c'est toute la société bien-pensante et puritaine de la fin du XIXe siècle qui est choquée par ses thèses audacieuses. Mais à force d'efforts soutenus (Freud est un bourreau de travail) et de luttes acharnées (Freud est ambitieux), il réussit petit à petit à imposer ses vues. Il forme des disciples (Federn, Stekel, etc.). Il écrit de nombreux articles dans des revues spécialisées. Il donne des conférences dans de nombreux congrès en Europe et aux États-Unis. Mais, surtout, il publie plusieurs ouvrages[2] qui transformeront à tout jamais la compréhension qu'on se fait de l'homme.

INCONSCIENT

Ensemble de faits psychiques qui échappent à la conscience.

Mari fidèle, père de six enfants, bourgeois respectable, amateur de cigares, de statuettes antiques et de jardins anglais bien ordonnés, Freud mène une longue et controversée carrière. Ce n'est qu'au début de la cinquantaine qu'il connaît la notoriété. Le Congrès international de Salzbourg, en 1908, marque pour Freud le début de sa renommée internationale. Afin de concrétiser cette renommée, il fonde l'Association internationale de psychanalyse, en 1910. À soixante-dix ans, Freud est l'une des personnalités les plus illustres de son temps. En mai 1933, les nazis brûlent à Berlin les livres décrétés «antiallemands». Les ouvrages de Freud en font partie. Freud consent enfin à quitter Vienne, en juin 1938. Il se réfugie à Londres. Il y meurt le 23 septembre 1939. Freud souffrait d'un cancer de la mâchoire maintes fois opéré, qui l'a fait atrocement souffrir pendant les seize dernières années de sa vie.

LE PROFESSEUR CHARCOT PRÉSENTE DES MALADES À LA SALPÊTRIÈRE. FREUD, ALORS JEUNE NEUROLOGUE, SÉJOURNA À PARIS ENTRE 1885 ET 1886.

---

2. Voici les principales œuvres de Freud dans l'ordre où elles ont été publiées en français : *Introduction à la psychanalyse* (Paris, Payot, 1921, coll. «Petite Bibliothèque Payot», 1971); *Cinq leçons sur la psychanalyse* (Paris, Payot, 1921, coll. «Petite Bibliothèque Payot», 1971); *Trois essais sur la théorie de la sexualité* (Paris, Gallimard, 1922, coll. «Idées», 1962); *Totem et tabou* (Paris, Payot, 1923, coll. «Petite Bibliothèque Payot», 1965); *La science des rêves* (Paris, Éditions Alcan, 1925), nouvelle traduction sous le titre *L'interprétation des rêves* (Paris, PUF, 1967); *Le rêve et son interprétation* (Paris, Gallimard, 1925, coll. «Idées», 1969); *La psychopathologie de la vie quotidienne* (Paris, Payot, 1925, coll. «Petite Bibliothèque Payot», 1971); *Ma vie et la psychanalyse* (Paris, Gallimard, 1928, coll. «Idées», 1968); *L'avenir d'une illusion* (Paris, Denoël et Steele, 1934; réédition, Paris, PUF, 1971); *Malaise dans la civilisation* (Paris, Denoël et Steele, 1934; réédition, Paris, PUF, 1971); *Nouvelles conférences sur la psychanalyse* (Paris, Gallimard, 1936, coll. «Idées», 1971); *Moïse et le monothéisme* (Paris, Gallimard, 1948, coll. «Idées», 1967); *Abrégé de psychanalyse* (Paris, PUF, 1964).

UNE ÉPOQUE RICHE EN DÉCOUVERTES SCIENTIFIQUES

La foi dans le pouvoir de la raison, la quête de la vérité, l'observation, la mesure, l'examen minutieux des faits : tel est le credo **positiviste** qui fait adhérer Freud à la pensée scientifique de son temps.

La deuxième moitié du XIXe siècle est particulièrement riche en recherches dans les domaines des sciences de la vie, des sciences physiques et des sciences humaines. Ces recherches conduisent à des découvertes qui modifient radicalement la vision qu'on se fait de l'homme et du monde. Mentionnons, entre autres, la théorie évolutionniste de Charles Darwin (1809-1882), qui considérait l'être humain comme un animal s'étant transformé et adapté aux influences du milieu. Les découvertes de Darwin ont comme conséquence la possibilité nouvelle d'observer scientifiquement l'être humain de la même manière que n'importe quel organisme vivant. On sort alors de la nature divine de l'être humain pour porter l'étude sur un plan strictement scientifique.

La naissance de la psychologie scientifique avec Gustave Theodor Fechner (1801-1887) démontre que l'esprit humain peut être un objet d'études et d'observations exactes. Les expérimentations de Louis Pasteur (1822-1895) et de Robert Koch (1843-1910) fondent la science bactériologique. Les recherches de Gregor Mendel (1822-1884) créent la génétique. Enfin, les études de Hermann von Helmholtz (1821-1894) établissent le principe de conservation de l'énergie. Ce principe postule que l'énergie peut se transformer, se déplacer, mais ne peut se perdre ou être détruite. Il permet d'entrevoir l'être humain comme un système dynamique d'énergies diverses qui obéissent aux lois physiques et chimiques. Freud accordera une place importante à ce principe quand il découvrira que les lois dynamiques de la conservation de l'énergie peuvent s'appliquer non seulement au corps, mais aussi à l'esprit humain. La seconde topique[3] prendra alors forme.

LA PSYCHANALYSE

Freud fonda la psychanalyse, une nouvelle méthode utilisée pour soigner les **névroses**, telle l'hystérie. Sur le plan thérapeutique, cette « technique de traitement analytique[4] » cherche à déterminer les causes perturbatrices (traumatismes) responsables des troubles mentaux (angoisses, phobies, obsessions, etc.) souvent accompagnés de symptômes physiques graves (paralysie, perte de l'usage d'un sens, saignement, perte de conscience, etc.) alors que le patient est physiologiquement sain. Les processus **psychiques** profonds, responsables des névroses, sont alors investigués afin de libérer l'individu de ses malaises.

> Notre tâche scientifique dans le domaine de la psychologie consistera à traduire les processus inconscients en processus conscients pour combler ainsi les lacunes de notre perception consciente[5].

POSITIVISTE

Se dit de toute tendance de l'esprit, doctrine ou attitude de recherche qui s'en tient uniquement à la connaissance des faits révélés par l'expérience. Le positivisme tire son origine des ouvrages d'Auguste Comte (1798-1857) : *Cours de philosophie positive* (1830-1842), *Discours sur l'esprit positif* (1844), *Catéchisme positiviste* (1852), *Système de politique positive* (1852-1854).

NÉVROSE

« Affection psychogène où les symptômes sont l'expression symbolique d'un conflit psychique trouvant ses racines dans l'histoire infantile du sujet et constituant des compromis entre le désir et la défense. » Exemples : névrose d'angoisse, névrose narcissique ou mélancolique, névrose obsessionnelle. (Jean Laplanche et J.-B. Pontalis, *Vocabulaire de la psychanalyse*, Paris, PUF, 1981, p. 267 et suivantes.)

PSYCHIQUE

Se dit du psychisme ou de la vie psychique, laquelle constitue l'ensemble des faits psychiques, c'est-à-dire tout ce qui concerne la personnalité d'un individu, sa psyché, son « âme ». Ces faits psychiques sont à l'origine de ses attitudes et de ses comportements.

---

3. Voir plus loin dans le chapitre.

4. Sigmund Freud, *Abrégé de psychanalyse*, trad. Anne Berman, Paris, PUF, 1970, p. 14.

5. *Ibid.*, note de bas de page, p. 20.

La psychanalyse Freudienne expérimente deux nouvelles techniques d'introspection en vue d'atteindre l'inconscient. D'abord, Freud utilise la méthode de l'*association libre* (dérivée de la catharsis de Breuer) pour retrouver le souvenir des événements ou des conflits traumatisants à l'origine des symptômes névrotiques, souvenir enfoui dans les profondeurs de l'«âme» du malade. Même s'il ne sait pas ce qui a été rejeté au plus profond de sa psyché, seul le patient peut le découvrir et travailler à le rendre inoffensif en exprimant librement tout ce qui vient à son esprit: mots, idées, pensées, réminiscences, **actes manqués symptomatiques**, etc., «qui subissent déjà l'influence de l'inconscient et sont souvent des rejetons de ce dernier[6]». Avec l'aide de l'analyste, le patient tentera de surmonter ses propres **résistances** afin de reconstituer sa vie psychique inconsciente et de se réapproprier son histoire.

Les résistances empêchant parfois le travail de l'association libre, Freud a dû recourir à une deuxième technique, l'*analyse des rêves*, qui permet d'atteindre l'inconscient par une voie détournée. Cette méthode consiste à dévoiler le contenu réel du rêve, contenu qui se cache sous une forme symbolique et qui représente les conflits inconscients qui perturbent le malade.

Ainsi, les motivations cachées du comportement du malade pourront-elles accéder à la conscience après un long travail conjoint de mise à nu et d'interprétation des causes qui ont perturbé sa personnalité. Le rôle de l'analyste sera de guider le patient pour qu'il ramène à sa conscience ces causes «souterraines» afin d'en permettre l'intégration. La psychanalyse freudienne, nous le voyons, propose un traitement particulier des troubles mentaux (surtout les névroses, telle l'hystérie). Or, Freud postule qu'il est «impossible d'établir scientifiquement une ligne de démarcation entre les états normaux et anormaux[7]». Dans la vie quotidienne, nous accomplissons des actes dits «normaux» (lapsus, oublis, actes manqués, rêves) qui s'expliqueraient selon la même grille d'analyse que les actes dits «pathologiques» (névroses, obsessions, etc.). En conséquence, l'étude des troubles de la personnalité permettrait de se faire une idée du psychisme normal qui fonctionne sur plusieurs plans. La psychanalyse se présente alors comme une théorie psychologique qui décrit et explique les processus psychiques à l'œuvre chez l'être humain.

LA PREMIÈRE TOPIQUE FREUDIENNE: LA THÉORIE DES TROIS QUALITÉS PSYCHIQUES

Avec sa théorie des trois qualités psychiques (l'inconscient, le préconscient et le conscient), appelée la PREMIÈRE TOPIQUE[8], Freud a révolutionné la représentation qu'on se fait de l'être humain. C'est une nouvelle conception de la personnalité qu'il nous propose. L'homme doué de raison que la philosophie classique avait jusqu'alors considéré comme maître de lui-même — parce qu'il est conscient de soi et possède un libre arbitre — est désormais dominé par des pulsions inconscientes. En ce sens, la psychanalyse freudienne apparaît comme un système théorique de compréhension et d'explication de l'homme.

ACTES MANQUÉS SYMPTOMATIQUES
Expression utilisée par Freud pour désigner tous les comportements exécutés machinalement et présentés comme étant le fruit du hasard, mais qui, en fait, expriment des pulsions et des pensées inconscientes (exemples: oublis, lapsus, fait d'égarer un objet).

RÉSISTANCE
«Au cours de la cure psychanalytique, on donne le nom de résistance à tout ce qui, dans les actions et les paroles de l'analysé, s'oppose à l'accès de celui-ci à son insconscient.» (Jean Laplanche et J.-B. Pontalis, *Vocabulaire de la psychanalyse*, Paris, PUF, 1981, p. 420.)

À la fois théorie des catégories et désignation d'un lieu donné, «topique» sert à distinguer des parties du psychisme humain et à s'en faire une représentation spatiale, sans que celle-ci n'ait aucun rapport avec une disposition anatomique réelle.

---

6. *Ibid.*, p. 42.

7. *Ibid.*, p. 71-72.

8. Au chapitre 7 de *L'interprétation des rêves* (1900), Freud présente cette première topique, c'est-à-dire ce premier système de représentation et d'explication du psychisme humain.

Et même si Freud a toujours refusé l'existence d'une philosophie particulière de l'homme à laquelle la psychanalyse aurait donné son expression, il faut reconnaître que l'œuvre freudienne constitue une représentation neuve et originale de l'être humain[9]. En outre, Freud fut l'un des penseurs contemporains qui osèrent le plus s'aventurer dans les profondeurs de l'être.

L'inconscient (Ics)

Dans son livre *La science des rêves*, publié en 1900, Freud défend la thèse que le RÊVE est une «réalisation de désir» qui supprime une exigence ou un besoin. Par exemple, mon organisme éprouve la faim pendant que je dors: je rêve alors que je prends un repas apaisant à merveille cette faim qui me tenaille. Ou encore, supposons qu'à l'état de veille j'aie désiré la femme de mon ami, mais sans que ce désir parvienne à ma conscience. La nuit venue, je rêve que je fais l'amour avec elle ou avec une autre femme qui porte son prénom ou avec une partenaire anonyme. Ce deuxième exemple illustre que les rêves, parfois, expriment symboliquement des tendances ou des désirs inconscients, en général réprimés à l'état de veille, donc contrariés dans leur cours par les exigences de la morale ambiante. C'est par l'étude du rêve que Freud découvre l'importance capitale de l'inconscient dans la vie psychique de l'être humain: une couche profonde du psychisme échappe à notre conscience. Tous les phénomènes psychiques ne sont donc pas conscients, et le rêve constitue la «voie royale» permettant de rejoindre et d'étudier l'inconscient.

> **F**reud distingue dans le rêve un *contenu manifeste*, c'est-à-dire les souvenirs que nous en avons au réveil et que nous pouvons raconter — Freud le qualifie de «façade derrière laquelle se dissimule le fait réel» —, et un contenu latent lourd de significations, qu'il est possible d'interpréter «avec le secours des associations que le rêveur lui-même ajoute aux éléments du contenu manifeste».
> (*Abrégé de psychanalyse*, p. 33.)

Or, au début du XXᵉ siècle, la dimension de l'inconscient était fort mal connue. Certains psychologues et philosophes[10] l'avaient déjà pris en considération, mais le mérite revient à Freud d'avoir précisé son contenu et mis en lumière ses manifestations dynamiques dans le psychisme tout entier. Pour Freud, l'inconscient est la vie psychique elle-même; il en est la matrice et la source. «Bien des gens, écrit Freud, appartenant ou non aux milieux scientifiques, se contentent de croire que le conscient constitue à lui seul tout le psychisme[11]». Au contraire, seule une petite part de l'activité psychique est consciente, selon Freud. La presque totalité en est inconsciente et contient les désirs et les idées inavouables qui conditionnent le comportement. Et c'est justement cette large part d'inconscient, où «les règles de la pensée et de la logique ne jouent pas[12]», qui constitue le psychisme humain.

---

9. Freud avoue lui-même que la psychanalyse est «avant tout un art d'interprétation». Interpréter ne signifie-t-il pas donner une signification à l'être humain, à ses actes et à ses paroles? De plus, il faut dire que la psychanalyse dépasse largement la psychologie descriptive. Freud présente d'ailleurs la psychanalyse comme une «*métapsychologie* [au-delà de la psychologie] lorsque nous réussissons à décrire un processus psychique sous les rapports *dynamique, topique, économique*». (Sigmund Freud, *Métapsychologie*, trad. Jean Laplanche et J.-B. Pontalis, Paris, Gallimard, coll. «Idées», 1968, p. 89.)

10. Mentionnons, entre autres, Gottfried Wilhelm Leibniz (1646-1716), pour qui les *aperceptions* (représentations conscientes) n'occupaient qu'une infime place dans les *forces* qui dirigent l'action humaine; Maine de Biran (1766-1824), qui oppose le moi conscient comme volonté agissante à l'arrière-plan inconscient qui le commande; Arthur Schopenhauer (1788-1860), qui considérait qu'une force universelle et aveugle (la *volonté*) agit en nous et oriente nos comportements; Karl Gustav Carus (1789-1869), qui, pour la première fois, traitait de l'*inconscient* comme d'un principe naturel soit *absolu* ou *relatif* qui gouverne la destinée de toute réalité, y compris la psyché humaine; Friedrich Nietzsche (1844-1900), qui avait déjà décrit l'homme comme un être d'instincts en des termes annonciateurs du discours freudien: «Tous nos motifs conscients, écrivait Nietzsche, sont des phénomènes de surface; derrière eux se déroule la lutte de nos instincts et de nos états: la lutte pour la puissance». (*Œuvres posthumes*, 138.)

11. Sigmund Freud, *Abrégé de psychanalyse*, p. 18.

12. *Ibid.*, p. 32-33.

L'hypothèse de l'inconscient est nécessaire et légitime, et nous possédons de multiples preuves de l'existence de l'inconscient. Elle est nécessaire, parce que les données de la conscience sont extrêmement lacunaires; aussi bien chez l'homme sain que chez le malade, il se produit fréquemment des actes psychiques qui, pour être expliqués, présupposent d'autres actes qui, eux, ne bénéficient pas du témoignage de la conscience. Ces actes ne sont pas seulement les actes manqués et les rêves, chez l'homme sain, et tout ce qu'on appelle symptômes psychiques et phénomènes compulsionnels chez le malade; notre expérience quotidienne la plus personnelle nous met en présence d'idées qui nous viennent sans que nous en connaissions l'origine, et de résultats de pensée dont l'élaboration nous est demeurée cachée. Tous ces actes conscients demeurent incohérents et incompréhensibles si nous nous obstinons à prétendre qu'il faut bien percevoir par la conscience tout ce qui se passe en nous en fait d'actes psychiques[13].

LES PULSIONS   Cette vie psychique inconsciente se déroule en nous et détermine, à notre insu, notre comportement. Elle est constituée d'excitations pulsionnelles. Freud utilise généralement le terme de pulsion afin de jumeler deux types de tendances qui dirigent, selon lui, l'activité de l'être humain: les tendances physiologiques et les tendances psychiques.

Si, en nous plaçant d'un point de vue biologique, nous considérons maintenant la vie psychique, le concept de «pulsion» nous apparaît comme un concept-limite entre le psychisme et le **somatique**, comme le représentant psychique des excitations issues de l'intérieur du corps et parvenant au psychisme, comme une mesure de l'exigence de travail qui est imposée au psychisme en conséquence de sa liaison au corporel[14].

SOMATIQUE
Se dit de tout ce qui est organique et concerne le corps.

En somme, les pulsions correspondent à des *poussées* psychiques qui viennent du corps et dont l'unique *but* est de supprimer «l'état d'excitation à la source de la pulsion» en se satisfaisant à l'aide d'un objet. Selon Freud, il existe deux grands groupes de pulsions qui illustrent la dualité du psychisme humain.

L'être humain est animé par la pulsion de vie: **Éros**. Dans cette catégorie, on trouve les pulsions d'autoconservation biologique (conservation de soi et reproduction de l'espèce) et les pulsions sexuelles. Les pulsions sexuelles sont considérées par Freud comme la principale force motivant l'être humain. Qui plus est, cette force «se manifeste clairement très tôt après la naissance[15]». Cependant, la sexualité est pour Freud une notion large qui désigne beaucoup plus que les activités et le plaisir reliés au fonctionnement de l'appareil génital. Elle englobe toute une série de pratiques et d'excitations qui procurent du plaisir, et ce, dès l'enfance (par exemple sucer son pouce).

ÉROS
Dieu grec de l'amour, fils d'Aphrodite (déesse de l'amour) et d'Arès (dieu de la guerre).

SUCER SON POUCE EST POUR L'ENFANT UNE PRATIQUE PROCURANT UN PLAISIR CERTAIN.

---

13. Sigmund Freud, *Métapsychologie*, trad. Jean Laplanche et J.-B. Pontalis, Paris, Gallimard, coll. «Idées», 1968, p. 66-67.
14. *Ibid.*, p. 18.
15. Sigmund Freud, *Abrégé de psychanalyse*, p. 13.

Éros est en quelque sorte la pulsion d'amour. Éros est amour de soi et de toute personne ou de tout objet duquel il s'éprend. En tant que pulsion de vie, Éros cherche à répandre la vie et à créer des liens. Freud donne le nom de libido à l'énergie par laquelle s'expriment les pulsions de vie. L'énergie de la libido voit à la conservation de soi et de l'espèce.

L'être humain est aussi animé par la pulsion de mort: **Thanatos**. Cette pulsion, aussi appelée «destruction», vise l'anéantissement de tout ce qui vit. Elle veut «briser tous les rapports [...], ramener ce qui vit à l'état inorganique[16]». Les incessantes guerres produites par l'humanité ont incité Freud à traiter de l'existence de cette pulsion. Il y a une force à l'intérieur de l'homme qui le pousse à donner la mort. La manifestation directe de Thanatos conduit à se donner la mort (suicide). Cependant, l'être humain dérive la pulsion de mort par l'agressivité, qui a pour but d'éliminer l'autre plutôt que soi-même. Thanatos ne correspond donc pas à l'agressivité, puisque celle-ci constitue une pulsion dérivative de la pulsion de mort.

Au début de la vie d'un être humain, les deux pulsions fondamentales Éros et Thanatos agissent à l'intérieur du psychisme et se neutralisent l'une l'autre. Au cours du développement, Éros et Thanatos forment un processus dynamique de forces opposées qui se conjuguent pour former la personnalité de l'individu. Ces deux pulsions primordiales devraient normalement être intégrées au niveau de la conscience lors de la petite enfance. Mais, à cause d'un vécu traumatisant (en particulier la crainte de perdre l'amour des parents), ou à cause de circonstances extérieures (règles éducatives strictes), ces pulsions (plus particulièrement leurs **représentations**) peuvent avoir subi la *censure*: elles peuvent avoir été l'objet du refoulement.

LE REFOULEMENT Le refoulement est un **mécanisme de défense** qui repousse dans l'inconscient, en mettant à l'écart et en tenant à distance du conscient — sans la participation volontaire du sujet —, les tendances ou les désirs sexuels et agressifs (et leurs représentations) non acceptés par le milieu familial et social.

Le refoulement est un procédé tout à fait inconscient et automatique. Grâce à celui-ci, un barrage est érigé contre la pulsion menaçante, qui est alors réfrénée sans que la volonté ou la liberté de l'individu y soit pour quelque chose. C'est comme si un interdit était posé et que la représentation d'une pulsion jugée incorrecte était chassée de la conscience et oubliée, bien que continuant à y vivre, à s'y développer et à influencer la conduite de l'individu. Prenons comme exemple l'un des cas thérapeutiques rapportés par Freud lui-même. Il s'agit d'une patiente qui était tombée amoureuse du mari de sa sœur. Cette dernière meurt subitement. Malgré la peine ressentie face à cette mort soudaine, la patiente ne peut s'empêcher de penser que son beau-frère, désormais veuf, pourra enfin l'épouser. Horrifiée par cette idée inconvenable, elle la «refoule» complètement. Mais elle tombe gravement malade. Freud diagnostique une hystérie aux symptômes sévères. La cure psychanalytique permet de faire réapparaître cette «idée révoltante» à la conscience de la patiente afin qu'elle puisse y voir la cause du grave traumatisme enfoui dans son inconscient.

THANATOS
Dieu grec de la mort, fils de la Nuit et frère d'Hypnos.

REPRÉSENTATION
Du latin *repræsentatio*, «action de mettre sous les yeux». Du mot allemand *Vorstellung*, «représentation» signifie «le contenu concret d'un acte de pensée». Freud l'utilise plus particulièrement dans le sens de «traces» de l'objet, de l'événement ou de la pulsion qui vient s'inscrire dans les «systèmes mnésiques (liés aux souvenirs)».

MÉCANISME DE DÉFENSE
Procédés inconscients qui servent à contrôler ou à canaliser les pulsions qui risqueraient de porter atteinte à l'équilibre de la personnalité. Ces procédés (refoulement, projection, formation négative, fixation, régression, sublimation) instaurent un compromis défensif entre le désir et la réalité. Afin de protéger l'individu menacé d'angoisse, ces procédés peuvent déformer ou même refuser la réalité.

---

16. *Ibid.*, p. 8.

Prenons un autre exemple pour illustrer le refoulement. Un jeune manœuvre obtient un nouvel emploi dans une usine. À la première rencontre avec son contremaître, il ressent une antipathie à son endroit. Et plus les semaines passent, plus le rapport entre les deux hommes s'envenime. Le contremaître surveille sans cesse l'employé, le réprimande à la moindre faute. Le jeune manœuvre se met à le détester carrément et à éprouver beaucoup d'agressivité envers lui. Mais, pour ne pas risquer de perdre son emploi, le jeune homme ne riposte pas et ronge son frein. Or, une nuit, il rêve qu'il tue son contremaître à coups de couteau. Au réveil, il ne se rappelle pas le contenu de son rêve, car l'objectif premier du refoulement — comme celui de tout mécanisme de défense, d'ailleurs — est de maintenir hors de la conscience les conflits qu'il résout.

> La psychanalyse nous a appris que l'essence du processus de refoulement ne consiste pas à supprimer, à anéantir une représentation représentant la pulsion, mais à l'empêcher de devenir consciente. Nous dirons alors qu'elle se trouve dans l'état «inconsciente» et nous pouvons fournir des preuves solides de ce que, tout en étant inconsciente, elle peut produire des effets dont certains même atteignent finalement la conscience [...][17].

Le conscient (Cs) et le préconscient (Pcs)

Nous venons de voir qu'un *acte psychique* (une représentation incongrue, déplacée, inacceptable) subit d'abord l'épreuve de la censure; s'il ne réussit pas à franchir cette épreuve, il est alors refoulé dans le système inconscient (Ics). Mais si cet acte psychique franchit cette épreuve, «il entre dans la deuxième phase et appartient désormais au deuxième système que nous décidons d'appeler le système Cs[18]». Le système conscient (Cs) représente tous les phénomènes psychiques immédiatement présents à l'esprit. Situé à la limite du psychisme humain, le conscient n'occupe qu'une infime partie de ce dernier. Grâce à sa relation directe avec le monde extérieur, le conscient est responsable de la perception sensorielle et de la motricité.

> La prise de conscience, écrit Freud, dépend avant tout des perceptions reçues de l'extérieur par nos organes sensoriels. [...] Certes, certains renseignements conscients nous viennent aussi de l'intérieur du corps, les sentiments, qui exercent même sur notre vie psychique une influence bien plus impérieuse que les perceptions externes. Enfin, en diverses circonstances, les organes sensoriels fournissent, en plus de leurs perceptions spécifiques, des sentiments, des sensations douloureuses. Ces impressions, comme nous les appelons pour les distinguer des perceptions conscientes, émanent aussi de nos organes terminaux[19].

Revenons à la représentation incongrue dont nous parlions plus haut. Il se peut que cette dernière, parce qu'elle a été censurée, ne puisse parvenir tout de suite à la conscience, mais qu'elle soit *susceptible de le devenir* sans trop de résistance et dans la mesure où certaines conditions sont remplies. Freud donne le nom de système «préconscient» (Pcs) à cette phase par laquelle un acte psychique a la possibilité de devenir conscient. Le préconscient représente donc les phénomènes psychiques ou affects[20] absents de l'esprit mais qui peuvent être plus ou moins facilement ramenés à la conscience grâce au langage, soit

---

17. Sigmund Freud, *Métapsychologie*, p. 65.

18. *Ibid.*, p. 76.

19. Sigmund Freud, *Abrégé de psychanalyse*, p. 24-25.

20. Freud précise qu'«une pulsion ne peut jamais devenir objet de la conscience, seule le peut la représentation qui la représente» ou l'«état d'affect» sous lequel la pulsion apparaît (*Métapsychologie*, p. 82).

accidentellement ou par un effort de la volonté. La mémoire peut aussi donner accès à l'univers du préconscient alors qu'elle ne peut permettre d'entrer en contact avec le contenu profondément refoulé dans l'inconscient. L'accessibilité au matériel inconscient peut toutefois se faire par des voies détournées telles que l'hypnose, les rêves ou les drogues.

Comme nous avons pu le constater, la première topique freudienne (théorie de l'inconscient) permet de déterminer les différentes zones du psychisme humain ainsi que leur contenu. On qualifie la première topique de statique, car elle n'offre pas un modèle de compréhension dynamique et complet du comportement humain. Il y a lieu de reprendre l'énoncé de Helmholtz sur le principe de conservation de l'énergie. L'énergie peut être transformée, se déplacer, mais elle ne se crée pas et ne se détruit pas. De même, Brücke concevait l'être humain comme un système dynamique lié aux lois physiques et chimiques. Freud, qui subit alors l'influence des études scientifiques de son époque, croit que les lois de la physique s'appliquent autant à l'esprit qu'au corps. L'énergie physique se déplace et se transforme en énergie psychique en favorisant l'émergence des processus mentaux (mémoire, synthèse, perception, etc.). Le lien corps-esprit est établi.

LA DEUXIÈME TOPIQUE FREUDIENNE :
LA THÉORIE DYNAMIQUE DE LA PERSONNALITÉ

Freud propose, à partir de 1923, un deuxième système conceptuel (qualifié de DEUXIÈME TOPIQUE) représentant l'appareil psychique. La deuxième topique étudie comment l'énergie psychique se distribue à l'intérieur d'instances de la personnalité qui cherchent chacune à en posséder le contrôle afin de satisfaire sa vision du monde. Ces instances de la personnalité ou «provinces de l'appareil psychique[21]» se nomment le Ça, le Sur-Moi et le Moi. Elles apparaissent à des phases différentes de l'évolution de l'être humain.

> L'ancienne topique (l'Ics, le Cs et le Pcs) n'est pas rejetée par Freud, mais une nouvelle distribution vient désormais se superposer à la précédente.

Le Ça[22]

Freud donne le nom de Ça à la partie la plus ancienne de l'appareil psychique. Le psychisme n'est d'abord que le Ça inorganisé, c'est-à-dire «tout ce que l'être apporte en naissant[23]». Le Ça constitue «le noyau de notre être[24]»; il correspond à la base primitive et inconsciente du psychisme qui est dominée par les besoins primaires. Le Ça possède dès la naisance la totalité de l'énergie psychique disponible et l'utilise pour la satisfaction immédiate des besoins. Le Ça ne sait pas attendre.

Le psychisme du nouveau-né n'est constitué à l'origine que du Ça. Lorsqu'il a faim, l'enfant manifeste cette pulsion par des pleurs et des cris. Il veut se satisfaire tout de suite. Il est entièrement pris par cette faim qui mobilise son être. En somme, le Ça est une espèce de marmite chaotique où bouillonnent les désirs, les besoins et les pulsions

---

21. Sigmund Freud, *Abrégé de psychanalyse*, p. 24.
22. Le Ça est la traduction française du terme allemand *das* Es (*id*, en latin).
23. Sigmund Freud, *Abrégé de psychanalyse*, p. 4.
24. *Ibid.*, p. 74.

organiques. «Les pulsions organiques agissent à l'intérieur du Ça et résultent elles-mêmes de la fusion en proportions variables de deux forces primitives: l'Éros et la Destruction[25]», dont nous avons parlé précédemment.

L'individu qui ne possède qu'un gros Ça ne peut voir les exigences de la réalité extérieure, ni s'y conformer, car la totalité de l'énergie psychique est mise à la disposition de la satisfaction immédiate des besoins. Dans le Ça, il n'y a ni contradiction, ni loi, ni morale, ni temps. C'est l'univers de l'impulsivité pure qui ne tolère aucune augmentation d'énergie provoquée par la tension résultant d'un besoin. Le Ça ignore même qu'il existe une réalité extérieure pouvant participer à la satisfaction des besoins. Il est uniquement en contact avec l'univers interne des besoins, des pulsions et des passions.

Le Ça répond au *principe de plaisir*, c'est-à-dire qu'il cherche constamment à retrouver l'état de bien-être qui existait avant que le besoin apparaisse. En cela, il est incapable d'attendre et exige que toute pulsion soit immédiatement satisfaite sans égard à rien d'autre qu'à ce principe. Le principe de plaisir est un processus primaire d'accomplissement du désir qui ne tient compte d'aucune règle, norme ou logique. C'est comme si une pulsion nous poussait à satisfaire nos désirs dans l'immédiat, de façon égoïste et inconsidérée, sans que nous pensions à nous protéger contre ce qui pourrait menacer ou compromettre la sécurité de notre personne ou l'ordre moral et social en vigueur. Évidemment, le fait d'agir de manière impulsive, en ne se souciant pas des conséquences reliées aux actes que nous faisons, cela risque d'entrer en conflit avec la raison, qui, elle, pense au lendemain et voit à éviter les dangers. Cela risque aussi de contrecarrer les exigences de la société et ses interdits.

LE RÉSERVOIR DU REFOULÉ   Le Ça symbolise le psychisme humain à l'état naturel. Il est ce lieu, au plus profond de nous, où s'agitent les pulsions avant toute manifestation et contrôle de la culture. Mais il sert aussi de réservoir au refoulé.

> L'inconscient est la seule qualité dominant à l'intérieur du Ça. […] À l'origine, tout était Ça. Le Moi s'est développé à partir du Ça sous l'influence persistante du monde extérieur. Durant ce lent développement, certains contenus du Ça passèrent à l'état préconscient, s'intégrant ainsi dans le Moi. D'autres demeurèrent dans le Ça en en constituant le noyau difficile d'accès. Mais durant ce développement, le Moi jeune et faible a repoussé dans l'inconscient et supprimé certains contenus qu'il avait déjà intégrés, et s'est comporté de la même façon à l'égard de nombre d'impressions nouvelles qu'il aurait pu recueillir, de sorte que ces dernières, rejetées, n'ont pu laisser de traces que dans le Ça. C'est à cette partie du Ça que nous donnons, du fait de son origine, le nom de refoulé. Nous ne sommes pas toujours en mesure de délimiter nettement les deux catégories dans ce contenu du Ça, ce qui d'ailleurs importe peu. Contentons-nous de dire que le Ça comporte des contenus innés et des faits acquis au cours de l'évolution du Moi[26].

En résumé, nous pouvons dire que les pulsions primaires forment le contenu inné du Ça, alors que le refoulé forme son contenu de faits acquis, c'est-à-dire de représentations qui ont été reléguées dans l'inconscient parce qu'elles exprimaient des tendances culturellement, socialement ou moralement inacceptables.

---

25. *Ibid.*, p. 74.
26. *Ibid.*, p. 26.

Notons que «le refoulé exerce, en direction du conscient, une pression continue, qui doit être équilibrée par une contre-pression incessante. Maintenir le refoulement suppose donc une dépense constante de force; le supprimer, cela signifie, du point de vue économique, une épargne[27] ». Tout au long de notre développement, le refoulement exige donc de notre psychisme une dépense d'énergie qui pourrait être utilisée à d'autres fins. Mais quelle est l'origine du refoulement, qu'est-ce qui en est la source? Reprenons l'exemple du nourrisson qui éprouve une faim subite: ses parents lui apprendront tôt ou tard à se discipliner, à cesser de pleurer et de crier, et à attendre patiemment qu'ils soient disponibles pour le nourrir. Plus tard, ils lui montreront à contrôler ses besoins naturels: la régularité et la propreté seront exigées de lui. Ils lui enseigneront ensuite qu'il est incorrect de briser ses jouets, d'être agressif envers ses camarades ou de faire des crises de violence. Ses satisfactions autoérotiques pourront aussi lui être interdites. Bref, ses parents lui inculqueront l'ensemble des valeurs et des règles particulières à la société dans laquelle il grandira et qui, en règle générale, s'opposent à l'actualisation spontanée des pulsions. Toutes ces tendances sexuelles ou agressives réprimées par l'éducation — et plus spécialement les représentations liées à ces tendances — seront refoulées dans les profondeurs de l'inconscient.

L'instance psychique qui représente les exigences de la société et ses interdits est le Sur-Moi.

Le Sur-Moi (*Über-Ich*, super-ego)

INTROJECTER
Terme psychanalytique décrivant le processus inconscient par lequel l'enfant, par exemple, incorpore l'image des parents à son Moi et à son Sur-Moi.

Durant la longue période de l'enfance que nous traversons et pendant laquelle nous dépendons de nos parents, se forme une instance qui prolonge l'influence de ceux-ci. Freud appelle «Sur-Moi» cette instance qui se modèle sur l'autorité parentale **introjectée** au cours de l'enfance.

Ce n'est évidemment pas, écrit Freud, la seule personnalité des parents qui agit sur l'enfant, mais transmises par eux, l'influence des traditions familiales, raciales et nationales, ainsi que les exigences du milieu social immédiat qu'ils représentent. Le Sur-Moi d'un sujet, au cours de son évolution, se modèle aussi sur les successeurs et sur les substituts des parents, par exemple sur certains éducateurs, certains personnages qui représentent au sein de la société des idéaux respectés[28].

La quête d'un tel idéal correspond à l'un des deux sous-systèmes du Sur-Moi: l'idéal du Moi et la conscience morale.

Selon Freud, le Sur-Moi démontre souvent une sévérité beaucoup plus grande que celle des parents réels ou des personnes les représentant. Il met en place un «code moral» exigeant et étroit. Par exemple, le Sur-Moi ne juge pas uniquement l'individu sur les actes posés, mais considère aussi les intentions et les pensées non encore actualisées. En ce sens, le Sur-Moi — appelé aussi le Moi idéal — représente un IDÉAL à atteindre et répond au *principe de perfection.* C'est comme si le Sur-Moi se faisait son propre cinéma en se projetant des images idéales de pensées et de comportements qui correspondent aux représentations intériorisées des valeurs parentales. En cela, il ressemble au Ça puisque ces deux instances perçoivent la réalité de façon irréaliste: le Ça en présente une vision anarchique, alors que le Sur-Moi en propose une vision idéalisée.

---

27. *Ibid.*, p. 53.

28. *Ibid.*, p. 5-6.

Le Sur-Moi représente toutes les contraintes morales et aussi l'aspiration vers le perfectionnement, bref tout ce que nous concevons maintenant psychologiquement comme faisant partie de ce qu'il y a de plus haut dans la vie humaine. C'est en nous tournant vers les sources d'où découle le Sur-Moi que nous parviendrons plus aisément à connaître sa signification; or nous savons que le Sur-Moi dérive de l'influence exercée par les parents, les éducateurs, etc. En général, ces derniers se conforment, par l'éducation des enfants, aux prescriptions de leur propre Sur-Moi. Quelle qu'ait été la lutte menée entre leur Sur-Moi et leur Moi, ils se montrent sévères et exigeants vis-à-vis de l'enfant. Ils ont oublié les difficultés de leur propre enfance et sont satisfaits de pouvoir s'identifier à leurs parents à eux, à ceux qui leur avaient autrefois imposé de dures restrictions. Le Sur-Moi de l'enfant ne se forme donc pas à l'image des parents, mais bien à l'image du Sur-Moi de ceux-ci; il s'emplit du même contenu, devient le représentant de la tradition, de tous les jugements de valeur qui subsistent ainsi à travers les générations[29].

Le contenu du Sur-Moi (prescriptions, contraintes et restrictions morales, jugements de valeur, aspirations idéales de perfection) s'élabore à partir du Sur-Moi des parents (agents de transmission de la moralité et de la tradition), mais quel est le mécanisme précis qui en signe l'origine? Le Sur-Moi naît, selon Freud, à la suite du refoulement du *complexe d'Œdipe*. Le complexe d'Œdipe peut brièvement être décrit comme l'attachement incestueux inconscient que tous les enfants éprouvent (de trois à six ans) envers le parent de sexe opposé. Cet attachement entraîne, d'une part, une jalousie éprouvée envers le parent du même sexe qui est perçu, dans l'inconscient, comme un rival et, d'autre part, un sentiment de culpabilité inconscient qui fait suite aux sentiments d'agressivité à son égard. Les pulsions œdipiennes ainsi enfouies au plus profond de l'inconscient sont en quelque sorte remplacées par le Sur-Moi. Plus le complexe d'Œdipe aura été fort, plus vite le refoulement sera effectué (par la menace de **castration** pour le garçon, et par l'annulation du désir de posséder un pénis pour la fille), et plus le Sur-Moi régnera avec rigueur afin de contrôler l'utilisation de l'énergie des pulsions.

LORSQU'UNE ENQUÊTE RÉVÈLE QU'IL EST COUPABLE DU MEURTRE DE SON PÈRE ET D'AMOUR INCESTUEUX À L'ENDROIT DE SA MÈRE, ŒDIPE SE CRÈVE LES YEUX.

ŒDIPE

Personnage de la mythologie grecque qui tue Laïos, roi de Thèbes, sans savoir qu'il est son père, et qui devient l'époux de Jocaste en ignorant qu'elle est sa mère. Par la suite, apprenant qu'il est l'auteur de ces crimes horribles, Œdipe se crève les yeux.

CASTRATION

Le complexe de castration se définit par la crainte intériorisée par le fils de voir son père lui couper le pénis.

En conclusion, on peut dire que le Sur-Moi correspond à une norme impérative qui résulte de l'intériorisation, au cours de l'enfance, de l'autorité parentale-institutionnelle et du sens moral de la culture environnante. En cela, le Sur-Moi représente les exigences du milieu social et moral dans lequel nous grandissons et nous nous développons. Et c'est dans cette mesure qu'on peut dire que le Sur-Moi est la conscience morale d'un individu. En voulant reléguer dans l'inconscient les pulsions sexuelles et agressives jugées

29. Sigmund Freud, *Nouvelles conférences sur la psychanalyse*, trad. Anne Berman, Paris, Gallimard, coll. «Idées», 1971, p. 90-91.

excessives ou indécentes, donc en exigeant de réfréner les satisfactions non permises par notre culture (tabous et interdits), le Sur-Moi joue un rôle de censure. Nous le «ressentons, dans son rôle de justicier, comme notre conscience [qui surveille l'autre instance psychique, le Moi] lui donne des ordres, le dirige, le menace de châtiment, exactement comme les parents dont elle a pris la place[30]». Le Sur-Moi n'a pas cependant qu'un rôle répressif. Il représente aussi le niveau des aspirations et notre tendance à la perfection.

Le Moi (*das Ich, ego*)

Freud donne le nom de Moi à cette «fraction de notre psychisme», à cette mince «surface» coincée à la limite de l'inconscient et de la réalité extérieure, et à laquelle correspond en partie la qualité de conscient. Au contact du monde extérieur, le Moi s'est développé à partir d'une transformation du Ça. Le Moi possède la capacité d'être à proximité de la réalité extérieure et en contact avec elle, et il est en mesure d'aider le Ça à éliminer ses tensions. Ainsi, tôt dans la première année de la vie de l'enfant, le Moi obtient une petite quantité d'énergie du Ça et s'en sert pour tester la réalité, c'est-à-dire voir si les demandes du Ça sont compatibles avec les possibilités offertes par le milieu extérieur. Le Moi a besoin de l'aide du monde extérieur afin de réprimer la force de l'énergie pulsionnelle pendant l'enfance.

Voyons plus précisément les principaux rôles que Freud accorde au Moi:

Le Moi dispose du contrôle des mouvements volontaires. Il assure l'auto-conservation et, pour ce qui concerne l'extérieur, remplit sa tâche en apprenant à connaître les excitations, en accumulant (dans la mémoire) les expériences qu'elles lui fournissent, en évitant les excitations trop fortes (par la fuite), en s'accommodant des excitations modérées (par l'adaptation), enfin en arrivant à modifier, de façon appropriée et à son avantage, le monde extérieur (activité)[31].

En somme, nous pourrions dire que la fonction primordiale du Moi consiste à favoriser le contact avec la réalité (monde extérieur): je suis là, j'occupe un espace, je m'y déplace, j'ai froid ou chaud, soif ou faim, j'éprouve un désir pour telle femme ou tel homme, etc. C'est le Moi qui établit un contact entre les besoins pulsionnels issus de l'organisme et la réalité extérieure. Un Moi sain assure un rapport exact au monde extérieur. Le Moi est le représentant du *principe de réalité*.

En ce sens, le Moi est l'instance qui sert d'intermédiaire entre le Ça et les contraintes du monde extérieur représentées par le Sur-Moi. «De même que le Ça n'obéit qu'à l'appât du plaisir, le Moi est dominé par le souci de la sécurité. Sa mission est la conservation de soi que le Ça semble négliger[32].» Il essaie d'interposer une ACTIVITÉ RÉFLEXIVE entre la pulsion et ce qu'il faut faire pour l'actualiser. En se basant sur les expériences passées et en prenant en considération la situation présente, il pèse le pour et le contre, et décide si le mode de satisfaction projeté est

> «Le Moi représente ce qu'on appelle la raison et la sagesse.» (Sigmund Freud, *Essais de psychanalyse*, p. 193).

réalisable sans danger et si le moment choisi est approprié. Tout cela a pour but d'éviter le sentiment de culpabilité que pourrait créer le Sur-Moi et d'empêcher de cette manière l'apparition de l'angoisse qui en découlerait. Ainsi, le Moi peut suspendre la pulsion

30. *Ibid.*, p. 84-85.
31. *Ibid.*, p. 4.
32. *Ibid.*, p. 76.

jusqu'à ce que l'objet pouvant effectivement satisfaire cette dernière soit découvert, ou encore jusqu'à ce que l'objet désiré se rende disponible. L'exemple suivant peut illustrer cette fonction du Moi axé sur le principe de réalité et qui, conséquemment, tient compte de l'«épreuve de réalité». La femme avec laquelle je vis est installée à son bureau. Je la regarde et, soudain, j'éprouve du désir pour elle. Mais elle travaille avec beaucoup de concentration à un rapport très important qu'elle doit remettre demain à son travail. C'est à cause de mon Moi que je tolérerai que la satisfaction de mon désir soit différée ou réprimée. Je respecterai donc le travail de ma femme et attendrai qu'elle ait terminé son rapport en espérant que...

Cet exemple montre que le Moi peut agir comme instance **inhibitrice** en utilisant le mécanisme de la répression. «L'évolution du Moi, écrit Freud, va de la perception instinctive des instincts à la domination des instincts, de l'obéissance aux instincts à l'inhibition des instincts[33]». Freud décrit l'inhibition des instincts de la manière suivante:

> Au-dedans, il [le Moi] mène une action contre le Ça en acquérant la maîtrise des exigences pulsionnelles et en décidant si celles-ci peuvent être satisfaites ou s'il convient de différer cette satisfaction jusqu'à un moment plus favorable ou encore s'il faut les étouffer tout à fait[34].

Le Moi impose de fortes contraintes aux élans du Ça. C'est le Moi qui refoule toute action qui pourrait amener des conséquences fâcheuses ou engendrer de l'anxiété et de l'angoisse.

Dans le but de protéger son intégrité, le Moi peut donc inhiber, c'est-à-dire réprimer délibérément et consciemment, les pulsions répréhensibles du Ça. Prenons comme exemple un professeur âgé d'une cinquantaine d'années qui éprouve envers l'une de ses élèves un désir sexuel ardent qui ne cesse de le troubler. Aussitôt le cours terminé, il peut, sans faire intervenir sa raison, signifier à son élève l'immense désir qu'il ressent pour elle. À l'inverse, il peut, étant donné qu'il est et restera son professeur, se dire qu'il serait bien imprudent de se laisser ainsi aller à une impulsion déplacée. Conséquemment, il jugera préférable de différer la manifestation de son désir et attendra la fin de la session. Selon une dernière possibilité, il peut se traiter de «vieux fou», alléguer le statut de maître par rapport à celui d'élève, la différence d'âge inacceptable, les risques qu'on apprenne une telle liaison et ceux de perdre son emploi, etc., pour étouffer définitivement ce désir. Et, comme par magie, la semaine suivante, lorsqu'il reverra son élève, son désir pour elle ne sera plus aussi pressant.

Nous voyons par cet exemple que, dans son activité, le Moi prend en considération les valeurs, les normes et les règles de la culture ambiante édictées par la pression constante du Sur-Moi. Il découvre le moyen le plus favorable et le moins périlleux de satisfaire besoins et pulsions tout en tenant compte des exigences du monde extérieur. En cela, il peut être assimilé à une sorte d'avocat qui négocie avec deux parties adverses: le Ça et le Sur-Moi. Sa principale tâche est de résoudre les conflits surgissant entre ces deux instances. Plus particulièrement, le Moi est le lieu d'un équilibre, solide ou fragile, s'érigeant entre les pulsions du Ça et les pressions morales du Sur-Moi. Ce faisant, «le Moi se voit obligé de satisfaire tout à la fois les exigences de la réalité, celles du Ça et du Sur-Moi, tout en préservant sa propre organisation et en affirmant son autonomie[35]».

INHIBITEUR
Se dit du processus qui met au repos les données psychiques imprudentes ou inconvenantes en les empêchant de se produire ou d'arriver à la conscience. Afin d'éviter l'angoisse, ou d'entrer en conflit avec le Sur-Moi, le Moi empêche l'éclosion de la pulsion.

33. Sigmund Freud, *Essais de psychanalyse*, trad. Dr S. Jankélévitch, revue par le Dr A. Hesnard, Paris, Petite Bibliothèque Payot, 1968, p. 230.

34. Sigmund Freud, *Abrégé de psychanalyse*, p. 4.

35. *Ibid.*, p. 39.

Complétons cette description de la relation entre les trois instances de l'appareil psychique (*voir la figure 5.1*) par un dernier passage des *Nouvelles conférences sur la psychanalyse* où Freud explique comment le Moi est contraint de «servir trois maîtres sévères»:

> Un adage nous déconseille de servir deux maîtres à la fois. Pour le pauvre Moi la chose est bien pire, il a à servir trois maîtres sévères et s'efforce de mettre de l'harmonie dans leurs exigences. Celles-ci sont toujours contradictoires et il paraît souvent impossible de les concilier; rien d'étonnant dès lors à ce que souvent le Moi échoue dans sa mission. Les trois despotes sont le monde extérieur, le Sur-Moi et le Ça. [...] Il [le Moi] se sent comprimé de trois côtés, menacé de trois périls différents auxquels il réagit, en cas de détresse, par la production d'angoisse. Tirant son origine des expériences de la perception, il est destiné à représenter les exigences du monde extérieur, mais il tient cependant à rester le fidèle serviteur du Ça, à demeurer avec lui sur le pied d'une bonne entente, à être considéré par lui comme un objet et à s'attirer sa libido. En assurant le contact entre le Ça et la réalité, il se voit souvent contraint de revêtir de rationalisations préconscientes les ordres inconscients donnés par le Ça, d'apaiser les conflits du Ça avec la réalité et, faisant preuve de fausseté diplomatique, de paraître tenir compte de la réalité, même quand le Ça demeure inflexible et intraitable. D'autre part, le Sur-Moi sévère ne le perd pas de vue et, indifférent aux difficultés opposées par le Ça et le monde extérieur, lui impose les règles déterminées de son comportement. S'il vient à désobéir au Sur-Moi, il en est puni par de pénibles sentiments d'infériorité et de culpabilité. Le Moi ainsi pressé par le Ça, opprimé par le Sur-Moi, repoussé par la réalité, lutte pour accomplir sa tâche économique, rétablir l'harmonie entre les diverses forces et influences qui agissent en lui et sur lui: nous comprenons ainsi pourquoi nous sommes souvent forcés de nous écrier: «Ah, la vie n'est pas facile!» Le Moi, quand il est forcé de reconnaître sa propre faiblesse, est saisi d'effroi: peur réelle devant le monde extérieur, craintes de la conscience devant le Sur-Moi, anxiété névrotique devant la puissance qu'ont les passions dans le Ça[36].

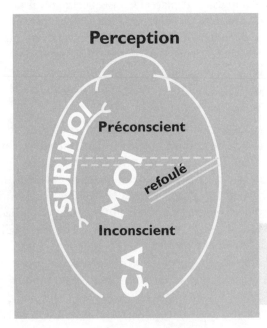

Perception

Préconscient

refoulé

Inconscient

SUR-MOI

MOI

ÇA

FIGURE 5.1 LE SCHÉMA FREUDIEN DE L'APPAREIL PSYCHIQUE Source: Sigmund Freud, *Nouvelles conférences sur la psychanalyse*, Paris, Gallimard, coll. «Idées», 1971, p. 107.

---

36. Sigmund Freud, *Nouvelles conférences sur la psychanalyse*, p. 104-105.

L'ANTHROPOLOGIE FREUDIENNE

L'homme tel qu'il est

Dans sa visée première — en investiguant l'inconscient et en démontrant que la vie psychique obéit à ses lois —, le freudisme met en question la conception traditionnelle de l'homme, qui est perçu comme un sujet rationnel, autonome, conscient, maître de lui-même et de ses actions. Ce faisant, Freud présente l'homme comme un être de pulsions et de désirs davantage régi par l'inconscient que par la raison.

Aujourd'hui, il n'est pas possible de se représenter l'être humain comme si Freud n'avait jamais existé. Depuis la mise en lumière de l'inconscient, nous savons que nous possédons une personnalité ignorée de nous-mêmes et que, par conséquent, nous avons à démasquer parfois les motivations inconscientes qui nous font faire ceci ou cela, qui nous font être ceci ou cela. Désormais, grâce à Freud, nous savons que le milieu culturel et social dans lequel nous grandissons conditionne et modèle notre affectivité, voire notre personne tout entière. Cette «pression civilisatrice[37]» supprime de façon souvent excessive (car elle provoque des NÉVROSES) les pulsions et leurs manifestations. Bien sûr, la civilisation naît de la maîtrise des pulsions, qui ne peuvent s'épancher librement à cause de leur caractère asocial. «Une grande partie de notre trésor de civilisation, si hautement prisé, écrit Freud, s'est constitué au détriment de la sexualité et par l'effet d'une limitation des pulsions sexuelles[38].»

> «Le fait que le développement du Moi se laisse distancier par le développement libidinal est, à nos yeux, la condition essentielle des névroses. Comment alors n'en pas déduire que les névroses pourraient être évitées si l'on épargnait au Moi infantile cette épreuve, c'est-à-dire si on laissait s'épanouir librement la sexualité de l'enfant, comme c'est le cas chez bien des peuples primitifs.»
> (*Abrégé de psychanalyse*, p. 78.)

Si nous tentons de définir l'être humain tel que Freud l'a investigué, on peut dire que son essence est un amalgame conflictuel de nature (le Ça) et de culture (le Sur-Moi). À sa naissance, le petit humain est d'abord entièrement sous le joug des pulsions. Il est exclusivement orienté vers la satisfaction **narcissique** de ses besoins. Il n'est pas en mesure de peser le pour et le contre de ses actes (nature). Puis, mis en face de la réalité culturelle environnante, il doit petit à petit domestiquer ses pulsions qui vont à l'encontre des valeurs, des normes et des règles de la société (culture). C'est par le biais de la socialisation que la culture tentera de contrôler, en la réprimant, sa nature biologique.

NARCISSIQUE
Se dit de quelqu'un qui porte une attention exclusive à sa propre personne et à ses propres besoins, de sorte que toutes ses énergies affectives sont dirigées sur lui-même.

L'homme idéal

Mais au fond, dans sa dernière visée, la conception freudienne de l'être humain reste attachée aux grandes philosophies rationalistes. Malgré sa tentative pour présenter le corps (pulsions sexuelles et agressives [le Ça]) et l'esprit (activités réflexives [le Moi] et morales [le Sur-Moi]) comme un ensemble unifié à l'intérieur de l'appareil psychique, Freud ne valorise pas, comme l'avait fait Nietzsche avant lui, le monde des pulsions et des passions. Certes, il essaie de dépasser le dualisme corps-esprit instauré par la philosophie de Descartes, mais il n'en demeure pas moins que la psychanalyse est une grille d'analyse rationaliste qui explore les structures psychiques de la personnalité humaine

---

37. Sigmund Freud, *Malaise dans la civilisation*, trad. C.H. et J. Audier, Paris, PUF, 1971, p. 57.

38. Sigmund Freud, *Abrégé de psychanalyse*, p. 79.

ainsi que les différents stades de son évolution. Qui plus est, jamais cette exploration freudienne n'a justifié le libre épanchement du Ça. Au contraire, la psychanalyse semble promouvoir le sujet, la conscience, la maîtrise de soi.

Freud considérait et présentait d'ailleurs la psychanalyse comme un savoir scientifique qui, somme toute, expliquait rationnellement les bienfaits de la **sublimation** des pulsions en vue de réalisations culturelles et sociales. Tout compte fait, Freud percevait la modification des pulsions sous des formes socialement utilisables (la sublimation) comme étant tout à fait légitime. Diriger, canaliser les pulsions vers des objets et des buts sociaux, pour autant que cela se fasse sans excès, constituait aux yeux de Freud l'œuvre de toute civilisation digne de ce nom.

L'homme idéal, pour Freud, sera celui qui aura réussi à maîtriser ses pulsions par la volonté et la raison (le Moi), ces dernières ayant été appuyées par le Sur-Moi dans leur tâche de contenir les pulsions. Maîtriser ses pulsions ne veut cependant pas dire les supprimer. Car, sous peine de voir naître et se développer une névrose, il ne faut pas annihiler toutes les «exigences pulsionnelles» du Ça en se mettant exclusivement sous la domination des exigences morales du Sur-Moi trop dures et sévères.

> Est considéré comme correct, écrit Freud, tout comportement du Moi qui satisfait à la fois aux exigences du Ça, du Sur-Moi et de la réalité, ce qui se produit quand le Moi réussit à concilier ces diverses exigences[39].

SUBLIMATION

Processus de production d'activités dites supérieures qui désexualisent en quelque sorte les pulsions libidinales ou agressives. La production d'œuvres d'art, la construction de cathédrales ou l'engagement à une œuvre sociale valorisée par la culture de l'époque représentent des exemples de sublimation.

FREUD PHILOSOPHE

Le portrait que Freud brosse de l'être humain, même s'il est déduit de faits cliniques, reste une théorie générale de la nature humaine et, spécifiquement, de l'inconscient et de ses diverses manifestations. Malgré le fait que Freud n'a pas voulu créer de philosophie, il nous a donné une vision si nouvelle de la condition humaine qu'il peut être considéré comme un grand philosophe du XXe siècle.

Même si Freud présentait la psychanalyse comme une théorie scientifique, nous pensons que cette dernière ne peut revendiquer un caractère d'OBJECTIVITÉ IRRÉFUTABLE. Cette conception de l'être humain est et demeure, au même titre que toutes les autres, une interprétation de l'homme qui cherche à donner un sens à des dimensions de la réalité humaine jusqu'alors négligées, voire ignorées. En cela, elle peut être considérée comme une approche philosophique de l'être humain. Comme tous les autres penseurs présentés dans ce manuel, Freud a voulu répondre au célèbre «Connais-toi toi-même».

> On ne peut soumettre les théories freudiennes à des tests spécifiques et répétés qui en démontreraient la véracité absolue. En ce sens, la théorie psychanalytique ne peut revendiquer le caractère «scientifique» car, ne pouvant être réfutée, elle reste invérifiable.

---

39. *Ibid.*, p. 5.

FREUD AUJOURD'HUI

La problématique contemporaine que nous aimerions mettre en rapport avec la théorie freudienne est celle de la guerre. Freud peut nous aider à mieux comprendre le phénomène de la guerre en le juxtaposant à celui de la civilisation.

Le XXe siècle a connu sa part de guerres meurtrières, de génocides et d'actes de barbarie. Qu'il suffise de rappeler la Première Guerre mondiale (1914-1918), nommée la Grande Guerre en raison du niveau de destruction atteint et du nombre de victimes (65 000 000 de soldats s'affrontèrent, 10 000 000 de civils périrent); la grande terreur stalinienne, qui, entre 1936 et 1938, exécuta ou déporta en Sibérie plus de 15 000 000 d'«ennemis du peuple»; la Seconde Guerre mondiale (1939-1945), qui mobilisa quelque 92 000 000 de personnes, causa des pertes humaines estimées entre 35 000 000 et 60 000 000 et fut le sombre théâtre de la persécution nazie à

LORS DE LA SECONDE GUERRE MONDIALE, LES HOMMES SE SONT À NOUVEAU LIVRÉS À DES ACTES DE CRUAUTÉ ET DE BRUTALITÉ QU'ON AURAIT CRUS IMPENSABLES ÉTANT DONNÉ LE NIVEAU DES ACQUIS DE LA CIVILISATION.

l'endroit des Juifs; le règne de terreur des Khmers rouges qui décima, d'avril 1975 à décembre 1978, environ 2 000 000 de Cambodgiens; en fin de siècle, le nettoyage ethnique en Bosnie; les massacres au Rwanda; l'extermination de populations civiles au Kosovo dans la République fédérale de Yougoslavie; etc.

En pleine Grande Guerre, Freud écrit ces mots qui témoignent d'un profond désenchantement:

> La guerre à laquelle nous ne voulions pas croire éclata et fut pour nous une source de déception. Elle n'est pas seulement plus sanglante et plus meurtrière qu'aucune des guerres du passé, à cause des terribles perfectionnements apportés aux armes d'attaque et de défense, mais elle est aussi, sinon plus, cruelle, acharnée, impitoyable que n'importe laquelle d'entre elles [...] Deux faits ont été la cause de notre déception au cours de cette guerre: le caractère peu moral de la conduite des États envers leurs voisins, alors qu'à l'intérieur chacun d'eux se pose en gardien des normes morales, et la brutalité qui caractérise la conduite des individus et à laquelle on ne se serait pas attendu de la part de ces représentants de la plus haute civilisation humaine[40].

Constatant avec tristesse et douleur la fragilité des acquis de la civilisation, Freud essaie de s'expliquer le phénomène de la guerre. En état de guerre, la répression des pulsions de mort cesse car les individus sont libérés du blâme de leur collectivité. Thanatos règne en maître. Les hommes se livrent alors à des actes de cruauté et de brutalité qu'on aurait crus impensables étant donné leur niveau élevé de culture. Or, selon Freud, il est illusoire de penser que la civilisation a réussi à faire disparaître les MAUVAIS PENCHANTS de

> Nous pouvons faire ici une comparaison entre Freud et Rousseau. Rousseau, partisan de la bonté naturelle de l'homme, s'oppose à Freud, qui croit que l'agressivité, la violence et la destruction font partie intégrante de la condition humaine. Freud considère d'ailleurs que «la foi en la *bonté* de la nature humaine est une de ces déplorables illusions dont l'homme espère qu'elles embelliront et faciliteront sa vie [...]». (Sigmund Freud, *Nouvelles conférences sur la psychanalyse*, p. 137.)

---

40. Sigmund Freud, *Essais de psychanalyse*, p. 239-242.

l'homme. Ces derniers sont tout au plus temporairement inhibés par la pression exercée par l'éducation, porte-parole des exigences de la civilisation. Lors d'une guerre, les hommes peuvent se soustraire aux obligations morales de leur civilisation et donner libre cours à leurs penchants primitifs refoulés, qui, selon Freud, demeurent impérissables : «Elle [la guerre] emporte les couches d'alluvions déposées en nous par la civilisation et ne laisse subsister que l'homme primitif[41].»

En fait, Freud considère que les forces irrationnelles et agressives sont tellement puissantes chez l'humain qu'il y a peu de probabilités de voir triompher un jour les forces rationnelles. Malgré un tel pessimisme quant à la destinée de l'homme, Freud croit au bienfait de la civilisation car «le maintien de la civilisation, même sur une base aussi fragile, offre la possibilité d'obtenir dans chaque nouvelle génération une nouvelle transformation des penchants, conditions d'une civilisation meilleure[42]».

La philosophie qui sera présentée dans le prochain chapitre, le *personnalisme* chrétien d'Emmanuel Mounier — l'une des plus belles et des plus généreuses philosophies de l'être humain du milieu du XXe siècle —, propose justement la construction d'une civilisation meilleure par l'éveil à soi-même sans négliger la communion avec les autres.

---

41. *Ibid.*, p. 266.4
42. *Ibid.*, p. 247-248.

RÉSUMÉ DE L'EXPOSÉ

Biographie de Freud

Sigmund Freud (1856-1939), médecin, psychiatre, psychanalyste et philosophe, a mis en place une œuvre monumentale qui a transformé à tout jamais la compréhension qu'on se faisait de l'être humain et de la civilisation. Freud proclame l'importance de l'inconscient et de la sexualité chez l'humain.

Une époque riche en découvertes scientifiques

À la fin du XIXe siècle et au début du XXe siècle, Freud adhère au credo positiviste et est porté par les recherches et les découvertes en sciences de la vie et en sciences humaines: la théorie évolutionniste de Darwin, la naissance de la psychologie scientifique avec Gustave Theodor Fechner, les fondements de la science bactériologique avec Louis Pasteur et Robert Koch, la création de la génétique par Gregor Mendel, l'établissement du principe de conservation de l'énergie par Hermann von Helmholtz.

La psychanalyse

1. Freud met au point la psychanalyse ou «technique de traitement analytique» qui permet d'investiguer le passé du malade atteint d'une névrose, telle l'hystérie. Au moyen de cette introspection, le patient peut retrouver le souvenir des traumatismes à l'origine de ses dysfonctionnements. Ainsi, il pourra, à l'aide de l'analyste, se réapproprier sa propre histoire.

2. En tant que théorie psychologique, la psychanalyse décrit et explique les processus psychiques à l'œuvre chez l'être humain. En ce sens, elle apparaît comme un système théorique de compréhension et d'explication de l'homme. La théorie psychanalytique propose une nouvelle représentation de l'être humain: il n'est pas rationnel, maître de lui-même et libre comme le prétendait la philosophie classique; au contraire, il est dominé par des pulsions inconscientes.

La première topique freudienne: la théorie des trois qualités psychiques

La première topique est la première représentation théorique du psychisme décrit par Freud. Elle est qualifiée de statique. Le psychisme humain possède trois systèmes ou qualités psychiques:

1. L'inconscient (Ics)

C'est par l'étude du rêve que Freud découvre que l'Ics constitue la majeure partie du psychisme et détermine, à notre insu, notre comportement.

Les **pulsions**, c'est-à-dire les poussées psychiques qui viennent du corps, alimentent l'Ics. Les deux pulsions fondamentales qui forment, à l'intérieur de l'Ics, un processus dynamique de forces opposées sont la pulsion de vie, *Éros* (pulsion d'amour), et la pulsion de mort, *Thanatos* (destruction).

Le **refoulement** est un mécanisme de défense qui repousse dans l'Ics les représentations de pulsions sexuelles ou agressives non acceptées par le milieu familial ou social. Ces représentations de pulsions n'en continuent pas moins d'exister et d'influencer la conduite de l'individu.

2. Le conscient (Cs) et le préconscient (Pcs)

Le système Cs n'occupe qu'une infime partie du psychisme et représente tous les phénomènes psychiques dont l'esprit a conscience. Il est responsable de la perception sensorielle et de la motricité.

Le système Pcs correspond à la phase par laquelle un acte psychique inconscient peut être ramené à la conscience grâce au langage, soit accidentellement ou par un effort de la volonté, à la mémoire ou encore à l'hypnose, au rêve ou aux drogues.

La deuxième topique freudienne : la théorie dynamique de la personnalité

À partir de 1923, Freud propose un deuxième système conceptuel dynamique (qualifié de deuxième topique) représentant l'appareil psychique. Ce dernier est constitué de trois instances: le Ça, le Sur-Moi et le Moi.

1. Le **Ça** est le réservoir renfermant les pulsions primaires innées et les représentations refoulées. Il correspond à la base primitive et inconsciente du psychisme. Le Ça répond au principe de plaisir, c'est-à-dire qu'il veut se satisfaire immédiatement, de façon égoïste et inconsidérée.

LE RÉSERVOIR DU REFOULÉ

Les représentations liées aux tendances jugées inacceptables par la culture et la morale ambiantes sont refoulées dans le Ça et constituent son contenu acquis.

2. Le **Sur-Moi** (*Über-Ich*, super-ego) représente les exigences de la société et ses interdits. Constitué de la moralité ambiante intériorisée au cours du développement de l'individu, le Sur-Moi est la conscience morale qui censure les pulsions sexuelles et agressives jugées excessives ou indécentes. Il répond au *principe de perfection*, c'est-à-dire à une vision idéalisée (idéal du moi) du comportement humain. L'origine du Sur-Moi vient du refoulement du complexe d'*Œdipe*.

3. Le **Moi** (*das Ich*, ego) assure la présence et l'adaptation à la réalité. Il est le représentant du *principe de réalité*. Avant d'autoriser la satisfaction d'une pulsion, le Moi analyse la situation, se demande si cela peut engendrer des conséquences fâcheuses, de l'anxiété ou de l'angoisse, s'il vaut mieux inhiber la pulsion imprudente ou inconvenante. En cela, le Moi représente la raison. Coincé entre le monde extérieur, le Sur-Moi et le Ça, le Moi peut être considéré comme un avocat qui essaie de concilier les pulsions du Ça et les pressions morales du Sur-Moi.

L'anthropologie freudienne

L'homme tel qu'il est

1. Freud présente l'homme comme un être de pulsions et de désirs davantage régi par l'inconscient que par la raison.

2. Selon Freud, l'essence de l'être humain est un amalgame conflictuel de nature (le Ça) et de culture (le Sur-Moi).

L'homme idéal

Freud ne valorise pas le libre épanchement des pulsions et des passions. Au contraire, la psychanalyse fait la promotion du sujet conscient qui maîtrise (sans excès) ses pulsions par la volonté et la raison (le Moi). D'ailleurs, la sublimation, c'est-à-dire la modification des pulsions sexuelles et agressives en des formes socialement valorisées, constitue le fondement de toute civilisation digne de ce nom.

Freud philosophe

Même si la psychanalyse se veut une théorie scientifique (ce qui est contestable), le portrait que Freud brosse de l'être humain demeure une théorie générale de la nature humaine. En cela, la psychanalyse peut être considérée comme une approche philosophique de l'homme.

Freud aujourd'hui

Le XXe siècle peut être perçu, à juste titre, comme un siècle particulièrement violent: guerres meurtrières, génocides, actes de barbarie.

Freud nous aide à mieux comprendre le phénomène de la guerre.

En état de guerre, la répression de la pulsion de mort cesse, car les individus sont libérés du blâme de leur collectivité. Thanatos règne en maître. Les hommes se livrent alors à des actes de cruauté et de brutalité qu'on aurait crus impensables étant donné leur niveau élevé de culture.

L'essentiel

Selon la psychanalyse freudienne, le psychisme humain est formé de trois systèmes (**première topique** dite **statique**). Premièrement, l'**inconscient (Ics)** est animé par la **pulsion de vie (Éros)** et la **pulsion de mort (Thanatos)** ainsi que par les **représentations de pulsions refoulées**. L'Ics constitue la majeure partie du psychisme et détermine, à notre insu, notre comportement. Deuxièmement, le **conscient (Cs)**, responsable des **perceptions sensorielles** et de la **motricité**, n'occupe qu'une infime partie du psychisme. Troisièmement, le **préconscient (Pcs)** correspond à la phase par laquelle une représentation refoulée peut être ramenée à la conscience.

La **deuxième topique** apporte un éclairage **dynamique**. L'homme est sous le joug du **Ça**. Le Ça est la base primitive et inconsciente du psychisme. Il est dominé par les **besoins primaires** et sert de **réservoir au refoulé**. Le Ça répond au **principe de plaisir**. Le **Sur-Moi**, qui représente l'**idéal du Moi** et la **conscience morale**, vient atténuer les besoins du Ça en censurant la pulsion interdite. Il répond au **principe de perfection**. Le **Moi**, représentant du **principe de réalité**, est l'instance qui autorise ou non la satisfaction de la pulsion. Ce faisant, il négocie avec les pulsions du Ça et les pressions morales du Sur-Moi. C'est le Moi qui contrôle ou canalise les pulsions du Ça en utilisant des **mécanismes de défense** tels que le **refoulement** et la **sublimation**. Idéalement, un être humain équilibré voit à contenir ses pulsions en les sublimant, c'est-à-dire en les modifiant de façon à leur donner des formes socialement valorisées.

Réseau de concepts

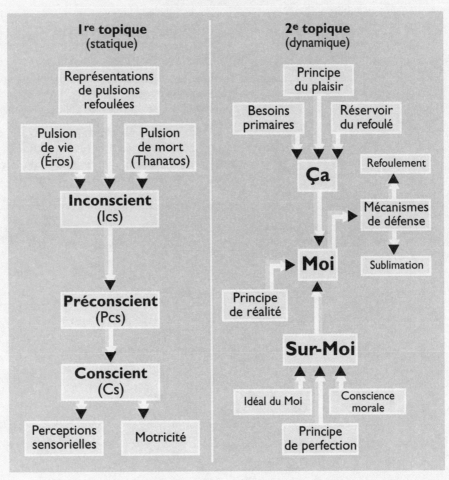

ACTIVITÉS D'APPRENTISSAGE

A

Analyse et critique de texte

■

Objectifs spécifiques

L'élève doit être capable:

- de démontrer sa compréhension d'un texte de Freud en transposant dans ses propres mots des contenus partiels de ce texte philosophique;

- d'évaluer le contenu, c'est-à-dire d'exprimer son accord ou son désaccord (et en donner les raisons) sur les notions fondamentales de la psychanalyse freudienne décrites dans ce texte.

■

TEXTE DE FREUD

LE MOI

Nous nous représentons les processus psychiques d'une personne comme formant une organisation cohérente et nous disons que cette organisation cohérente constitue le *Moi* de la personne. C'est à ce *Moi*, prétendons-nous, que se rattache la conscience, c'est lui qui contrôle et surveille les accès vers la motilité, c'est-à-dire l'extériorisation des excitations. Nous voyons dans le *Moi* l'instance psychique qui exerce un contrôle sur tous ses processus partiels, qui s'endort la nuit et qui, tout en dormant, exerce un droit de censure sur les rêves. C'est encore de ce *Moi* que partiraient les refoulements, à la faveur desquels certaines tendances psychiques sont, non seulement éliminées de la conscience, mais mises dans l'impossibilité de se manifester ou de s'exprimer d'une façon quelconque. Au cours de l'analyse, ces tendances, éliminées par le refoulement, se dressent contre le *Moi*, et la tâche de l'analyse consiste à supprimer les résistances que le *Moi* nous oppose dans nos tentatives d'aborder les tendances refoulées. Or, on constate au cours de l'analyse que le malade se trouve fort embarrassé lorsqu'on lui impose certaines tâches, que ses associations se trouvent en défaut toutes les fois qu'elles se rapprochent de ce qui est refoulé. Nous lui disons alors qu'il subit l'influence d'une résistance, mais il n'en sait rien lui-même; et alors même que les sentiments pénibles qu'il éprouve l'obligent à reconnaître qu'il est dominé par une résistance, il est incapable de dire en quoi elle consiste et d'où elle vient. Mais comme cette résistance émane certainement de son *Moi* et en fait partie, nous nous trouvons devant une situation que nous n'avions pas prévue. Nous avons trouvé dans le *Moi* lui-même quelque chose qui est aussi inconscient que les tendances refoulées et se comporte comme elles, c'est-à-dire produit des effets très marqués, sans devenir conscient, et ne peut être rendu tel qu'à la suite d'un travail spécial. De ce fait, nous nous heurtons, dans notre travail analytique, à d'innombrables difficultés et obscurités, lorsque nous voulons nous en tenir à nos définitions habituelles, en ramenant, par exemple, la névrose à un conflit entre le conscient et l'inconscient. À cette opposition nous devons, étant donné la manière dont nous concevons la structure psychique, en substituer une autre: l'opposition entre le *Moi* cohérent et les éléments détachés du *Moi* et refoulés [...].

Le Moi et le Ça

[...] Un individu se compose ainsi pour nous d'un *Ça* psychique, inconnu et inconscient, auquel se superpose le *Moi* superficiel, émanant du système P [perception] comme d'un noyau. Pour donner de ces rapports une représentation pour ainsi dire graphique, nous dirons que le *Moi* ne recouvre le *Ça* que par sa surface formée par le système P, à peu près comme le disque germinal recouvre l'œuf. Il n'existe pas entre le *Moi* et le *Ça* de séparation tranchée, surtout dans la partie inférieure de celui-là, où ils tendent à se confondre.

Mais ce qui est refoulé se confond également avec le *Ça*, dont il n'est qu'une partie. C'est par l'intermédiaire du *Ça* que les éléments refoulés peuvent communiquer avec le *Moi* dont ils sont nettement séparés par les résistances qui s'opposent à leur apparition à la surface. Nous voyons aussitôt que presque toutes les distinctions que nous venons de décrire, en suivant les suggestions de la **pathologie**, ne se rapportent qu'aux couches superficielles, les seules que nous connaissions de l'appareil psychique.

PATHOLOGIE

Science qui a pour objet l'étude des maladies, des lésions et des troubles qu'elles provoquent.

La naissance du *Moi* et sa séparation du *Ça* dépendent encore d'un autre facteur que l'influence du système P. Le propre corps de l'individu et, avant tout, sa surface constituent une source d'où peuvent émaner à la fois des perceptions externes et des perceptions internes. Il est considéré comme un objet étranger, mais fournit au toucher deux variétés de sensations, dont l'une peut être assimilée à une perception interne. La psychophysiologie a d'ailleurs suffisamment montré comment notre propre corps se dégage du monde des perceptions. La douleur semble jouer, elle aussi, un rôle important dans ce processus et la manière dont, dans les maladies douloureuses, nous acquérons une nouvelle connaissance de nos organes est peut-être de nature à nous donner une idée de la manière dont nous nous élevons à la représentation de notre corps en général.

Il est facile de voir que le *Moi* est une partie du *Ça* ayant subi des modifications sous l'influence directe du monde extérieur, et par l'intermédiaire de la conscience-perception. Il représente, dans une certaine mesure, un prolongement de la différenciation superficielle. Il s'efforce aussi d'étendre sur le *Ça* et sur ses intentions l'influence du monde extérieur, de substituer le principe de réalité au principe de plaisir qui seul affirme son pouvoir dans le *Ça*. La perception est au *Moi* ce que l'instinct ou l'impulsion instinctive sont au *Ça*. Le *Moi* représente ce qu'on appelle la raison et la sagesse, le *Ça*, au contraire, est dominé par les passions. Tout cela s'accorde avec les distinctions courantes et bien connues, mais ne doit être pris que d'une façon très générale et considéré comme étant d'une exactitude purement virtuelle.

L'importance fonctionnelle du *Moi* consiste en ce que, d'une façon normale, c'est lui qui contrôle les avenues de la motilité. Dans ses rapports avec le *Ça*, on peut le comparer au cavalier chargé de maîtriser la force supérieure du cheval, à la différence près que le cavalier domine le cheval par ses propres forces, tandis que le *Moi* le fait avec des forces d'emprunt. Cette comparaison peut être poussée un peu plus loin. De même qu'au cavalier, s'il ne veut pas se séparer du cheval, il ne reste souvent qu'à le conduire là où il veut aller, de même le *Moi* traduit généralement en action la volonté du *Ça* comme si elle était sa propre volonté.

Le *Moi* est avant tout une entité corporelle, non seulement une entité toute en surface, mais une entité correspondant à la projection d'une surface. Pour nous servir d'une analogie anatomique, nous le comparerions volontiers au «mannequin cérébral» des anatomistes, placé dans l'écorce cérébrale, la tête en bas, les pieds en haut, les yeux tournés en arrière et portant la zone du langage à gauche.

Les rapports entre le *Moi* et la conscience ont été souvent décrits, mais quelques faits importants méritent d'être signalés à nouveau. Habitués à introduire partout le point de vue de la valeur sociale ou morale, nous ne sommes pas surpris d'entendre dire que les passions inférieures ont pour arène l'inconscient, et nous sommes persuadés que les fonctions psychiques pénètrent dans la conscience d'autant plus facilement et sûrement que leur valeur sociale ou morale est plus grande. Mais l'expérience psychanalytique nous montre que cette manière de voir repose sur une erreur ou sur une illusion. Nous savons, en effet, d'une part, que même un travail intellectuel difficile et délicat et qui, dans des conditions ordinaires, exige une grande concentration de la pensée, peut s'accomplir dans le préconscient, sans parvenir à la conscience. Il s'agit là de cas dont la réalité est au-dessus de toute contestation, de cas qui se produisent, par exemple, dans l'état de sommeil et se manifestent par le fait qu'une personne retrouve au réveil la solution d'un problème difficile, mathématique ou autre, qu'elle avait cherchée en vain à l'état de veille[43].

Mais nous pouvons citer un autre fait, beaucoup plus étrange. Nous constatons au cours de nos analyses qu'il y a des personnes chez lesquelles l'attitude critique à l'égard de soi-même et les scrupules de conscience, c'est-à-dire des fonctions psychiques auxquelles s'attache certainement une valeur sociale et morale très grande, se présentent comme des manifestations inconscientes et, comme telles, se montrent d'une très grande efficacité; le

---

43. Un cas de ce genre m'a été communiqué récemment, et à titre d'objection contre ma description du «travail de rêve».

caractère inconscient de la résistance que les malades opposent au cours de l'analyse ne constitue donc pas la seule manifestation de ce genre. Mais ce fait nouveau, qui nous oblige, malgré l'affinement de notre sens critique, à parler d'un *sentiment de culpabilité inconscient*, est de nature à aggraver l'embarras que nous éprouvons déjà du fait de la résistance inconsciente et à nous mettre en présence de nouvelles énigmes, surtout lorsque nous en venons à nous assurer peu à peu que dans un grand nombre de névroses ce *sentiment de culpabilité inconscient* joue, au point de vue économique, un rôle décisif et oppose à la guérison les plus grands obstacles. Pour en revenir à notre échelle de valeurs, nous pouvons donc dire: ce n'est pas seulement ce qu'il y a de plus profond en nous qui peut être inconscient, mais aussi ce qu'il y a de plus élevé. Nous avons là comme une nouvelle démonstration de ce que nous avons dit plus haut au sujet du *Moi* conscient, à savoir qu'il ne représente que notre corps.

Le Moi, le Sur-Moi et l'idéal du Moi

[...] *C'est ainsi que la modification la plus générale que la phase sexuelle, dominée par le Complexe d'Œdipe, imprime au Moi consiste essentiellement en ce qu'elle y laisse subsister ces deux identifications*[44], *rattachées l'une à l'autre par des liens dont nous ne savons rien de précis. Cette modification du Moi assume une place à part et un rôle particulier et s'oppose à l'autre contenu du Moi, en tant que Moi idéal ou Sur-Moi.*

Ce *Sur-Moi* n'est cependant pas un simple résidu des premiers choix d'objets par le *Ça*; il a également la signification d'une formation destinée à réagir énergiquement contre ces choix. Ses rapports avec le *Moi* ne se bornent pas à lui adresser le conseil: «sois ainsi» (comme ton père), mais ils impliquent aussi l'interdiction: «ne sois pas ainsi» (comme ton père); autrement dit: «ne fais pas tout ce qu'il fait; beaucoup de choses lui sont réservées, à lui seul». Ce double aspect du *Moi* idéal découle du fait qu'il a mis tous ses efforts à refouler le *Complexe d'Œdipe* et qu'il est né à la suite de ce refoulement. Il est évident que refouler le *Complexe d'Œdipe* ne devait pas être une tâche très facile. S'étant rendu compte que les parents, surtout le père, constituaient un obstacle à la réalisation des désirs en rapport avec le *Complexe d'Œdipe*, le *Moi* infantile, pour se faciliter cet effort de refoulement, pour augmenter ses ressources et son pouvoir d'action en vue de cet effort, dressa en lui-même l'obstacle en question. C'est au père que, dans une certaine mesure, il emprunta la force nécessaire à cet effet, et cet emprunt constitue un acte lourd de conséquences. Le *Sur-Moi* s'efforcera de reproduire et de conserver le caractère du père, et plus le *Complexe d'Œdipe* sera fort, plus vite (sous l'influence de l'enseignement religieux, de l'autorité, de l'instruction, des lectures) s'en effectuera le refoulement, plus forte sera aussi la rigueur avec laquelle le *Sur-Moi* régnera sur le *Moi*, en tant qu'incarnation des scrupules de conscience, peut-être aussi d'un sentiment de culpabilité inconscient. Nous essaierons de formuler plus loin quelques conjectures concernant la source à laquelle le *Sur-Moi* puise et la force qui lui permet d'exercer cette domination et le caractère de contrainte qui se manifeste sous la forme d'un **impératif catégorique**.

IMPÉRATIF CATÉGORIQUE
Commandement, prescription inconditionnelle d'ordre moral que l'esprit se donne à lui-même.

En réfléchissant à ce que nous avons dit relativement au mode d'apparition du *Sur-Moi*, nous constatons qu'il constitue la résultante de deux facteurs biologiques excessivement importants: de l'état d'impuissance et de dépendance infantile que l'homme subit pendant un temps assez long, et de son *Complexe d'Œdipe* que nous avons rattaché à

---

44. Identification au père et identification à la mère. (Note de l'éditeur)

l'interruption que le développement de la libido subit du fait de la période de latence, c'est-à-dire aux doubles dispositions de sa vie sexuelle. En ce qui concerne cette dernière particularité qui est, paraît-il, spécifiquement humaine, une hypothèse psychanalytique la représente comme un reste héréditaire de l'évolution vers la culture qui s'était déclenchée sous la poussée des conditions de vie inhérentes à la période glaciaire. C'est ainsi que la séparation qui s'opère entre le *Sur-Moi* et le *Moi*, loin de représenter un fait accidentel, constitue l'aboutissement naturel du développement de l'individu et de l'espèce, développement dont elle résume pour ainsi dire les caractéristiques les plus importantes; et même, tout en apparaissant comme une expression durable de l'influence exercée par les parents, elle perpétue l'existence des facteurs auxquels elle doit sa naissance.

À d'innombrables reprises, on a reproché à la psychanalyse de ne pas s'intéresser à ce qu'il y a d'élevé, de moral, de supra-personnel dans l'homme. Ce reproche était doublement injustifié: injustifié au point de vue historique, injustifié au point de vue méthodologique. Au point de vue historique, parce que le psychanalyste a attribué dès le début aux tendances morales et esthétiques un rôle important dans les efforts de refoulement; au point de vue méthodologique, parce que les auteurs de ce reproche ne voulaient pas comprendre que la recherche psychanalytique n'avait rien de commun avec un système philosophique, en possession d'une doctrine complète et achevée, mais qu'elle était obligée de procéder progressivement à la compréhension des complications psychiques, à la faveur d'une décomposition analytique des phénomènes tant normaux qu'anormaux. Tant que nous avions à nous occuper de l'étude des éléments refoulés de la vie psychique, nous ne pouvions guère partager le souci angoissant de ceux qui voulaient à tout prix assurer l'intégrité de ce qu'il y a de sublimé et d'élevé dans l'âme humaine. Mais à présent que nous avons abordé l'analyse du *Moi*, nous pouvons répondre à tous ceux qui, ébranlés dans leur conscience morale, nous objectaient qu'il devait bien y avoir dans l'homme une essence supérieure: certes, et cette essence supérieure n'est autre que le *Moi* idéal, le *Sur-Moi*, dans lequel se résument nos rapports avec les parents. Petits enfants, nous avons connu ces êtres supérieurs qu'étaient pour nous nos parents, nous les avons admirés, craints et, plus tard, assimilés, intégrés à nous-mêmes.

Le *Moi* idéal représente ainsi l'héritage du *Complexe d'Œdipe* et, par conséquent, l'expression des tendances les plus puissantes, des destinées libidinales les plus importantes du *Ça*. Par son intermédiaire, le *Moi* s'est rendu maître du *Complexe d'Œdipe* et s'est soumis en même temps au *Ça*. Alors que le *Moi* représente essentiellement le monde extérieur, la réalité, le *Sur-Moi* s'oppose à lui, en tant que chargé des pouvoirs du monde intérieur, du *Ça*. Et nous devons nous attendre à ce que les conflits entre le *Moi* et l'idéal reflètent, en dernière analyse, l'opposition qui existe entre le monde extérieur et le monde psychique.

Ce que la biologie et les destinées de l'espèce humaine ont déposé dans le *Ça*, est repris, par l'intermédiaire de la formation idéale, par le *Moi* et revécu par lui à titre individuel. Étant donné son histoire, son mode de formation, le *Moi* idéal présente les rapports les plus intimes et les plus étroits avec l'**acquisition phylogénique**, avec l'**héritage archaïque** de l'individu. Ce qui fait partie des couches les plus profondes de la vie psychique individuelle devient, grâce à la formation du *Moi* idéal, ce qu'il y a de plus élevé dans l'âme humaine, à l'échelle de nos valeurs courantes. Mais on tenterait en vain de localiser le *Moi* idéal de la même manière dont on localise le *Moi* tout court ou de le plier à l'une des comparaisons par lesquelles nous avons essayé d'illustrer les rapports entre le *Moi* et le *Ça*.

Il est facile de montrer que le *Moi* idéal satisfait à toutes les conditions auxquelles doit satisfaire l'essence supérieure de l'homme. En tant que formation substitutive de la passion pour le père, il contient le germe d'où

ACQUISITION PHYLOGÉNIQUE
Mode de formation des acquis et du développement de l'espèce humaine au cours de l'évolution.

HÉRITAGE ARCHAÏQUE
Ce qui est transmis à l'être humain depuis son origine primitive.

sont nées toutes les religions. En mesurant la distance qui sépare son *Moi* du *Moi* idéal, l'homme éprouve ce sentiment d'humilité religieuse qui fait partie intégrante de toute foi ardente et passionnée. Au cours du développement ultérieur, le rôle du père avait été assumé par des maîtres et des autorités dont les commandements et prohibitions ont gardé toute leur force dans le Moi idéal et exercent, sous la forme de scrupules de conscience, la censure morale. La distance qui existe entre les exigences de la conscience morale et les manifestations du *Moi* fait naître le sentiment de culpabilité.

> Sigmund Freud. *Essais de psychanalyse*, trad. Dr S. Jankélévitch, revue par le Dr A. Hesnard, Paris, Petite Bibliothèque Payot, 1968, p. 184-206.

QUESTIONS D'ANALYSE ET DE CRITIQUE

1. À la lumière de ce texte, définissez dans vos propres mots les concepts de Moi, Ça et Sur-Moi.

Commentaire critique

2. Reprenez une à une ces notions fondamentales de la psychanalyse freudienne et dites ce que vous en pensez. En d'autres mots, évaluez-les séparément en disant si vous êtes d'accord ou non avec le contenu freudien du Moi, du Ça et du Sur-Moi.

Vous devez fonder vos jugements, c'est-à-dire apporter au moins un argument pour appuyer votre position face à chacune de ces notions. (*Minimum suggéré: une page.*)

LECTURES SUGGÉRÉES

La lecture de l'une des œuvres suivantes est suggérée dans son intégralité ou en extraits importants:

Sigmund Freud. *Abrégé de psychanalyse*, trad. Anne Berman, Paris, Presses Universitaires de France, coll. «Bibliothèque de psychanalyse», 1970, 86 p.

Sigmund Freud. *Essais de psychanalyse*, trad. Dr S. Jankélévitch, revue par le Dr A. Hesnard, Paris, Petite Bibliothèque Payot, 1968, 280 p.

B

Analyse et critique de texte

■

Objectifs spécifiques

L'élève doit être capable:

- de faire un résumé des propos tenus par Fromm dans ce texte;

- d'évaluer le contenu, c'est-à-dire d'exprimer son accord ou son désaccord (et en donner les raisons) sur les critiques avancées par Fromm à l'endroit de la psychanalyse freudienne.

■

Erich Fromm (1900-1980), psychanalyste et philosophe juif allemand, se réfugie en Amérique pour fuir le nazisme hitlérien. Fromm y mène une brillante carrière de professeur, de thérapeute et d'écrivain. Principal représentant de l'école «culturaliste», Erich Fromm critique la psychanalyse freudienne orthodoxe.

TEXTE DE FROMM

La mission de Sigmund Freud

En fait, la grande découverte de Freud, celle d'une nouvelle dimension de la réalité humaine, l'inconscient, est un *élément* dans un mouvement qui visait à réformer l'humanité. Mais cette découverte même s'est embourbée de façon fatale. Elle a été appliquée à un petit secteur de la réalité, les pulsions **libidinales** de l'homme et leur refoulement, mais fort peu ou pas du tout à la réalité bien plus vaste de l'existence humaine et aux phénomènes sociaux et politiques. La plupart des psychanalystes, et cela est vrai de Freud lui-même, ne sont pas moins aveugles aux réalités de l'existence humaine et aux phénomènes sociaux inconscients que ne le sont les autres membres de leur classe sociale. En un certain sens, ils sont même plus aveugles, car ils croient qu'ils ont trouvé *la* réponse au problème de la vie dans la formule du refoulement de la libido. Mais on ne peut pas être clairvoyant dans certains domaines de la réalité humaine et rester aveugle dans d'autres. Cela est particulièrement vrai du fait que le phénomène du refoulement est, dans son ensemble, un phénomène social. Dans n'importe quelle société, l'individu refoule les sentiments et les fantasmes qui sont incompatibles avec les schémas de pensée de cette société. La force qui agit dans ces refoulements, c'est la peur d'être isolé et de devenir un paria parce qu'on a des pensées et des sentiments que personne ne voudrait partager. (Dans ses formes extrêmes, la peur de l'isolement complet n'est rien d'autre que la crainte de la folie.) Si l'on considère cela, il est absolument nécessaire pour le psychanalyste d'aller au-delà des schémas de pensée de sa société, de les examiner d'un œil critique et de comprendre les réalités qui produisent de tels schémas. La *compréhension de l'inconscient de l'individu présuppose et nécessite l'analyse critique de la société dans laquelle il vit*. Le fait même que la psychanalyse freudienne n'a guère dépassé une attitude qui est celle de la classe moyenne libérale à l'égard de la société constitue une raison de son étroitesse et de sa stagnation ultérieure dans son propre domaine de la compréhension de l'inconscient individuel. (Il existe à cet égard, soit dit en passant, une connexion étrange — et négative — entre la théorie freudienne **orthodoxe** et la **théorie marxiste** orthodoxe: les freudiens ont vu l'inconscient individuel et sont restés aveugles à l'inconscient social; les marxistes orthodoxes, au contraire, ont pris très vivement conscience des facteurs inconscients du comportement social, mais sont restés remarquablement aveugles dans leur appréciation de la motivation individuelle. Cela a conduit à une détérioration de la théorie et de la pratique marxistes, exactement comme le phénomène inverse a conduit à la détérioration de la théorie et de la thérapeutique psychanalytiques. Ce résultat ne devrait surprendre personne. Qu'on étudie la société ou les individus, on a toujours affaire à des êtres humains et cela veut dire qu'on a affaire à des motivations inconscientes; on ne peut séparer l'homme en tant qu'individu de l'homme en tant que membre de la société — et si on le fait on aboutit à ne comprendre ni l'un ni l'autre.)

Erich Fromm. *La mission de Sigmund Freud*,
trad. Paul Alexandre, Bruxelles, Éditions Complexe,
1975, p. 98-99.

LIBIDINALES
De «libido», recherche instinctive du plaisir, et surtout du plaisir sexuel.

ORTHODOXE
Conforme à la doctrine telle qu'enseignée par Freud.

THÉORIE MARXISTE
Relatif à la doctrine de Karl Marx (1818-1883).

QUESTIONS D'ANALYSE ET DE CRITIQUE

1. Quel reproche Erich Fromm fait-il à l'inconscient et au refoulement freudiens?

2. Expliquez dans vos propres mots le phénomène du refoulement tel que présenté par Erich Fromm dans ce texte.

Commentaire critique

3. Êtes-vous d'accord avec l'affirmation suivante d'Erich Fromm: «*La compréhension de l'inconscient de l'individu présuppose et nécessite l'analyse critique de la société dans laquelle il vit*»? Vous devez fonder vos jugements, c'est-à-dire apporter au moins deux arguments pour appuyer vos affirmations. *(Minimum suggéré: une page.)*

Exercice comparatif: Freud et Rousseau

Objectif spécifique

L'élève doit être capable de procéder à une comparaison entre deux conceptions de l'être humain à propos d'un même thème.

Contexte de réalisation

Individuellement, dans un texte d'environ 350 mots (une page et demie), examinez les rapports de ressemblance et de différence entre la conception rousseauiste et la conception freudienne de l'être humain à propos du thème de la nature et de la culture.

Étapes suggérées

1. *a)* Caractérisez la conception rousseauiste de l'être humain au regard du thème de la nature et de la culture. Par exemple, demandez-vous dans quelle mesure la culture vient, selon Rousseau, pervertir la nature originelle de l'homme.

   b) Caractérisez la conception freudienne de l'être humain au regard du thème de la nature et de la culture. Par exemple, demandez-vous en quoi et comment la culture correspond, pour Freud, à la pression civilisatrice qui vient modifier les pulsions sous des formes socialement utilisables.

2. *a)* S'il y a lieu, précisez les liens ou les similitudes entre la conception freudienne et la conception rousseauiste de l'être humain à propos du thème de la nature et de la culture.

   b) S'il y a lieu, dégagez les oppositions ou les antagonismes entre la conception freudienne et la conception rousseauiste de l'être humain à propos du thème de la nature et de la culture.

D

Jeu de mots croisés sur les concepts freudiens

Objectif spécifique

L'élève doit être capable de démontrer sa compréhension de l'exposé de la conception freudienne de l'être humain et des principaux concepts qui y sont expliqués en faisant les mots croisés qui suivent[45].

Horizontalement

1. Théorie formulée par Freud

2. Ancien do — Article

3. Le Sur-Moi répond à ce principe

4. Pièce de monnaie — Indique une alternative — Petit ruisseau — D'un verbe gai

5. Ensemble des phénomènes psychiques échappant à la conscience

6. Enlève — Connaît — Cite textuellement

7. Les siens — Note de musique

8. Passer quelque chose par le feu

9. Mécanisme de défense par lequel une pulsion est rendue inconsciente

10. Le Moi répond à ce principe — Terminaison

11. Marque le lieu — Instance morale de la personnalité

12. Opinions — Cheville au golf

Verticalement

1. Habite le Ça — Souverain

2. Saint — Obtiennent — Père de la psychanalyse

3. Parasite — Prénom féminin

4. Pour ouvrir une serrure — Emportée rapidement

5. Oiseau échassier (pl.) — Instance de la personnalité

6. Se répandit en fondant — Point que l'on vise

7. Rejette — Sculptés finement

8. Principe auquel on se réfère — Ancienne note

9. Élimine — Supérieure d'un couvent

10. Notre-Seigneur — Fin

11. Relatif au sport

12. Négation — Instance de la personnalité — Groupe de trois personnes

	1	2	3	4	5	6	7	8	9	10	11	12
1												
2												
3												
4												
5												
6												
7												
8												
9												
10												
11												
12												

---

45. Ces mots croisés ont été créés par André Bergeron, professeur de psychologie au Cégep de Saint-Jérôme. Nous lui exprimons toute notre gratitude et notre amitié.

L'homme
comme être libre

**SARTRE
OU
L'EXISTENTIALISME
ATHÉE**

JE SUIS CONDAMNÉ À ÊTRE LIBRE.
CELA SIGNIFIE QU'ON NE SAURAIT
TROUVER À MA LIBERTÉ D'AUTRES
LIMITES QU'ELLE-MÊME OU,
SI L'ON PRÉFÈRE, QUE NOUS
NE SOMMES PAS LIBRES
DE CESSER D'ÊTRE LIBRES.

Jean-Paul Sartre, *L'être et le néant*,
p. 515.

LES EXISTENTIALISMES CONTEMPORAINS

EXISTENCE

Le fait d'être là, dans le monde; la réalité vivante, vécue.

SUBJECTIVITÉ

Ce qui appartient au sujet seul: sa conscience, son moi.

IDÉALISME

Selon une définition brève, se dit, en philosophie, de la doctrine d'après laquelle le monde extérieur n'a de valeur, de vérité que dans les idées que nous en avons.

SUJET

Être individuel, concret, singulier défini comme une intériorité possédant des qualités personnelles et considéré comme l'auteur de ses actes.

TRANSCENDER

Du latin *transcendere*, «s'élever au-dessus de». Dépasser en étant supérieur, appartenir à un degré plus élevé. Par exemple, Dieu transcende le monde et les êtres immanents.

PHÉNOMÉNO-LOGIE

Du grec *phainomenon*, «phénomène», et *logos*, «étude, science». Étude des phénomènes («pure donnée sensible d'un fait») ou d'un ensemble de phénomènes tels qu'ils se présentent directement à la conscience afin d'en saisir les essences. Edmund Husserl (1859-1938) fonda cette méthode d'investigation philosophique, qui fut, par la suite, privilégiée par les existentialistes.

Il n'existe pas un existentialisme, mais des philosophies existentialistes. Ce courant philosophique rassemble des penseurs importants dont les écrits furent déterminants au XXᵉ siècle.

Ces philosophies, bien qu'elles divergent par le traitement qu'elles font subir aux thèmes existentialistes, ont une préoccupation commune: l'**existence** de l'être humain prise dans sa réalité et dans sa singularité concrètes. Les philosophies existentialistes interrogent directement l'existence humaine en vue de tirer au clair l'énigme que l'homme est pour lui-même. Elles sont, par définition, des philosophies qui cherchent à répondre aux questions que l'homme se pose sur sa propre existence. Puisqu'elles prennent comme point de départ la **subjectivité** de l'individu engagé dans l'expérience vécue, c'est l'être humain «dans le monde» qui les intéresse. En ce sens, elles s'opposent aux doctrines **idéalistes**, qui ont tendance à définir l'être humain d'une manière abstraite et détachée de la vie.

Présentons brièvement les principaux représentants de l'existentialisme «contemporain». Søren Kierkegaard (1813-1855) est un philosophe et théologien danois. Son influence fut marquante pour tous les philosophes de l'existence, qu'ils fussent chrétiens ou athées. Kierkegaard est le premier à défendre le **sujet** non pas détaché du monde, mais le sujet individuel dans le monde, le sujet concret comme fondement de toute pensée. Et pour comprendre le sujet, Kierkegaard doit comprendre les conditions concrètes d'existence du sujet: le temps, le devenir, la souffrance. La liberté est ce qui permet à l'individu de se réaliser dans le monde, de constituer sa subjectivité. Lorsque l'individu échoue dans ce projet, il connaît l'angoisse et le désespoir. Selon Kierkegaard, seul le chemin de la foi dans le Christ — chemin parsemé d'incertitude et de déchirement — peut apporter à l'individu la vérité authentique. Kierkegaard peut être considéré comme le père des existentialismes.

Karl Jaspers (1883-1969), philosophe et psychologue allemand, est influencé par Kierkegaard. Selon Jaspers, pour comprendre l'homme, il faut cerner son «être au monde», c'est-à-dire les diverses conditions ou «situations limites» qu'il rencontre dans son existence. Ces situations (folie, combat, échec, souffrance, faute, mort) tracent les limites à partir desquelles l'homme se manifeste, s'accomplit et rencontre sa propre finitude. Pour dépasser le fait que l'existence humaine soit finie et pour contrer l'absurdité qui en découle, l'homme doit se **transcender** dans un Être qui se situe au-dessus de l'existence subjective: Dieu.

Martin Heidegger (1889-1976), philosophe allemand, prend également l'être concret existant (l'«étant humain») comme point de départ et trace une **phénoménologie** de l'existence humaine. L'étant humain est abandonné à lui-même et jeté dans le monde pour y mourir. Il ne réussit jamais à coïncider avec ce qu'il est essentiellement. Pour fuir l'angoisse que génère cet état, l'homme dissimule son être véritable. Il devient «inauthentique». Il se réfugie dans le quotidien banal et anonyme qui dissout les individualités. La quête de l'«authenticité», c'est-à-dire la conquête de la personnalité véritable de l'individu, se fera en interrogeant l'Être, la source «spirituelle» de toutes choses.

Gabriel Marcel (1889-1973), philosophe, journaliste et dramaturge français, fait porter son questionnement sur le sujet pris dans son existence personnelle. Il se refuse à expliquer l'homme comme une chose. Il dénonce les sciences et les techniques contemporaines, qui essaient d'utiliser l'être humain comme un objet. Les rapports aux autres étant des conditions de notre propre existence, Gabriel Marcel interroge les notions d'«autrui» et de «fidélité». Il oppose à l'Avoir le mystère de l'Être qui place l'individu face à lui-même et le rend responsable. Gabriel Marcel prône la rencontre nécessaire de l'homme avec Dieu dans la foi. Ce faisant, il est devenu le principal porte-parole de l'existentialisme chrétien.

Simone de Beauvoir (1908-1986) est philosophe, essayiste, romancière, militante politique et féministe. *Le deuxième sexe*, paru en 1949, analyse de manière décapante l'inégalité et l'oppression qui aliènent l'autonomie des femmes. «On ne naît pas femme, on le devient», proclame Simone de Beauvoir. Selon elle, la liberté se pose en des termes de libération, de révolte, d'émancipation, de rupture des chaînes qui asservissent l'être. Quoique complice de la philosophie sartrienne, Simone de Beauvoir développe une conception particulière et différente de la liberté, et fait de la conquête et de l'usage de la liberté le pivot autour duquel s'organisent son œuvre et sa vie.

SARTRE : UN HOMME INSCRIT DANS SON ÉPOQUE

Jean-Paul Sartre est né à Paris en 1905. Fils unique, orphelin de père, il est élevé dans la «bourgeoisie moyenne» entre sa mère, sa grand-mère et son grand-père. C'est dans *Les mots* (1964) que Sartre critiquera sa classe sociale d'origine, la jugeant imbue d'elle-même et excessivement soucieuse de sa sécurité, de ses devoirs et de ses droits. Il y parlera surtout de son «commencement». L'enfance, qualifiée de «Paradis», est caractérisée par l'expérience de la «mauvaise foi[1]» où le jeune Sartre joue à être sage, généreux et vertueux. «Un seul mandat: plaire; tout pour la montre[2].» Le jeune Sartre bénéficie d'une sécurité insouciante qui le met à l'abri de l'ébranlement du monde européen secoué par la Grande Guerre (1914-1918). Elle dérange si peu Sartre qu'elle l'ennuie très vite. Il la prendra cependant en dégoût lorsqu'elle le privera de ses meilleures lectures.

À l'âge de dix-neuf ans, Sartre entre à l'École normale supérieure, l'une des plus grandes écoles de France. Pendant ces quatre années d'études, Sartre se dit heureux. Il découvre avec bonheur l'indépendance. Il se fait la réputation d'être un joyeux luron, avide de plaisanteries et de canulars contre ses camarades. Il semble peu préoccupé de ce qui se passe dans le monde.

Pourtant, la dictature fasciste de Mussolini s'installe en Italie dès 1926. En 1929, la situation économique se détériore dans le monde occidental: c'est la Crise. Dans les années qui suivent 1929, la terreur fait rage en Union soviétique. Staline s'emploie à liquider tous ceux qui s'opposent au régime en les déportant massivement dans des camps de travail du grand nord sibérien. L'Allemagne connaît la montée fulgurante du nazisme. Hitler est élu chancelier en 1933, puis führer du IIIe Reich l'année suivante.

LE COUPLE SARTRE/DE BEAUVOIR S'EST ENGAGÉ DANS LES GRANDS COMBATS QUI ONT MARQUÉ L'EUROPE DE L'APRÈS-GUERRE.

---

1. Le thème de la mauvaise foi sera traité à la fin du présent chapitre.

2. Jean-Paul Sartre, *Les mots*, Paris, Gallimard, 1964, p. 22.

En 1929, Sartre prépare avec Simone de Beauvoir le concours de l'agrégation de philosophie. Sartre se classe premier — Beauvoir arrive deuxième. Simone de Beauvoir sera la compagne de vie de Sartre. Elle sera sa plus grande lectrice et sa première critique. Dans le Paris de l'après-guerre, ils formeront un couple avant-gardiste qui valorise l'union libre et la sexualité libertaire. Ils mèneront tous les deux une vie active d'intellectuels engagés.

Sartre est nommé professeur de lycée au Havre, puis à Paris. En septembre 1933, pour l'année scolaire, il accepte un poste de lecteur à l'Institut français de Berlin. Il y poursuit sa formation philosophique. Il étudie FRIEDRICH HEGEL (1770-1831) et se laisse imprégner par la phénoménologie d'EDMUND HUSSERL (1859-1939) et de Heidegger. Les premières œuvres philosophiques de Sartre (*L'imagination* [1936], *La transcendance de l'Ego* [1938], *Esquisse d'une théorie des émotions* [1939], *L'imaginaire* [1940], *L'être et le néant. Essai d'ontologie phénoménologique* [1943]) témoignent du courant phénoménologique allemand.

> **S**artre retiendra surtout de Hegel la puissance de négation de l'esprit, la formation de la conscience dans son rapport d'affrontement à l'autre et la réalisation de l'humanité en nous et dans l'histoire.

> **H**usserl développe l'idée d'intentionnalité de la conscience. «Toute conscience est conscience de quelque chose.» La conscience est tension, éclatement, dépassement d'elle-même vers ce qu'elle n'est pas: le monde et les choses.

En 1938, Sartre publie un premier roman fort remarqué, *La nausée*. *Le mur* est publié en 1939. La Seconde Guerre mondiale le mobilise en 1939. Il est fait prisonnier en juin 1940. Il est libéré l'année suivante grâce à un faux certificat médical le déclarant atteint de troubles de l'orientation. De retour à Paris, il reprend ses cours. Sous l'occupation allemande, Sartre se fait résistant en publiant la pièce de théâtre *Les mouches* (1942), qui est un appel à la résistance. *Les mouches*, *L'être et le néant* (1943) et la pièce *Huis clos* (1944) font de Sartre un auteur célèbre. L'œuvre sartrienne, immense et variée, reflète les inquiétudes et les interrogations de toute une époque.

L'originalité de Sartre réside dans le fait qu'il écrit de nombreux romans et pièces de théâtre[3] qui traduisent, par la voie de la fiction, ses thèses philosophiques. Son œuvre littéraire connaît la consécration lorsque le prix Nobel de littérature lui est octroyé en 1964. Il refuse ce prix prestigieux, parce que, selon lui, «l'écrivain ne doit pas se laisser institutionnaliser[4]». À ce sujet, quelques années plus tard, il dira: «Je ne vois pas pourquoi une cinquantaine de messieurs âgés qui font de mauvais livres me couronneraient. C'est aux lecteurs à dire ce que je vaux. Pas à ces messieurs-là[5].»

---

3. Les principaux romans de Sartre sont: *La nausée* (1938), *Le mur* (1939), *Les chemins de la liberté* (1945-1949): *L'âge de raison, Le sursis, La mort dans l'âme*. Pour le théâtre, il a écrit: *Les mouches* (1942), *Huis clos* (1944), *Morts sans sépulture* (1946), *La putain respectueuse* (1946), *Les mains sales* (1948), *Le Diable et le bon Dieu* (1951), *Kean* (1954), *Nekrassov* (1955), *Les séquestrés d'Altona* (1960).

4. Louis Wiznitzez, «Sartre parle», *Magazine Maclean*, janvier 1967, p. 27.

5. Entretien radiophonique sur France Inter, 1973.

Même s'il décline l'honneur que ces «vieux messieurs» lui font, c'est à sa production littéraire que Sartre doit son immense popularité, car il faut bien admettre que ses œuvres proprement philosophiques[6] — parce que denses, spécialisées et souvent arides — ne sont guère accessibles à un large public.

Jouissant d'une audience exceptionnelle et mettant en pratique une philosophie de l'engagement, Sartre fait face aux problèmes de son temps. En 1945, il fonde avec Maurice Merleau-Ponty (1908-1961) la prestigieuse revue *Les temps modernes*, qui fait de l'écriture une *action* politique. Sartre et Beauvoir en assumeront progressivement la direction. Sartre lutte contre l'antisémitisme. Anticolonialiste conséquent, il se prononce contre la guerre d'Indochine (1946-1954). En 1952, Sartre devient «compagnon de route» du Parti communiste français. Il rompt son alliance quand la Hongrie est envahie par les troupes soviétiques en 1956. Pendant la guerre d'Algérie (1958-1962), il dénonce l'intervention française et la torture qui y est pratiquée. Ardent défenseur des droits de l'homme, il signe de nombreux manifestes pour la défense des objecteurs de conscience, contre l'exécution de prisonniers politiques, contre l'action américaine au Viêtnam (1961-1973). En tant que président exécutif, Sartre participe au Tribunal Russell pour juger les activités de guerre des États-Unis au Viêtnam. En mai 1968, Sartre appuie la contestation des étudiants français, contestation qui se répandra comme une traînée de poudre dans le monde démocratique. Les étudiants français contestent les institutions scolaires sclérosées, la hiérarchie omniprésente, les programmes rétrogrades, la transmission du savoir par des moyens ancestraux, l'équipement désuet, etc. Sartre encourage l'action contestataire de l'heure avec cette formule qui sera par la suite inscrite sur tous les murs de Paris: «Ce qu'il y a d'intéressant dans votre action, c'est qu'elle met *l'imagination au pouvoir*.» Dans une interview accordée à des étudiants québécois à Paris, Sartre se prononce contre la Loi des mesures de guerre, qui supprime les droits civils au Québec lors de la crise d'octobre 1970. Âgé de soixante-huit ans, Sartre s'inscrit encore dans l'action en participant à la fondation du quotidien «démocratique» de gauche *Libération*, qui se donne comme mandat d'interroger le monde contemporain au nom de l'homme et de sa liberté.

Jean-Paul Sartre meurt le 15 avril 1980. Le jour de son enterrement, cinquante mille personnes suivent son cortège funèbre dans les rues de Paris.

Sartre a profondément marqué de son empreinte le monde philosophique, littéraire, théâtral, journalistique et politique de son époque. Il a traversé notre siècle en surprenant, en ébranlant, en irritant, bref, en passionnant ses contemporains. Occupant la scène française pendant plus de quarante ans, aucun autre philosophe n'a été aussi présent, n'a exercé autant d'influence, n'a été aussi déconcertant et controversé que Sartre.

En France, Jean-Paul Sartre fut le fondateur et le chef de file de l'existentialisme athée. Connu dans le monde entier, traduit dans toutes les langues, Sartre est devenu la figure de proue incontestée du mouvement existentialiste de l'après-guerre.

---

6. Outre les œuvres déjà citées, mentionnons: *L'existentialisme est un humanisme* (1946), *Situations I* (1947), *Situations II* (1948), *Situations III* (1949), *Saint Genet, comédien et martyr* (1952), *Réflexion sur la question juive* (1954), *Critique de la raison dialectique* (1960), *Questions de méthode* (1960), *Situations IV, Situations V, Situations VI* (1964).

LA CONCEPTION SARTRIENNE DE L'ÊTRE HUMAIN[7]: L'HOMME COMME ÊTRE LIBRE

CONSCIENCE

Acte ou état dans lequel le sujet se connaît lui-même en se distinguant de l'objet qu'il connaît. Sartre dit: «Toute conscience est conscience de quelque chose.»

Le point de départ de la philosophie sartrienne est l'existence. D'après Sartre, si nous voulons comprendre ce que nous sommes, il faut partir de cette évidence première: «J(e)'existe.» Ce «je» correspond à la subjectivité, à la **conscience** individuelle qui s'atteint elle-même dans l'existence. Je suis là ici et maintenant.

Les individus qui évoquent l'existence d'une «nature humaine» considèrent qu'on trouve en tout homme un ensemble de caractères ou de traits communs à tous les hommes. Ainsi, selon une telle conception, l'individu ne serait qu'un exemplaire d'une essence unique appelée «nature humaine».

L'existence précède l'essence

Selon l'existentialisme sartrien, l'être humain n'est pas définissable en soi, c'est-à-dire que nous ne pouvons pas lui donner une belle et savante définition qui délimiterait sa nature propre. «Ainsi, il n'y a pas de NATURE HUMAINE, puisqu'il n'y a pas de Dieu pour la concevoir[8].» Il n'y a pas une ou des caractéristiques communes qui se retrouveraient chez tous les humains[9]. Selon Sartre, il n'y a que des existants particuliers et singuliers «en situation».

Selon une lecture déterministe, les hommes sont liés par une chaîne d'événements antérieurs interprétés comme des causes expliquant et justifiant nos comportements actuels.

L'être humain est en situation en ce sens qu'il s'inscrit dans des conditions d'existence concrètes; il est visé par ce qui se passe dans l'instant; il fait face à des données qui sont déjà là. Cela veut donc dire qu'il est lié par un ensemble de DÉTERMINISMES héréditaires, économiques, sociaux et culturels, à partir desquels l'homme se fait, construit son essence. Le parcours de Jean Genet[10] (1910-1986) en est une bonne illustration: abandonné par sa mère à l'Assistance publique, condamné pour vol à l'âge de dix ans, il devient l'incarnation du Mal sous toutes ses formes (vol, prostitution homosexuelle, délation, etc.). Pendant ses séjours en prison, il fait toutefois acte de liberté en se choisissant poète, romancier et dramaturge, alors qu'il avait été rigoureusement conditionné à n'être qu'un voleur.

**EXISTENCE/
ESSENCE**

Pour la philosophie classique, l'existence désigne le fait d'être, c'est-à-dire la réalité vivante, vécue, par opposition à l'essence, qui dit ce qu'est une chose, ce qui constitue sa nature intime.

Puisque l'existentialisme sartrien est de type athée, il pose un homme sans Dieu qui se définit lui-même par les choix qu'il fait au cours de sa vie.

Si Dieu n'existe pas, il y a au moins un être chez qui l'**existence** précède l'**essence**, un être qui existe avant d'être défini par aucun concept et que cet être c'est l'homme [...] Qu'est-ce que signifie ici l'existence précède l'essence? Cela signifie que l'homme existe d'abord, se rencontre, surgit dans le monde, et qu'il se définit après[11].

---

7. Dans un entretien radiophonique réalisé et diffusé sur France Inter, en 1973, Sartre dit: «Je ne renonce à rien de ce que j'ai écrit [...] Je suis passé de l'existentialisme au marxisme sans renoncer à mes idées» (Cassettes Radio France K1199 AD035). En conséquence, nous avons délibérément fait le choix de présenter un exposé «classique» de la conception sartrienne de l'être humain en négligeant la période dite «matérialiste» de sa philosophie, période qui débute après la parution, en 1946, de *L'existentialisme est un humanisme*.

8. Jean-Paul Sartre, *L'existentialisme est un humanisme*, Paris, Les Éditions Nagel, coll. «Pensées», 1968, p. 22.

9. Rappelons à titre d'exemples que, pour Descartes, la nature de l'homme est la pensée: ce qui fait de lui un être rationnel. Selon Rousseau, la nature de l'homme est la perfectibilité: ce qui a fait de lui un être qui a été transformé par la société. Selon Nietzsche, la nature de l'homme se situe dans son corps: ce qui fait de lui un être qui doit se dépasser par l'affirmation de ses désirs et passions.

10. Sartre a publié chez Gallimard, en 1952, un essai sur Jean Genet intitulé *Saint Genet, comédien et martyr*.

11. Jean-Paul Sartre, *L'existentialisme est un humanisme*, p. 21.

Aucun caractère essentiel ne peut donc définir l'Homme. L'Homme n'est pas, seul l'individu existe, et en existant il se fait peu à peu. Ce n'est qu'après avoir existé, c'est-à-dire après avoir agi, que l'individu «se définit peu à peu, et la définition demeure ouverte[12]». Autrement dit, c'est en existant que l'individu peut choisir librement d'être ce qu'il veut être (son essence).

Parce que l'existence précède l'essence, l'homme est libre. C'est le primat de l'existence qui rend possible et nécessaire cette liberté.

EXISTER, C'EST ÊTRE LIBRE ; ÊTRE LIBRE, C'EST CHOISIR

On ne peut comprendre la conception de la liberté avancée par Sartre sans rappeler ses positions religieuses. En effet, l'existentialisme sartrien est rigoureusement lié à l'athéisme.

> Si Dieu n'existe pas, écrit Sartre, nous ne trouvons pas en face de nous des valeurs ou des ordres qui légitimeront notre conduite. Ainsi, nous n'avons ni derrière nous, ni devant nous, dans le domaine lumineux des valeurs, des justifications ou des excuses. Nous sommes seuls et sans excuses. C'est ce que j'exprime en disant que l'homme est condamné à être libre[13].

La liberté constitue la conséquence fondamentale d'une position athée cohérente. Sartre postule la liberté comme principe premier de l'action et de la réflexion. L'être humain ne peut qu'être libre car sa conscience possède le pouvoir de *néantiser*, c'est-à-dire d'annihiler, de concevoir comme non-être les divers déterminismes dont elle peut être l'objet. En conséquence, les seules limites à la liberté de l'être humain sont celles qu'il s'est lui-même données.

La liberté, chez Sartre, ne constitue pas un cadeau, elle n'est pas un droit. C'est un reçu malgré nous, une donnée qui nous colle à la peau, qui nous enveloppe entièrement et qui, à la limite, nous étouffe parce qu'elle nous oblige continuellement à nous construire.

La liberté sartrienne est liée à la conscience qui choisit d'être ceci ou cela au-delà de tout déterminisme, de toute cause. Cette liberté est une liberté vécue, une liberté de fait que chacun se doit d'assumer. Il n'est donc aucunement question ici d'une liberté-concept, d'une liberté-notion. La liberté adhère d'une façon constante et inévitable à l'existence. Elle ne prend son sens que dans l'acte. En d'autres termes, notre entière liberté se manifeste chaque fois que nous faisons un acte[14]. Lorsque, par exemple, en telle circonstance, nous manifestons de la peur, c'est nous — et nous seuls — qui librement nous choisissons et nous définissons peureux en exécutant des gestes de peur. Au contraire, en d'autres circonstances, nous pourrons nous choisir courageux, affirmer toute notre liberté dans des

CET HOMME QUI PORTE SECOURS À UN ALPINISTE BLESSÉ SE CHOISIT COMME ÊTRE HUMAIN COURAGEUX.

---

12. *Action, Mise au point*, décembre 1944.

13. Jean-Paul Sartre, *L'existentialisme est un humanisme*, p. 37.

14. Sartre ne fait aucune distinction entre choisir et faire.

actes de courage, exister comme êtres courageux. La question que nous devons poser est donc la suivante: quelle est notre manière de nous choisir? Plus particulièrement, quel est le choix que nous faisons de nous-mêmes dans le monde? Et ce choix, selon Sartre, ne peut qu'être libre.

> Les valeurs universelles du vrai, du bien et du beau sont présentées par les philosophies idéalistes comme étant valables *a priori* (c'est-à-dire avant toute expérience) pour tous les hommes et pour toutes les époques.

Cette immense liberté sartrienne peut-elle être comparée aux pouvoirs infinis du libre arbitre de Descartes? Pour un idéaliste comme Descartes qui souscrit aux VALEURS UNIVERSELLES, la liberté correspond au pouvoir de la volonté de choisir le vrai et d'agir selon le bien, pouvoir immense certes, mais pouvoir théorique détaché des conditions de l'existence.

Pour Sartre, être libre, ce n'est pas choisir entre des valeurs prédéterminées (le vrai plutôt que le faux, le bien plutôt que le mal); c'est, au contraire, me choisir moi-même dans le monde en faisant concrètement un choix, car — nous venons de le voir — il n'y a de liberté que dans la mesure où un geste, un acte libre est exécuté. Or, il y a nécessité pour l'homme de se choisir perpétuellement. Selon Sartre, l'individu qui prétend ne pas pouvoir choisir est un lâche ou un salaud. Rien ne peut venir à l'homme à moins que ce ne soit délibérément choisi. Être libre, c'est même être obligé de choisir, car il «n'est pas possible [...] de ne pas choisir [...]; si je ne choisis pas je choisis encore[15]». Je choisis alors de ne pas choisir. Sartre donne l'exemple suivant. En face de ma situation d'être sexué, je suis dans l'obligation de choisir une attitude: j'ai des relations sexuelles avec un être de l'autre sexe, ou bien du même sexe, ou encore je suis bisexuel; je m'inscris dans des rapports sexuels monogames, ou bien je privilégie les relations multiples; je me limite à l'autoérotisme, ou bien je reste chaste. Or, si je m'abstiens d'actualiser ma sexualité, je ne peux dire que je n'ai pas choisi: j'ai choisi de ne rien faire; j'ai choisi de ne vivre d'aucune manière ma «situation» d'être sexué.

LA LIBERTÉ EN SITUATION

La liberté sartrienne est une liberté «en situation». Non seulement notre liberté se manifeste dans des situations concrètes, mais elle n'est possible qu'en situation. L'être humain a le choix entre accepter sa situation et la transformer.

Dans *L'être et le néant*, Sartre relève et décrit les éléments fondamentaux de notre situation dans le monde à partir de laquelle se manifeste notre liberté. Voyons de quoi il s'agit.

Ma place

Ma place, c'est mon «pays», le lieu que «j'habite», mon «emplacement» par rapport aux choses qui m'entourent. Or cette place qui correspond, somme toute, à ma situation dans l'espace, peut-elle être une restriction à ma liberté? se demande Sartre.

D'abord, la place que j'ai reçue à ma naissance ne constitue pas une entrave à ma liberté, puisque j'étais, comme nouveau-né et enfant, dans l'impossibilité d'y réagir et de choisir une autre place. Quant à la place que je prends actuellement, j'en suis entièrement responsable. Car il dépend de mon unique liberté de ne pas me limiter à mon être-là (c'est-à-dire le fait d'être là plutôt qu'ailleurs), mais de me situer par rapport à ce que

---

15. Jean-Paul Sartre, *L'existentialisme est un humanisme*, p. 73.

je veux ou non atteindre. En d'autres mots, c'est moi qui, librement, donne une signification existentielle à la place que j'occupe ou à celle que j'occuperai. Par exemple, je donnerai une signification à ma situation spatiale présente si je saute dans ma voiture et supporte (puisque je déteste conduire!) la fatigue des trois heures de route me séparant de mon ami Roger. Ainsi, c'est notre liberté qui «fait apparaître notre emplacement comme résistance insurmontable ou difficilement surmontable à nos projets[16]».

Mon passé

Notre passé constitue la deuxième caractéristique de notre situation dans le monde. Ce passé pèserait, selon une lecture déterministe, de tout son poids sur l'orientation de notre présent. Bien sûr, Sartre admet que les engagements passés peuvent influencer le présent, mais seulement dans la mesure où nous avons constamment à les «ré-affirmer», à les «ré-actualiser». Je suis le seul à pouvoir «ré-assumer» à chaque moment la *portée* de mon passé en lui donnant une signification par l'acte que j'exécute dans le présent. C'est moi seul qui éclaire mon passé à l'aide du projet que je suis et que je lance dans l'avenir. En conséquence, je choisis mon passé. Je choisis le sens que je veux bien donner à mon passé étant donné le choix que je fais de mon présent.

Mon passé ne détermine pas mon présent. À l'inverse, c'est en assumant en toute liberté un projet de vie présent, qui s'oriente vers l'avenir, que je sélectionne, interprète et réalise mon passé à la lumière de ce projet de vie présent. Par exemple, si j'ai librement choisi, il y a quelques années, de m'engager dans une relation amoureuse unique, il n'en tient qu'à moi de ne pas aujourd'hui rejeter ce passé, de ne pas le considérer comme mort, mais au contraire de le revivifier, de lui conférer une valeur toujours actuelle en accomplissant des gestes pour faire grandir cet amour unique.

Mes entours

Dès notre naissance, nous sommes jetés dans un monde d'existences différentes de la nôtre. Ces «choses-ustensiles» nous entourent et affichent leur imprévisibilité, leur complicité ou leur adversité: ce sont les «entours». En fait, les entours sont tout ce qui peut nous arriver lorsque l'on fait quelque chose et qui peut être interprété soit positivement, soit négativement.

Ainsi, lorsque je projette de faire une randonnée à vélo et de me rendre à tel endroit, je peux être placé devant un pneu qui crève, un vent de face, un soleil de plomb, etc. Est-ce que l'apparition de ces entours hostiles, qui peuvent contribuer à changer radicalement ma situation, constituent pour autant une entrave à ma liberté? Pas du tout! Les accidents prévisibles et même ceux que je n'avais pas prévus ou pu prévoir, malgré qu'ils interrompent ma route, ne déterminent pas mon existence. Ils font partie de mon projet de randonnée à vélo comme des probables, des possibles pouvant surgir inopinément. C'est même ma liberté qui donne un sens à ces

PARCE QU'ELLE EST LIBRE, CETTE CYCLISTE INTERPRÉ-TERA POSITIVEMENT OU NÉGATIVEMENT LES INCIDENTS POUVANT SURVENIR PENDANT SA RANDONNÉE À VÉLO.

---

16. Jean-Paul Sartre, *L'être et le néant*, Paris, Gallimard, coll. «Bibliothèque des Idées», 1968, p. 576.

entours, les exprime et les constitue en situation, c'est-à-dire comme des éléments ayant un rapport adverse ou complice avec mon projet et moi-même. Il n'en tient qu'à moi d'interpréter la côte que j'ai à monter comme un obstacle difficile, sinon impossible, à franchir ou comme le moyen d'obtenir (une fois arrivé au sommet) un magnifique point de vue sur la campagne environnante. «Ainsi suis-je absolument libre et responsable de ma situation. Mais aussi ne suis-je jamais libre *qu'en situation* [17].»

Mon prochain

LE MONDE DES AUTRES   Ma situation concrète, c'est aussi vivre dans un monde où il y a autrui. Plus particulièrement, en tant qu'existant, je me trouve en présence de significations (modes d'emploi, panneaux indicateurs, ordres et consignes en tous genres) qui n'émanent pas de moi-même, mais des autres. Est-ce que ces dernières constituent une limite externe à ma liberté? Non. Certes, j'habite un «monde-là» peuplé de sens que je n'ai pas mis moi-même, mais c'est à moi d'affirmer et d'assumer ma liberté en tenant compte de la conjoncture présente et en faisant mien ou non ce sens déjà là. Ces interdictions, ces défenses n'entraveront ma liberté que dans les limites de mon propre choix.

LE BESOIN DES AUTRES   Le *cogito* de Descartes («Je pense, donc je suis») permet à l'être humain de prouver son existence en obtenant la certitude qu'il est en train de penser. L'existentialisme sartrien donne au *cogito* une autre fonction: celle de permettre la découverte des autres comme la condition même de sa propre existence.

En tant qu'objet au milieu du monde, nous sommes constamment soumis aux appréciations d'autrui. Or, en posant sur moi un regard qui me renvoie à moi-même, l'autre me permet de m'appréhender, de me jauger. Selon Sartre, nous avons besoin des autres pour prendre conscience de nous-mêmes dans la mesure où nous ne pouvons «rien être (au sens où on dit qu'on est spirituel, ou qu'on est méchant, ou qu'on est jaloux) sauf si les autres le reconnaissent comme tel[18]».

En d'autres mots, je ne peux m'atteindre que par le regard d'un autre. Pour savoir qui je suis, j'ai besoin d'autrui; il est celui qui me permet d'acquérir ma réalité. «Pour obtenir une vérité quelconque sur moi, écrit Sartre, il faut que je passe par l'autre. L'autre est indispensable à mon existence, aussi bien d'ailleurs qu'à la connaissance que j'ai de moi[19].» L'autre me confère un caractère. Il est la «condition concrète» de mon objectivité. Lorsque, pour me décrire, il utilise les qualités de «bon» ou de «méchant», de «sympathique» ou d'«antipathique», etc., il veut m'atteindre et il m'atteint dans mon être. Cependant, c'est moi, à la lumière de mes propres fins, qui accepterai ou non l'image de moi que me présente l'autre. Par le regard jeté sur moi, l'autre est celui qui me confirme ou m'infirme à moi-même en ce sens que c'est ma liberté qui me permet d'accorder ou non du crédit à ce que l'autre dit de moi.

LA HAINE DES AUTRES   Le regard qu'autrui porte sur moi m'aide à me définir, mais en même temps il peut apparaître comme une menace.

---

17. *Ibid.*, p. 591.

18. Jean-Paul Sartre, *L'existentialisme est un humanisme*, p. 66.

19. *Ibid.*, p. 67.

«L'autre [est] une liberté posée en face de moi qui ne pense et qui ne veut que pour ou contre moi[20].» Dans l'une de ses pièces de théâtre les plus populaires, *Huis clos*, Sartre situe en enfer l'action de trois personnages imaginaires. Pour lui, l'enfer n'est pas un lieu de torture physique; on n'y endure ni feu ni gril. Dans *Huis clos*, l'enfer est représenté par un simple salon sans fenêtre, avec uniquement trois fauteuils pour Garcin, Inès et Estelle, qui sont condamnés à rester seuls ensemble pour toujours.

Le sommet de la souffrance pour l'être humain n'est pas dans la douleur physique; il est dans le voisinage des autres. «Le bourreau, c'est chacun de nous pour les deux autres[21]», dit Inès. En effet, selon l'existentialisme sartrien, l'autre est bourreau de trois façons différentes.

D'abord, les autres nous gênent, encombrent notre existence par le seul fait d'être là, surtout quand c'est le hasard qui les y a mis et qu'aucune affinité ne nous lie à eux. Les trois protagonistes de *Huis clos* ne se sont pas choisis. Ils sont là, en enfer, pour l'éternité! Le milieu de travail peut fort bien illustrer cette problématique. Le travail que nous faisons nous oblige à côtoyer quotidiennement des collègues. Qui sont-ils? Des gens que nous n'avons pas choisis, qui souvent ne nous ressemblent guère et avec lesquels il nous est parfois difficile de sympathiser. Mais ils sont là, nous agacent, nous irritent, nous énervent.

Ensuite, l'autre représente le bourreau dans la mesure où il est souvent incapable de nous donner ce que nous aimerions recevoir de lui. Cela occasionne, bien sûr, nombre de malentendus et de déceptions. La pièce *Huis clos* met en lumière de belle façon cette deuxième dimension du difficile rapport à autrui. Garcin, le personnage masculin, est mort lâche. Il essaie tant bien que mal de se construire une image d'homme fort et assuré, d'abord pour lui-même, mais aussi pour les yeux d'Estelle. Mais à quoi bon tenter de paraître ce qu'il n'est pas, de séduire Estelle, puisqu'elle représente tout ce qu'il ne peut pas supporter chez une femme: un intérêt excessif porté à son apparence, un besoin constant d'être rassurée, une naïveté et une superficialité criantes. Estelle ne peut donc rien apporter à Garcin. Inès, quant à elle, est lesbienne. Elle fait preuve de dureté, ne ménage pas ses compagnons d'infortune, les oblige à se reconnaître tels qu'ils sont. Elle les immobilise dans leur fatalité. Cependant, elle a besoin des autres, d'Estelle en particulier; mais elle ne peut rien attendre d'elle, puisque Estelle n'a d'yeux que pour Garcin.

LE REGARD QUE CHACUN DES PROTAGONISTES POSE SUR SON VIS-À-VIS TENTE DE LE « CHOSI-FIER » EN LE RÉDUISANT À L'ÉTAT D'OBJET.

Enfin, autrui me «chosifie». Quand il me juge d'une manière implacable, il est un sujet qui tente de me réduire à l'état d'objet. Par le jugement qu'il porte sur moi, l'autre essaie de nier ou d'étouffer ma liberté en me rendant esclave de valeurs qui me qualifient de l'extérieur. Pour lui, je suis, par exemple, intelligent ou stupide, beau ou laid, etc. Le jugement qu'il porte sur moi est beaucoup plus qu'une simple opinion qu'il se fait de ma personne, car il me confère un sens que je ne me suis pas donné moi-même. Je subis ce sens dans la mesure où il m'est imposé par une liberté autre que la mienne. Je deviens, par le regard de l'autre, ce quelqu'un, cette qualité ou ce défaut que je n'ai pas nécessairement choisi d'être. Bref, la liberté de l'autre appréhende librement ma liberté selon ses propres perspectives et orientations.

20. *Ibid.*, p. 67.

21. Jean-Paul Sartre, *Huis clos*, Paris, Gallimard, coll. «Le Livre de poche», 1967, p. 34.

Les trois personnages de *Huis clos* se jugent constamment les uns les autres. Ils connaissent l'angoisse infernale de devenir des personnes-choses par le regard de l'autre. Sous ce regard, ils ne peuvent plus fuir, figés qu'ils sont par l'œil qui les voit. «Ah! Comme tu vas payer à présent, dit Inès. Tu es un lâche, Garcin, un lâche parce que je le veux. Je le veux, tu entends, je le veux[22]!» L'enfer de *Huis clos*, c'est notre condition d'ici-bas où les autres nous condamnent à être ce qu'ils jugent que nous sommes. Ainsi, lorsque quelqu'un, catégorique, me dit que je suis un salaud, un ingrat ou un jaloux, je deviens cela à ses yeux; désormais, pour lui, je ne suis que cela. Il me pétrifie, me fixe à tout jamais dans le rôle de salaud, d'ingrat ou de jaloux. Et c'est pourquoi Sartre, par la bouche de Garcin, s'écrie à la fin de *Huis clos*: «l'enfer, c'est les Autres[23]». Cet enfer, soyons-en certains, peut nous conduire à la haine d'autrui.

Cependant, il existe une porte de sortie. Il s'agit tout simplement de prendre sur moi le point de vue de l'autre et de lui donner un sens à la lumière de mes propres fins. Ici encore, la liberté m'accorde le pouvoir, non pas de décider de la façon dont l'autre me perçoit, mais d'accepter ou de refuser la définition que l'autre m'attribue. Autrui n'est donc pas une entrave à ma liberté, puisque je peux reprendre ou non à mon compte les limites qui me sont imposées par la liberté de l'autre.

SOLIPSISME
«Théorie d'après laquelle il n'y aurait pour le sujet pensant d'autre réalité que lui-même» (*Le Petit Robert*, 1994).

LIBERTÉ INDIVIDUELLE ET LIBERTÉ D'AUTRUI   La liberté sartrienne implique une volonté d'engagement de soi dans chaque situation qu'il nous est donné de vivre. Mais cette liberté de soi n'est ni un acte purement égoïste ni un **solipsisme**.

La liberté comme définition de l'homme ne dépend pas d'autrui, écrit Sartre, mais dès qu'il y a engagement, je suis obligé de vouloir en même temps la liberté des autres, je ne puis prendre ma liberté pour but, que si je prends également celle des autres pour but[24].

En conséquence, la liberté s'exige universellement. L'être humain doit vouloir, selon Sartre, la LIBERTÉ DES AUTRES. C'est individuellement que l'être humain doit découvrir et actualiser pour lui-même les «chemins de la liberté[25]», et ce n'est que dans cette mesure qu'il sera homme, car il n'est que ce qu'il choisit d'être. Cependant, ce projet — qui le fait être — ne doit pas se refermer sur lui-même; il doit s'actualiser comme projet en relation avec les autres.

> La liberté humaine est solidaire de celle des autres hommes.

Ma mort

Sartre note d'abord le caractère totalement absurde de la mort. Avec la mort, les valeurs, les attentes, les comportements mis en avant par l'individu tombent d'un coup dans l'indéterminé, le néant, l'absurde. Aussi, il serait vain de croire que la mort peut donner un sens à la vie. Au contraire, elle lui enlève toute signification car, pour qu'il y ait un sens, il faut que je puisse être là, comme subjectivité, afin d'en fabriquer un et de l'actualiser à la lumière de mon avenir. Or, n'étant plus vivant, tout avenir m'est alors refusé; conséquemment, je ne pourrai pas interpréter ma mort. Lorsque j'existe, j'ai constamment à décider du sens de ma vie; il est carrément entre mes mains. La mort fait en sorte que,

---

22. *Ibid.*, p. 73.

23. *Ibid.*, p. 75.

24. Jean-Paul Sartre, *L'existentialisme est un humanisme*, p. 83.

25. Titre de l'un des romans de Jean-Paul Sartre présenté sous forme d'une trilogie (I. *L'âge de raison*; II. *Le sursis*; III. *La mort dans l'âme*) publiée à Paris chez Gallimard, coll. «N.R.F.», de 1945 à 1949.

désormais, pour ma vie, les jeux sont faits; dès lors, ma vie est une vie *faite*, close, définitivement fermée; rien ne peut plus lui arriver; rien ne peut plus y entrer.

En outre, une fois mort, je suis condamné à n'exister que par autrui. En effet, ceux qui restent, comme on dit, reprennent à leur compte les significations concernant ma vie. Ils peuvent transformer celle-ci en échec ou en réussite, et je ne peux plus corroborer ni démentir l'interprétation qu'ils imposent à ma vie en m'annonçant par mon ou mes projets. «Être mort, c'est être en proie aux vivants[26].» La mort trace-t-elle alors la limite finale de ma liberté? se demande Sartre. Pas nécessairement. Ce n'est pas parce que les autres me voient mortel, ou encore parce qu'ils peuvent me déposséder du sens que je donnais moi-même à ma vie (alors que j'existais), que la mort est pour autant la contrainte ultime de ma liberté.

En fait, la mort n'est «rien d'autre que du *donné*» qui doit arriver; elle n'est qu'une situation limite inéluctable et absurde que j'intériorise comme étant ultime. En cela, elle peut être considérée comme une limite qui hante ma liberté. Mais en réalité, puisque ma conscience ne peut concevoir la mort, ni l'attendre, ni se projeter vers elle, ma subjectivité est entièrement indépendante d'elle et «la liberté qui est *ma liberté* demeure totale et infinie[27]». Certes, je n'ai pas le choix de ne pas mourir un jour. La mort fait partie de ma situation d'homme, mais la mort n'est pas, de mon vivant, un obstacle à mes projets, car «je suis un libre mortel» qui échappe à sa mort dans son projet même de vivre. Bref, la mort est néant, mais j'ai la liberté de vivre ma vie.

> **Sa** place, son passé, ses entours, son prochain et sa mort constituent la situation de l'homme, et c'est uniquement dans cette situation et face à elle que l'homme est libre.

En résumé, nous pouvons dire que la liberté ne devient effective qu'à partir du moment où l'être humain se mesure aux différents éléments qui tracent sa SITUATION dans le monde. Dans *L'être et le néant*, Sartre éclaire sa conception de la liberté par l'exemple de la mobilisation en temps de guerre: je n'ai pas choisi cette situation; je ne suis pour rien dans le fait que mon pays se soit mis en guerre; ce n'est pas moi qui, personnellement, ai déclaré cette guerre; etc.; mais à l'égard de cette situation, il m'est toujours possible de me choisir soldat combattant ou objecteur de conscience. Autrement dit, si je ne me soustrais pas à cette guerre en désertant ou, à la limite, en me suicidant, elle devient ma guerre, je l'ai choisie, et j'en porte l'entière responsabilité. «Vivre cette guerre, écrit Sartre, c'est me choisir par elle et la choisir par mon choix de moi-même[28].»

La liberté sartrienne est une liberté en situation dans la mesure où elle s'inscrit dans le choix d'agir dans une situation particulière dont je ne suis pas nécessairement responsable au départ ou de réagir à celle-ci. En d'autres termes, il dépend toujours de soi, et de soi seul, de choisir une attitude d'acceptation (résignation) ou une attitude de refus (opposition) face à une situation donnée.

ADVENANT UNE GUERRE, CES JEUNES HOMMES QUI SE SONT CHOISIS MILITAIRES, EN ÉPOUSERONT LA CAUSE ET EN PORTERONT L'ENTIÈRE RESPONSABILITÉ.

---

26. Jean-Paul Sartre, *L'être et le néant*, p. 628.

27. *Ibid.*, p. 632.

28. *Ibid.*, p. 640.

L'HOMME COMME PROJET

À l'intérieur de sa condition d'existant, l'être humain ne peut que choisir, choisir de s'accommoder de cette condition ou choisir de la nier. Mais dans l'un ou l'autre cas «la liberté se fait acte[29]», et, ce faisant, l'homme se construit, se crée comme projet.

Ce parti pris en faveur de l'existence fait en sorte que, pour Sartre, l'être humain se définit par «l'ensemble de ses actes[30]». C'est à lui, et à lui seul, de tracer sa propre figure dans le monde. À la question: «Qui suis-je?», tout existentialiste sartrien répondrait: «Je suis ma vie, c'est-à-dire tout ce que j'ai fait jusqu'à présent, tous les actes que j'accomplis maintenant et toutes les "entreprises" que je ferai dans l'avenir».

L'être humain est, selon Sartre, «ce qui se jette vers un avenir et qui est conscient de se projeter dans l'avenir. L'homme est d'abord un projet qui se vit subjectivement [...] L'homme sera d'abord ce qu'il aura projeté d'être[31]». Autrement dit, l'homme devient les projets qu'il choisit, c'est-à-dire les buts qu'il se donne en accomplissant les actes qui y correspondent nécessairement.

Pour saisir toute la portée de cette conception de l'être humain, il faut bien comprendre la signification que Sartre accorde au mot «projet». «Je suis un projet» ne veut pas dire «je veux être quelqu'un» ou «je veux faire quelque chose», en ce sens que je veux être un astronaute, écrire un livre ou me marier un jour sans jamais exécuter la moindre action qui me dirigerait ou me confirmerait dans cette voie. L'être humain est un projet en ce sens qu'il est ce qu'il a projeté d'être par ses actes. L'exemple du choix de carrière peut très bien illustrer ce que Sartre entend par l'être humain en tant que projet. L'auteur de ce manuel a choisi un jour de devenir un professeur de philosophie. Pour que ce projet se réalise, il a fallu qu'il exécute, dans le passé, une série d'actes sans lesquels il ne serait jamais devenu un professeur de philosophie. Faire parvenir à l'université une demande d'inscription, assister aux cours, remettre les travaux prescrits, passer les examens, produire un mémoire afin d'obtenir le diplôme de maîtrise certifiant une compétence en philosophie. Et la liste ne s'arrête pas là. Par la suite, il a dû envoyer son curriculum vitæ dans différents collèges, se présenter à l'entrevue à laquelle l'un d'eux l'invitait, y offrir ses services et sa qualification. Une fois engagé, il a dû préparer des cours, les donner, évaluer l'apprentissage des notions enseignées aux élèves. Et depuis vingt-huit ans, il accomplit des actes pédagogiques qui le confirment en tant que professeur de cette discipline. Si, dans l'avenir, il désire encore être un professeur de philosophie, c'est-à-dire rester dynamique dans ce projet (du verbe *projicere*, «jeter au loin»), il n'en tiendra qu'à lui de continuer à l'actualiser sans cesse. Cet exemple personnel montre qu'en choisissant librement d'accomplir des actes l'homme se construit comme projet, et, ce faisant, il invente les valeurs.

L'être humain invente les valeurs

Sartre appelle l'être humain à se construire lui-même dans l'action, à inventer les valeurs qui donneront un sens à sa vie. Car les valeurs ne sont pas déjà là dans le monde, offertes. Aucune valeur, aucun sens n'est donné d'avance. C'est l'homme qui crée les

---

29. *Ibid.*, p. 513.

30. Jean-Paul Sartre, *L'existentialisme est un humanisme*, p. 55.

31. *Ibid.*, p. 23.

valeurs. C'est par sa conscience que l'individu donne un sens à son existence. Bien sûr, il ne s'agit pas ici d'une conscience éthérée qui plane au-dessus des choses et des êtres, mais bien d'une conscience agissante qui s'actualise dans des situations concrètes permettant à l'être humain de rendre, à ses propres yeux, son existence signifiante. C'est ce qui amène Sartre à dire que «l'homme, sans appui et sans secours, est condamné à chaque instant à inventer l'homme[32]».

L'être humain est pleinement responsable

Si vraiment l'être humain n'est que ce qu'il fait de lui-même, il s'ensuit logiquement qu'il détient l'entière responsabilité de ce qu'il est et de ce qu'il devient. Sartre l'affirme catégoriquement en écrivant que «la première démarche de l'existentialisme est de mettre tout homme en possession de ce qu'il est et de faire reposer sur lui la responsabilité totale de son existence[33]».

Conséquemment, l'être humain ne peut invoquer aucune circonstance atténuante, comme il ne peut se réfugier derrière aucun déterminisme pour se justifier de n'avoir pas fait ceci ou cela, de n'être pas ceci ou cela. Tout le mérite ou toute la faute de ce qu'il est ne revient qu'à lui seul.

Un exemple peut mettre en lumière la responsabilité totale de l'être humain quant à ses choix existentiels : celui du voleur de banque. Si un individu commet un vol à main armée, il ne peut rejeter la faute sur une prédisposition génétique, sur son éducation familiale ou sur son environnement social. Car c'est lui seul qui s'est présenté ce matin-là à telle banque, a braqué son arme dans la direction de la caissière, a demandé le contenu du tiroir-caisse. La faute lui revient totalement. Il en est entièrement responsable. C'est lui seul qui s'est construit librement comme voleur et qui, ce faisant, a donné un sens, une valeur (négative, dans ce cas) à son existence.

Prenons cette fois-ci un exemple ayant une connotation positive. Si un élève obtient 100 % à un examen de philosophie particulièrement difficile, un existentialiste sartrien dira que cet élève est responsable de sa réussite. Il ne doit ce succès qu'à lui-même. C'est parce qu'il a assumé son statut d'élève et que, conséquemment, il a étudié qu'il a obtenu ce résultat exceptionnel.

L'acte individuel engage toute l'humanité

L'être humain est à ce point responsable de ses propres choix qu'il est dans l'obligation, selon Sartre, de les considérer comme valables pour tous les autres.

Quand nous disons que l'homme se choisit, nous entendons que chacun d'entre nous se choisit, mais par là nous voulons dire aussi qu'en se choisissant il choisit tous les hommes. En effet, il n'est pas un de nos actes qui, en créant l'homme que nous voulons être, ne crée en même temps une image de l'homme tel que nous estimons qu'il doit être[34].

---

32. Jean-Paul Sartre, *L'existentialisme est un humanisme*, p. 38.

33. *Ibid.*, p. 24.

34. *Ibid.*, p. 25.

En d'autres mots, cela signifie que l'être humain que nous choisissons d'être par nos actes propose un portrait de l'humain à nos semblables, portrait valable pour toute l'époque dans laquelle nous vivons. C'est comme si je disais à mes contemporains: «Ce choix de vie qui est le mien repose sur une ou des valeurs que je vous propose comme étant bonnes.»

Sartre apporte l'exemple du choix individuel de se marier et de fonder une famille. «Même si ce mariage, dit-il, dépend uniquement de ma situation, ou de ma passion, ou de mon désir, par là j'engage non seulement moi-même, mais l'humanité entière sur la voie de la monogamie[35].» Ces propos de Sartre veulent dire que mon propre choix (habiter avec un partenaire, lui être fidèle, avoir et élever des enfants, etc.) constitue un modèle de valeurs applicable à tous.

Par son existence même et les choix qu'il privilégie, l'être humain est engagé dans son monde et dans son époque. Il choisit d'être ceci ou cela. Il l'affirme pour lui-même et, simultanément, il propose à tous la valeur de ce choix. Les actes individuels que l'être humain accomplit lui permettent de se définir à ses propres yeux, mais, en même temps, ils se doivent d'être bons pour tous. Ainsi, nous sommes responsables pour nous-mêmes et pour tous, car chaque acte humain présente une idée de l'humanité. Cette responsabilité immense nous place devant l'angoisse.

L'être humain est angoisse

«Nous *sommes* angoisse», écrit Sartre dans *L'être et le néant*[36]. Mais qu'est-ce que l'angoisse? L'angoisse est l'inquiétude profonde vécue par l'individu conscient de devoir construire pour lui et pour tous, sans modèle ni référence, une essence humaine dont il est entièrement responsable.

L'angoisse est le sentiment d'être jetés dans un monde que nous n'avons pas choisi, d'être plongés dans une existence fortuite, donnée pour rien, d'être une situation de hasard; d'où le sentiment d'absurdité lié à l'existence de l'homme. L'existence humaine est absurde dans la mesure où elle est d'abord dépourvue de sens, où elle ne peut être justifiée de manière rationnelle. Je n'ai pas choisi de naître, et je suis assuré de mourir un jour. Sartre utilise le concept de FACTICITÉ pour exprimer le caractère absurde, non nécessaire de l'existence de l'homme. «Ma facticité, [c'est] le fait que les choses *sont là* simplement comme elles sont et que *je suis là* parmi elles[37].» Par le caractère injustifiable des choses posées là, et de moi existant parmi elles, je ressens la nausée[38]: j'éprouve une espèce de malaise, de dégoût face à ma propre existence et face à l'existence des choses. Je me sens «de trop» dans un monde sans raison ni finalité.

> La facticité exprime l'idée que l'existence individuelle est un fait accidentel, sans principe fondateur et, conséquemment, absurde au départ.

Puisque l'être humain ne peut trouver aucun signe sur terre qui puisse l'orienter (il n'y a pas de normes prédéterminées), puisqu'il est sans appui, il éprouve l'angoisse du vide. Puisqu'il n'y a aucune morale générale qui puisse nous indiquer ce qu'il y a

35. *Ibid.*, p. 27.
36. Jean-Paul Sartre, *L'être et le néant*, p. 81.
37. *Ibid.*, p. 633-634.
38. Cette sensation de nausée est habilement décrite par Sartre dans son roman *La nausée*.

à faire, puisqu'«il n'y a pas de signe dans le monde[39]», l'angoisse est le lot de la réalité humaine[40].

Ce n'est pas le monde extérieur qui constitue une menace et qui susciterait chez moi l'angoisse. D'ailleurs, nous devrions à ce moment parler de peur plutôt que d'angoisse. L'individu qui a peur craint tel objet ou telle situation du monde qu'il appréhende comme un danger. Alors que l'angoisse émane de la conscience. Elle correspond à l'incertitude que connaît la conscience devant son avenir qu'elle n'est pas encore, mais qu'elle est totalement libre de faire. En ce sens, l'angoisse est la conscience de ne pouvoir faire autrement que d'être libre; c'est la conscience qui s'angoisse elle-même devant le choix qu'elle a à faire.

LA MAUVAISE FOI

Placé devant le choix d'adopter une attitude d'acceptation ou de refus face à une situation donnée, placé devant l'obligation de proposer à tous la valeur de ses propres choix, l'être humain éprouve de l'angoisse. Lorsque la conscience est incapable d'assumer la responsabilité du choix, et pour fuir l'angoisse qui en résulte, elle peut se dérober et choisir sans choisir. Nous avons affaire alors à la mauvaise foi[41].

La mauvaise foi est définie par Sartre comme «un mensonge à soi»: c'est comme si la conscience se mentait à elle-même. Cependant, on est loin du «mensonge tout court»:

L'essence du mensonge implique, en effet, que le menteur soit complètement au fait de la vérité qu'il déguise. On ne ment pas sur ce qu'on ignore, on ne ment pas lorsqu'on répand une erreur dont on est soi-même dupe, on ne ment pas lorsqu'on se trompe[42].

Le mensonge implique une dualité entre moi qui trompe et autrui qui est trompé. Je connais parfaitement la vérité et je la cache ou la déforme à quelqu'un qui ne sait pas. Avec la mauvaise foi, il s'agit d'autre chose, car le trompeur et le trompé se retrouvent dans la même personne.

Dans la mauvaise foi, c'est à moi-même que je masque la vérité. [...] On ne subit pas sa mauvaise foi, on n'en est pas affecté, ce n'est pas un état. Mais la conscience s'affecte elle-même de mauvaise foi. Il faut une intention première et un projet de mauvaise foi[43].

On choisit donc consciemment d'être de mauvaise foi. Un acte de mauvaise foi n'est pas la manifestation d'un désir qui nous détermine à notre insu. Mais à l'encontre du mensonge où je ne trompe qu'autrui, là c'est à moi-même que je cache d'abord la vérité.

39. Jean-Paul Sartre, *L'existentialisme est un humanisme*, p. 47.

40. L'existentialisme sartrien ne condamne pas l'être humain au désespoir. Au contraire, il l'engage à sortir de l'angoisse inhérente à l'humain en donnant un sens à sa vie qui, au départ, n'en a pas. L'existence est donnée pour rien, mais l'homme est libre d'en faire quelque chose.

41. Un rapport peut être fait entre la mauvaise foi sartrienne et l'inconscient freudien. Refusant «l'obscure chimie de l'inconscient», Sartre remplace en quelque sorte l'inconscient par la mauvaise foi. La personne faisant preuve de mauvaise foi est toutefois consciente de ce qu'elle fait ou dit alors que l'inconscient travaille à son insu.

42. Jean-Paul Sartre, *L'être et le néant*, p. 86.

43. *Ibid.*, p. 87.

La mauvaise foi se manifeste de différentes façons. Une personne fait preuve de mauvaise foi lorsqu'elle refuse de choisir. Afin de mieux cerner cette dimension de la mauvaise foi, Sartre examine une conduite particulière: celle d'une jeune femme qui s'est rendue à un premier rendez-vous que lui a donné un homme[44]. Assise à la table d'un café, face à cet homme, elle connaît parfaitement les intentions de cet homme et l'intérêt qu'il lui porte. Pour l'heure, elle s'attache seulement au fait que les propos de son vis-à-vis sont discrets et respectueux. Au fond, elle ne tient pas à être uniquement objet de respect. Elle est sensible au désir que cet homme lui manifeste, elle en est même flattée, mais en même temps elle s'offusquerait d'un désir trop direct, trop affiché qui ne s'adresserait qu'à son corps comme objet. Elle refuse donc de reconnaître le désir pour ce qu'il est: elle ne le nomme pas et préfère ne retenir que l'admiration, l'estime, le respect que l'homme lui témoigne. Mais l'homme lui prend la main. Retirera-t-elle sa main ou la lui laissera-t-elle? Elle se doit de choisir. Si elle abandonne sa main, elle s'engage en quelque sorte et participe au jeu de la séduction. Si elle la retire, elle rompt le charme. La jeune femme abandonne sa main comme si elle ne s'apercevait pas qu'elle l'abandonne. Elle devient alors «tout esprit»: une personne, une conscience qui parle de la vie, de sa vie de façon tout à fait détachée. Elle n'est plus son corps. «Et pendant ce temps, le divorce du corps et de l'âme est accompli; la main repose inerte entre les mains chaudes de son partenaire: ni consentante ni résistante — une chose[45].» De toute évidence, cette femme est de mauvaise foi. Elle a constamment joué sur deux tableaux. Tout en se permettant de jouir du charme de la situation, elle a réduit — pour la porter au-delà du désir physique — la conduite de l'homme comme si elle n'était pas ce qu'elle était, comme si elle était neutre, sans signification. Par MAUVAISE FOI, cette femme refuse de prendre position face au flirt de l'homme. Elle fuit ce qui est effectivement en train de se vivre. Par mauvaise foi, elle refuse d'engager sa personne dans un choix clair et évident.

> **La** mauvaise foi demeure pour l'être humain «une menace immédiate et permanente»: celle de refuser la liberté et l'angoisse inhérentes à notre condition.

Voyons une deuxième façon d'être de mauvaise foi. Un individu adopte une conduite de mauvaise foi lorsqu'il n'assume pas la responsabilité de ses actes. Ainsi, le voleur de banque qui, arrêté et amené devant le juge, se défend d'être la pauvre victime de conditionnements familiaux (son père était assisté social, alcoolique et violent) ou sociaux (il a été entraîné dans le crime par de mauvais compagnons de son quartier défavorisé). Sartre dirait que cet homme est de mauvaise foi. Il se ment d'abord à lui-même, et essaie de tromper le juge.

Enfin, un individu fait acte de mauvaise foi quand il fait primer ce qu'il n'est pas essentiellement (par exemple une fonction sociale) sur ce qu'il est. Pensons à un serveur[46] dans un bar bondé un vendredi soir. Il circule entre les clients le bras bien haut, trop haut levé, tenant son plateau rempli de bières. Quoique assurés, trop assurés, ses mouvements sont mécaniques. Il s'avance vers une table de consommateurs. Ses gestes sont vifs et appuyés. Il a le menton levé. Sa tête, penchée légèrement de côté, exprime la suffisance. Il prend la commande: sa voix est brusque, hautaine. Mais à quoi joue-t-il? Il joue à être un serveur. Cet individu ne montre pas ce qu'il est vraiment. En jouant au serveur, il se cache sa propre vérité et la cache aux autres.

En somme, pour être de bonne foi, dans une situation donnée, il faut choisir, il faut assumer la responsabilité de son choix, il faut se montrer à soi-même et aux autres tel que l'on est.

---

44. Cet exemple est décrit aux pages 94 et 95 de *L'être et le néant*.

45. Jean-Paul Sartre, *L'être et le néant*, p. 95.

46. Cet exemple s'inspire de celui du «garçon de café» présenté par Sartre dans *L'être et le néant*, p. 98-100.

SARTRE AUJOURD'HUI

L'existentialisme sartrien athée définit l'homme comme un «Je» qui, en assumant son entière liberté — dans les limites de sa situation dans le monde —, se fait, se construit en tant qu'être humain responsable.

Ne peut-on mettre en rapport cette liberté de choix totale telle qu'élaborée par Sartre avec la liberté tous azimuts revendiquée aujourd'hui par des «je» autosuffisants qui cherchent à se réaliser par eux-mêmes et pour eux-mêmes[47]? Plusieurs critiques de l'époque contemporaine considèrent, en effet, que les jeunes adultes d'aujourd'hui ne s'intéressent qu'à leur moi devenu objet de culte. Ces derniers ne vivraient qu'en fonction de leurs intérêts individuels exacerbés qu'ils accumuleraient en une quête illimitée de liberté.

Même s'il peut être tentant de trouver un rapport de ressemblance entre ces deux types de liberté, il faut prendre garde de ne pas les confondre. Des différences majeures existent entre la liberté sartrienne et la recherche actuelle de la liberté portée à son paroxysme. Selon Sartre, nous nous définissons librement par ce que nous faisons, et nous devons nous tenir pour responsables de nos choix. Or aujourd'hui, bon nombre de jeunes adultes ne semblent pas assumer les choix quotidiens qu'ils font. Ils ne s'en rendent pas toujours responsables.

Dans un autre ordre d'idées, on dit que les jeunes adultes constituent la clientèle cible de l'industrie du vêtement, car ils suivent la mode. Or, suivre la mode, ne serait-ce pas une conduite de mauvaise foi? La mode peut, en effet, avoir comme fonction de conjurer l'angoisse. Elle procurerait une sécurité, celle consistant à voguer dans des «eaux connues»: pas celles d'hier, ni celles de demain, puisqu'il s'agit toujours de «la mode», c'est-à-dire de ce qui est. Au fond, être à la mode, c'est vouloir se distinguer en étant pareil aux autres! C'est «choisir» d'être différent en étant pareil! C'est nous présenter à nous-mêmes et aux autres sous l'apparat d'un vêtement qui ne nous définit pas toujours tels que nous sommes vraiment. Sommes-nous les vêtements que nous portons? Nous choisissons-nous sans nous choisir en portant les mêmes jeans ou en arborant la même casquette? Refusons-nous la liberté et l'angoisse inhérentes à la condition humaine en suivant la mode?

CE JEUNE COUPLE VÊTU « À LA MODE » FAIT-IL PREUVE DE MAUVAISE FOI?

Sartre affirme que l'homme doit être le sujet de sa propre existence sans utiliser des alibis tels que: «Je ne suis pas doué pour faire ceci», «Mon tempérament, mon caractère ne me permet pas de réaliser cela», «Mon milieu social m'a conditionné à être ceci ou cela».

Avons-nous le courage et la persévérance nécessaires pour affronter les déterminismes héréditaires, psychologiques ou sociaux dont nous sommes l'objet aujourd'hui? Ou, au contraire, n'avons-nous pas tendance à adopter une attitude qui consiste à dire que ce n'est pas notre faute, que nous n'y pouvons rien? Ce que nous avons vécu, ou plutôt ce qu'on nous a fait vivre précédemment, serait responsable de tout ce qui nous arrive.

---

47. Voir à ce sujet la section «Nietzsche aujourd'hui» du chapitre 4.

Par ailleurs, il faut reconnaître qu'affirmer sa liberté, c'est souvent prendre des risques, c'est se mettre en état de fragilité, de déséquilibre, c'est affronter l'éventuelle réprobation d'autrui. Est-ce une folle espérance que de se construire soi-même en tant que projet dans le monde d'aujourd'hui, comme le décrit Sartre? Est-ce un sombre défaitisme que de penser qu'un tel projet est *a priori* empêché par les déterminismes de toute nature? S'abandonner à ce que le destin a fait de soi, se résigner au cours des choses est une seule et même attitude: l'abdication devant sa responsabilité d'être et de se faire parmi les objets et les hommes que nous choisissons de privilégier.

Mais nous voilà, de nouveau, imprégnés de l'existentialisme sartrien, qui proclame que c'est à l'homme de se faire lui-même et de faire le sens! De toute évidence, la philosophie sartrienne s'oppose d'une manière irréductible aux théories déterministes, et en particulier au behaviorisme skinnérien, qui envisage l'être humain comme un produit du milieu.

Le prochain chapitre fera la présentation de cette conception de l'homme en tant qu'être déterminé.

LECTURE SUGGÉRÉE

La lecture de l'œuvre suivante est suggérée dans son intégralité ou en extraits importants:

Jean-Paul Sartre. *L'existentialisme est un humanisme*, Paris, Les Éditions Nagel, coll. «Pensées», 1968, 141 p.

RÉSUMÉ DE L'EXPOSÉ

Les existentialismes contemporains

1. Il n'existe pas une, mais des philosophies existentialistes. La préoccupation commune de ces philosophies est l'existence de l'être humain prise dans sa réalité et dans sa singularité concrètes. Ce qui les intéresse, c'est la subjectivité de l'individu engagé dans le monde.

2. Les plus importantes philosophies existentialistes sont celles de Søren Kierkegaard, Karl Jaspers, Martin Heidegger, Gabriel Marcel, Simone de Beauvoir et Jean-Paul Sartre.

Sartre : un homme inscrit dans son époque

Jean-Paul Sartre est le fondateur de l'existentialisme athée. Jouissant d'une audience exceptionnelle et mettant en pratique une philosophie de l'engagement, Sartre fait face aux problèmes de l'après-guerre en marquant de son influence le monde philosophique, littéraire, théâtral, journalistique et politique.

La conception sartrienne de l'être humain : l'homme comme être libre

L'existence précède l'essence

1. Puisqu'il n'y a pas de nature humaine qui définirait tous les humains, et puisque Dieu n'existe pas, il n'y a que des existants particuliers qui doivent construire leur essence à partir des déterminismes qui pèsent sur eux.

2. Ce n'est qu'en existant que l'individu peut se définir par les choix qu'il fait.

Exister, c'est être libre ; être libre, c'est choisir

1. L'être humain ne peut qu'être libre car sa conscience possède le pouvoir de *néantiser*, c'est-à-dire d'annihiler les divers déterminismes dont il peut être l'objet.

2. La liberté humaine est une liberté vécue qui se manifeste chaque fois que nous accomplissons un acte ; ce faisant, nous nous choisissons.

3. L'être humain est obligé de choisir, car même s'il ne choisit pas, il choisit encore : il choisit de ne pas choisir, il s'abstient.

La liberté en situation

L'être humain peut toujours choisir une attitude d'acceptation ou de refus face à une situation donnée. Ma liberté se manifeste lorsque je me mesure aux éléments fondamentaux qui tracent ma situation dans le monde.

1. **Ma place**

   J'ai l'entière liberté de donner une signification existentielle à la place (lieu, emplacement) que j'occupe ou à celle que j'occuperai.

2. **Mon passé**

   Je choisis le sens que je veux donner à mon passé à la lumière du choix que je fais de mon présent.

3. **Mes entours**

   C'est ma liberté qui interprète ce qui se présente dans une situation donnée comme ayant un rapport adverse ou complice avec mon projet et moi-même.

4. **Mon prochain**

   LE MONDE DES AUTRES

   J'ai la liberté de faire mien ou non le sens que les autres ont déjà mis dans le monde.

   LE BESOIN DES AUTRES

   J'ai besoin des autres pour me définir.

   En me jugeant, autrui me confère un caractère. Cependant, à la lumière de mes propres buts, j'ai le pouvoir d'accepter ou de refuser cette définition que l'autre me donne.

LA HAINE DES AUTRES

L'autre est bourreau de trois façons différentes:

- Il me gêne, encombre mon existence par le seul fait d'être là.

- Il est souvent incapable de me donner ce que j'aimerais recevoir de lui.

- Il tente de nier ma liberté en me jugeant inexorablement. Il me «chosifie», tente de me réduire à l'état d'objet.

Autrui me confère un sens que je ne me suis pas donné moi-même, mais la liberté me procure le pouvoir d'accepter ou de refuser la définition que l'autre m'attribue.

LIBERTÉ INDIVIDUELLE ET LIBERTÉ D'AUTRUI

L'homme est liberté (il n'est que ce qu'il choisit d'être), mais la liberté s'exige universellement. L'être humain doit vouloir la liberté des autres.

5. Ma mort

Je n'ai pas le choix de ne pas mourir, mais la mort n'est pas, de mon vivant, un obstacle à mon projet. Car je possède la liberté de vivre ma vie.

L'homme comme projet

L'être humain se construit peu à peu comme projet, en ce sens qu'il devient les projets qu'il choisit, c'est-à-dire les buts qu'il se donne en accomplissant les actes qui y correspondent nécessairement.

L'être humain invente les valeurs

C'est par sa conscience que l'être humain donne un sens à sa vie — qui n'en a pas au départ —, en créant les valeurs, c'est-à-dire en exécutant des actes qui le constituent et rendent son existence signifiante.

L'être humain est pleinement responsable

L'homme ne peut se justifier d'être ceci ou cela en invoquant des circonstances atténuantes ou en se réfugiant derrière des déterminisnes. Tout le mérite ou toute la faute ne revient qu'à lui seul.

L'acte individuel engage toute l'humanité

Mes propres choix individuels se doivent d'être valables pour tous les autres. Par mes actes, je propose à autrui un portrait de l'humain (un modèle de valeurs) applicable à toute l'époque dans laquelle je vis.

L'être humain est angoisse

1. L'angoisse est l'inquiétude profonde associée au fait de devoir construire pour soi et pour tous les autres une essence humaine dont je suis entièrement responsable.

2. L'angoisse est le sentiment d'être jetés dans un monde que nous n'avons pas choisi, d'être plongés dans une existence absurde.

3. L'angoisse correspond à l'incertitude que connaît la conscience d'avoir devant elle des possibles infinis.

La mauvaise foi

1. La mauvaise foi est un mensonge à soi-même.

2. Il y a trois manières de vivre la mauvaise foi:

   - quand la conscience refuse de choisir;

   - quand la conscience refuse d'assumer la responsabilité de ses choix;

   - quand la conscience refuse de se montrer telle qu'elle est.

Sartre aujourd'hui

1. Sartre définit l'homme comme un «je» qui, assumant sa liberté, se construit comme un être humain responsable. Nous assistons, aujourd'hui, à une quête illimitée de la liberté, mais sans son corollaire: la responsabilité.

2. «Suivre la mode», est-ce fuir la responsabilité de se choisir tel que l'on est et de le présenter aux autres? Est-ce donc faire preuve de mauvaise foi? Est-ce se masquer à soi-même sa propre vérité?

3. Est-ce une folle espérance que de se construire soi-même comme projet dans le monde d'aujourd'hui?

4. Est-ce un sombre défaitisme que de penser qu'un tel projet est *a priori* empêché par les déterminismes de toute nature?

L'essentiel

Pour l'existentialisme athée sartrien, l'**existence** précède l'**essence**. À cause de cela, l'homme est **libre** de construire son essence en agissant. Il ne peut que **choisir**. Cependant, pour être effective, cette liberté se vit à partir de **situations** (place, passé, entours, prochain, mort) qui caractérisent la vie de l'homme. L'homme choisit d'**accepter** sa condition ou choisit de la **refuser**. Mais dans l'un ou l'autre cas, il choisit librement et, ce faisant, il se fait, se crée comme **projet** qu'il peut constamment redéfinir. Il invente alors les **valeurs** et en porte l'entière **responsabilité**. L'être humain que nous choisissons d'être par nos **actes** propose aux autres un **modèle de valeurs** applicable à tous. Cette responsabilité engendre l'**angoisse**. Pour fuir cette angoisse, l'homme nie parfois sa responsabilité en faisant preuve de **mauvaise foi**.

Réseau de concepts

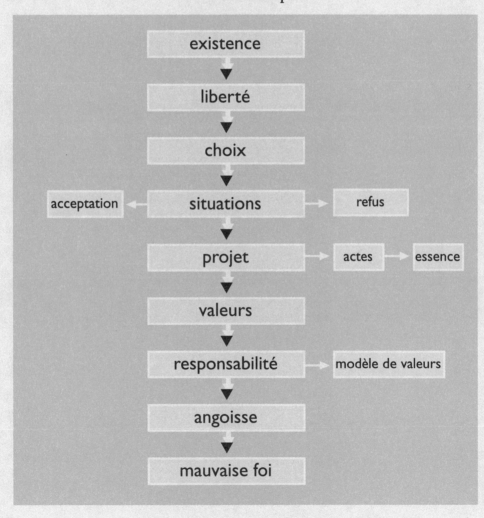

ACTIVITÉS D'APPRENTISSAGE

A

Analyse et critique de texte

■

Objectifs spécifiques

L'élève doit être capable:

- de démontrer sa compréhension en expliquant des contenus partiels d'un texte de Sartre;

- d'évaluer le contenu, c'est-à-dire d'exprimer son accord ou son désaccord (et en donner les raisons) sur la conception de l'être humain avancée par Sartre dans ce texte.

■

TEXTE DE SARTRE

L'existentialisme est un humanisme

L'existentialisme s'oppose au quiétisme.

Le **quiétisme** c'est l'attitude des gens qui disent: les autres peuvent faire ce que je ne peux pas faire. La doctrine que je vous présente est justement à l'opposé du quiétisme, puisqu'elle déclare: il n'y a de réalité que dans l'action; elle va plus loin d'ailleurs, puisqu'elle ajoute: l'homme n'est rien d'autre que son projet, il n'existe que dans la mesure où il se réalise, il n'est donc rien d'autre que l'ensemble de ses actes, rien d'autre que sa vie. D'après ceci, nous pouvons comprendre pourquoi notre doctrine fait horreur à un certain nombre de gens. Car souvent ils n'ont qu'une seule manière de supporter leur misère, c'est de penser: «Les circonstances ont été contre moi, je valais beaucoup mieux que ce que j'ai été;

La mauvaise foi.

bien sûr, je n'ai pas eu de grand amour, ou de grande amitié, mais c'est parce que je n'ai pas rencontré un homme ou une femme qui en fussent dignes, je n'ai pas écrit de très bons livres, c'est parce que je n'ai pas eu de loisirs pour le faire; je n'ai pas eu d'enfants à qui me dévouer, c'est parce que je n'ai pas trouvé l'homme avec lequel j'aurais pu faire ma vie. Sont restées donc, chez moi, inemployées, et entièrement viables une foule de dispositions, d'inclinations, de possibilités qui me donnent une valeur que la simple série de mes actes ne permet pas d'**inférer**. Or, en réalité pour l'existentialiste, il

L'homme est ce qu'il fait.

n'y a pas d'amour autre que celui qui se construit, il n'y a pas de possibilité d'amour autre que celle qui se manifeste dans un amour; il n'y a pas de génie autre que celui qui s'exprime dans des œuvres d'art: le génie de **Proust** c'est la totalité des œuvres de Proust; le génie de **Racine** c'est la série de ses tragédies, en dehors de cela il n'y a rien; pourquoi attribuer à Racine la possibilité d'écrire une nouvelle tragédie, puisque précisément il ne l'a pas écrite? Un homme s'engage dans sa vie, dessine sa figure, et en dehors de cette figure il n'y a rien. Évidemment, cette pensée peut paraître dure à quelqu'un qui n'a pas réussi sa vie. Mais d'autre part, elle dispose les gens

L'homme n'est rien d'autre que sa vie.

à comprendre que seule compte la réalité, que les rêves, les attentes, les espoirs permettent seulement de définir un homme comme rêve déçu, comme espoirs avortés, comme attentes inutiles; c'est-à-dire que ça les définit en négatif et non en positif; cependant quand on dit «tu n'es rien d'autre que ta vie», cela n'implique pas que l'artiste sera jugé uniquement d'après ses œuvres d'art; mille autres choses contribuent également à le définir. Ce que nous voulons dire, c'est qu'un homme n'est rien d'autre qu'une série d'entreprises, qu'il est la somme, l'organisation, l'ensemble des relations qui constituent ces entreprises.

Pessimisme ou dureté optimiste?

Dans ces conditions, ce qu'on nous reproche là, ça n'est pas au fond notre pessimisme, mais une dureté optimiste. Si les gens nous reprochent nos œuvres romanesques dans lesquelles nous décrivons des êtres veules, faibles, lâches et quelquefois même franchement mauvais, ce n'est pas

QUIÉTISME

Doctrine mystique qui prêche la tranquillité de l'âme de sorte que l'homme devient indifférent aux œuvres du monde terrestre.

INFÉRER

Conclure. Tirer une conséquence de quelque chose.

PROUST,

Marcel (1871-1922). Romancier français qui renouvela la prose contemporaine avec, entre autres, *À la recherche du temps perdu*.

RACINE,

Jean (1639-1699). Célèbre auteur dramatique considéré comme le créateur de la tragédie française. Ses pièces les plus connues sont *Andromaque* (1667), *Britannicus* (1669) et *Phèdre* (1677).

uniquement parce que ces êtres sont veules, faibles, lâches ou mauvais: car si, comme **Zola**, nous déclarions qu'ils sont ainsi à cause de l'hérédité, à cause de l'action du milieu, de la société, à cause d'un déterminisme organique ou psychologique, les gens seraient rassurés, ils diraient: voilà, nous sommes comme ça, personne ne peut rien y faire; mais l'existentialiste, lorsqu'il décrit un lâche, dit que ce lâche est responsable de sa lâcheté. Il n'est pas comme ça parce qu'il a un cœur, un poumon ou un cerveau lâche, il n'est pas comme ça à partir d'une organisation physiologique mais il est comme ça parce qu'il s'est construit comme lâche par ses actes. Il n'y a pas de tempérament lâche; il y a des tempéraments qui sont nerveux, il y a du sang pauvre, comme disent les bonnes gens, ou des tempéraments riches; mais l'homme qui a un sang pauvre n'est pas lâche pour autant, car ce qui fait la lâcheté c'est l'acte de renoncer ou de céder, un tempérament ce n'est pas un acte; le lâche est défini à partir de l'acte qu'il a fait. Ce que les gens sentent obscurément et qui leur fait horreur, c'est que le lâche que nous présentons est coupable d'être lâche. Ce que les gens veulent, c'est qu'on naisse lâche ou héros. Un des reproches qu'on fait le plus souvent aux *Chemins de la liberté* se formule ainsi; mais enfin, ces gens qui sont si veules, comment en ferez-vous des héros? Cette objection prête plutôt à rire car elle suppose que les gens naissent héros. Et au fond, c'est cela que les gens souhaitent penser: si vous naissez lâches, vous serez parfaitement tranquilles, vous n'y pouvez rien, vous serez lâches toute votre vie, quoi que vous fassiez; si vous naissez héros, vous serez aussi parfaitement tranquilles, vous serez héros toute votre vie, vous boirez comme un héros, vous mangerez comme un héros. Ce que dit l'existentialiste, c'est que le lâche se fait lâche, que le héros se fait héros; il y a toujours une possibilité pour le lâche de ne plus être lâche, et pour le héros de cesser d'être un héros. Ce qui compte, c'est l'engagement total, et ce n'est pas un cas particulier, une action particulière, qui vous engagent totalement.

Ainsi, nous avons répondu, je crois, à un certain nombre de reproches concernant l'existentialisme. Vous voyez qu'il ne peut pas être considéré comme une philosophie du quiétisme, puisqu'il définit l'homme par l'action; ni comme une description pessimiste de l'homme: il n'y a pas de doctrine plus optimiste, puisque le destin de l'homme est en lui-même; ni comme une tentative pour décourager l'homme d'agir puisqu'il lui dit qu'il n'y a d'espoir que dans son action, et que la seule chose qui permet à l'homme de vivre, c'est l'acte. Par conséquent, sur ce plan, nous avons affaire à une morale d'action et d'engagement. [...]

En outre, s'il est impossible de trouver en chaque homme une essence universelle qui serait la nature humaine, il existe pourtant une universalité humaine de *condition*. Ce n'est pas par hasard que les penseurs d'aujourd'hui parlent plus volontiers de la condition de l'homme que de sa nature. Par condition ils entendent avec plus ou moins de clarté l'ensemble des *limites* a priori qui esquissent sa situation fondamentale dans l'univers. Les situations historiques varient: l'homme peut naître esclave dans une société païenne ou seigneur féodal ou prolétaire. Ce qui ne varie pas, c'est la nécessité pour lui d'être dans le monde, d'y être au travail, d'y être au milieu d'autres et d'y être mortel. Les limites ne sont ni subjectives ni objectives ou plutôt elles ont une face objective et une face

Responsabilité de l'homme.

L'existentialisme est une doctrine optimiste.

La condition humaine.

Situation historique et condition humaine.

ZOLA,
Émile (1840-1902). Écrivain français qui décrit les conditions de vie misérables des paysans et des travailleurs de la fin du XIXᵉ siècle. Ses principaux romans sont *L'assommoir* (1877) et *Germinal* (1885).

subjective. Objectives parce qu'elles se rencontrent partout et sont partout reconnaissables, elles sont subjectives parce qu'elles sont *vécues* et ne sont rien si l'homme ne les vit, c'est-à-dire ne se détermine librement dans son existence par rapport à elles. Et bien que les projets puissent être divers, au moins aucun ne me reste-t-il tout à fait étranger parce qu'ils se présentent tous comme un essai pour franchir ces limites ou pour les reculer ou pour les nier ou pour s'en accommoder. En conséquence, tout projet, quelque individuel qu'il soit, a une valeur universelle. Tout projet, même celui du Chinois, de l'Indien ou du nègre, peut être compris par un Européen. Il peut être compris, cela veut dire que l'Européen de 1945 peut se jeter à partir d'une situation qu'il conçoit vers ses limites de la même manière, et qu'il peut refaire en lui le projet du Chinois, de l'Indien ou de l'Africain. Il y a universalité de tout projet en ce sens que tout projet est compréhensible pour tout homme. Ce qui ne signifie nullement que ce projet définisse l'homme pour toujours, mais qu'il peut être retrouvé. Il y a toujours une manière de comprendre l'idiot, l'enfant, le primitif ou l'étranger, pourvu qu'on ait les renseignements suffisants. En ce sens nous pouvons dire qu'il y a une universalité de l'homme; mais elle n'est pas donnée, elle est perpétuellement construite. Je construis l'universel en me choisissant; je le construis en comprenant le projet de tout autre homme, de quelque époque qu'il soit. Cet absolu du choix ne supprime pas la relativité de chaque époque. Ce que l'existentialisme a à cœur de montrer, c'est la liaison du caractère absolu de l'engagement libre, par lequel chaque homme se réalise en réalisant un type d'humanité, engagement toujours compréhensible à n'importe quelle époque et par n'importe qui [...].

Marginalia: Universalité du projet individuel.

Marginalia: Universalité de l'homme.

Marginalia: L'engagement.

Jean-Paul Sartre. *L'existentialisme est un humanisme*, Paris, Les Éditions Nagel, coll. «Pensées», 1968, p. 55-72.

QUESTIONS D'ANALYSE ET DE CRITIQUE

1. *a)* Expliquez la pensée de Sartre lorsqu'il dit: «[...] pour l'existentialiste, il n'y a pas d'amour autre que celui qui se construit, il n'y a pas de possibilité d'amour autre que celle qui se manifeste dans un amour; il n'y a pas de génie autre que celui qui s'exprime dans des œuvres d'art: le génie de Proust c'est la totalité des œuvres de Proust; le génie de Racine c'est la série de ses tragédies, en dehors de cela il n'y a rien [...].»

Commentaire critique

b) Commentez cette citation, autrement dit demandez-vous si vous êtes d'accord avec cette thèse sartrienne. Vous devez fonder vos jugements, c'est-à-dire apporter au moins deux arguments pour appuyer vos affirmations. (*Minimum suggéré: une page.*)

2. À la lumière de ce texte, dans quelle mesure est-il possible d'affirmer que l'existentialisme est une «doctrine optimiste»?

3. *a)* Expliquez la phrase suivante: «[...] s'il est impossible de trouver en chaque homme une essence universelle qui serait la nature humaine, il existe pourtant une universalité humaine de *condition*.»

Commentaire critique

b) Commentez cette citation, autrement dit demandez-vous si vous êtes d'accord avec cette thèse sartrienne. Vous devez fonder vos jugements, c'est-à-dire apporter au moins deux arguments pour appuyer vos affirmations. (*Minimum suggéré: une page.*)

B

Analyse et critique de texte

■

Objectifs spécifiques

L'élève doit être capable:

• de démontrer sa compréhension d'un texte de Simone de Beauvoir en transposant dans ses propres mots le contenu partiel de ce texte philosophique;

• d'évaluer le contenu, c'est-à-dire d'exprimer son accord ou son désaccord (et en donner les raisons) sur l'interprétation beauvoirienne du passage de l'enfance à l'adolescence.

■

Simone de Beauvoir (1908 - 1986), sous des formes variées (romans, récits autobiographiques, essais) a surtout voulu circonscrire les problématiques de la liberté et de la responsabilité de tout être humain inscrit dans le difficile rapport à autrui. En cela, le propos de Mme de Beauvoir est essentiellement moral et philosophique. Ses oeuvres principales sont : *L'Invité* (1943); *Pyrrhus et Cinéas* (1944); *Pour une morale de l'ambiguïté* (1957); *Les Mandarins* (1954); *Mémoires d'une jeune fille rangée* (1958); *La Force de l'âge* (1960); *La Force des choses* (1963); *Une mort très douce* (1964); *Tout compte fait* (1972).

TEXTE DE BEAUVOIR

POUR UNE MORALE DE L'AMBIGUÏTÉ
La liberté ou le choix moral

En fait, il est très rare que le monde infantile se maintienne au-delà de l'adolescence. Dès l'enfance, déjà des failles s'y révèlent; dans l'étonnement, la révolte, l'irrespect, l'enfant peu à peu s'interroge: pourquoi *faut*-il agir ainsi? à quoi est-ce utile? et si moi j'agissais autrement, qu'arriverait-il? Il découvre sa subjectivité, il découvre celle des autres. Et lorsqu'il arrive à l'âge de l'adolescence, tout son univers se met à vaciller parce qu'il aperçoit les contradictions qui opposent les uns aux autres les adultes, et aussi leurs hésitations, leurs faiblesses. Les hommes cessent de lui apparaître comme des dieux, et en même temps l'adolescent découvre le caractère humain des réalités qui l'entourent: le langage, les coutumes, la morale, les valeurs ont leur source dans ces créatures incertaines; le moment est venu où il va être appelé à participer lui aussi à leur opération; ses actes pèsent sur terre autant que ceux des autres hommes, il va lui falloir choisir et décider. On comprend qu'il ait peine à vivre ce moment de son histoire, et c'est là sans doute la cause la plus profonde de la crise d'adolescence: c'est que l'individu doit enfin assumer sa subjectivité. Par un certain côté l'écroulement du monde sérieux est une délivrance. Irresponsable, l'enfant se sentait aussi sans défense en face des puissances obscures qui dirigeaient le cours des choses. Mais quelle que soit la joie de cette libération, ce n'est pas sans un grand désarroi que l'adolescent se trouve jeté dans un monde qui n'est plus tout fait, qui est à faire, en proie à une liberté que plus rien n'enchaîne, délaissé, injustifié. En face de cette situation neuve, que va-t-il faire? C'est à ce moment qu'il se décide: si l'histoire qu'on pourrait appeler naturelle d'un individu: sa sensualité, ses complexes affectifs, etc., dépend surtout de son enfance, c'est l'adolescence qui apparaît comme le moment du choix moral: alors la liberté se révèle et il faut décider de son attitude en face d'elle. Sans doute, cette décision peut toujours être remise en question, mais en fait les conversions sont difficiles, parce que le monde nous renvoie le reflet d'un choix qui se confirme à travers ce monde qu'il a façonné; ainsi se noue un cercle de plus en plus rigoureux, d'où il devient de plus en plus improbable que l'on s'échappe. Le malheur qui vient à l'homme du fait qu'il a été un enfant, c'est donc que sa liberté lui a été d'abord masquée et qu'il gardera toute sa vie la nostalgie du temps où il en ignorait les exigences.

Simone de Beauvoir. *Pour une morale de l'ambiguïté*, Paris, Gallimard, coll. «Idées», 1968, p. 56-58.

QUESTIONS D'ANALYSE ET DE CRITIQUE

1. *a)* Retrouvez les principales caractéristiques à partir desquelles Simone de Beauvoir s'explique le passage de l'enfance à l'adolescence.

Commentaire critique

b) Évaluez ces caractéristiques. En d'autres mots, êtes-vous d'accord avec l'explication donnée par Simone de Beauvoir? Vous devez fonder vos jugements, c'est-à-dire apporter au moins deux arguments pour appuyer vos affirmations. *(Minimum suggéré: une page.)*

2. Expliquez dans vos propres mots quelle est la cause profonde de la crise de l'adolescence selon Simone de Beauvoir.

3. Dans vos propres mots, dites pour quelle raison l'être humain peut être nostalgique de son enfance.

Exercice comparatif: Sartre et Rousseau

Objectif spécifique

L'élève doit être capable de procéder à une comparaison entre deux conceptions de l'être humain à propos d'un même thème.

Contexte de réalisation

Individuellement, dans un texte d'environ 350 mots (une page et demie), examinez les rapports de ressemblance et de différence entre la conception rousseauiste et la conception sartrienne de l'être humain à propos du thème de la liberté.

Étapes suggérées

1. *a)* Caractérisez la conception rousseauiste de l'être humain au regard du thème de la liberté et de la perfectibilité. Par exemple, demandez-vous en quoi et comment, selon Rousseau, la perfectibilité est la faculté que possède l'homme originaire d'acquérir des éléments que la nature ne donne pas au départ, et qui, subséquemment, fait de l'être humain un produit de la société et de l'histoire.

   b) Caractérisez la conception sartrienne de l'être humain au regard du thème de la liberté. Par exemple, demandez-vous dans quelle mesure, selon Sartre, il n'y a de liberté que par rapport à des situations concrètes face auxquelles l'être humain prend le parti d'agir ou de réagir.

2. *a)* S'il y a lieu, précisez les liens ou les similitudes entre la conception rousseauiste et la conception sartrienne de l'être humain à propos du thème de la liberté.

   b) S'il y a lieu, dégagez les oppositions ou les antagonismes entre la conception rousseauiste et la conception sartrienne de l'être humain à propos du thème de la liberté.

L'homme
comme être déterminé

**LE BEHAVIORISME
SKINNÉRIEN
OU L'ÊTRE HUMAIN COMME
PRODUIT DU MILIEU**

> L'INDIVIDU N'AGIT PAS SUR
> LE MONDE, C'EST LE MONDE
> QUI AGIT SUR LUI.
>
> Burrhus Frederic Skinner,
> *Par-delà la liberté et la dignité*, p. 255.

LE DÉTERMINISME OU L'IMPOSSIBILITÉ D'ÊTRE LIBRE

Le terme «déterminisme» a été associé au terme «science» lorsque la mécanique devint, au XIXᵉ siècle, le fondement des sciences expérimentales. On posa alors le principe que les mêmes causes produisent les mêmes effets suivant un enchaînement prévisible. Selon la doctrine déterministe, des relations nécessaires existent entre les phénomènes de sorte que tout phénomène est conditionné et s'explique par ceux qui le précèdent ou l'accompagnent. Plus particulièrement, cette conception scientifique postule que les phénomènes ou les conduites observables découlent nécessairement d'une ou de plusieurs causes tout aussi observables. En conséquence, chaque fois que nous attribuons comme cause à un phénomène ou à une conduite une entité inobservable (Dieu, l'âme, l'esprit, la volonté, la conscience, etc.), la théorie déterministe considère alors que nous n'expliquons rien du tout.

MATÉRIALISME

Courant philosophique qui n'admet d'autre substance ou réalité que la matière. Cette doctrine soutient que notre pensée fait partie intégrante de la matière en tant que produit de son évolution. L'origine de cette doctrine remonte à l'Antiquité grecque. Par exemple, Épicure (~341- ~270), s'opposant à l'idéalisme de Platon, estimait que le monde physique était antérieur à la pensée et possédait une existence propre.

Au cours des siècles, le monde occidental a vu naître et se développer de nombreuses philosophies déterministes. On fait généralement remonter l'idée du déterminisme jusqu'aux STOÏCIENS, qui recommandaient d'accepter notre sort puisque tout fait partie d'un plan (destin) qu'on ne peut modifier. Des philosophes comme René Descartes (1596-1650), Blaise Pascal (1623-1662) et Baruch Spinoza (1632-1677) sont influencés par la philosophie stoïcienne. Mais il faut attendre les matérialistes français du XVIIIᵉ siècle — Julien Offray de La Mettrie[1] (1709-1751) et Paul Henri, baron d'Holbach (1725-1789), entre autres — pour voir triompher les thèses déterministes qui s'expriment dans un **matérialisme** mécaniste.

> **Les** principaux représentants de la philosophie stoïcienne sont Zénon de Citium (~335 - ~264), Sénèque (~4- 65), Épictète (50-130) et Marc Aurèle (121-180).

Dans un tourbillon de poussière qu'élève un vent impétueux; quel qu'il paraisse à nos yeux, dans la plus affreuse tempête excitée par des vents opposés qui soulèvent les flots, il n'y a pas une seule molécule de poussière ou d'eau qui soit placée au hasard, qui n'ait sa cause suffisante pour occuper le lieu où elle se trouve, et qui n'agisse rigoureusement de la manière dont elle doit agir. Un géomètre qui connaîtrait exactement les différentes forces qui agissent dans les deux cas, et les propriétés des molécules qui sont mues, démontrerait que, d'après des causes données, chaque molécule agit précisément comme elle doit agir, et ne peut agir autrement qu'elle ne fait[2].

ANTHOLOGIE

Recueil de morceaux choisis d'œuvres littéraires, musicales ou philosophiques.

Ce passage mériterait, à notre avis, de figurer dans toute **anthologie** du déterminisme, car il suggère les deux idées-forces de toute doctrine déterministe: l'enchaînement rigoureux et inéluctable des causes et des effets, et la nécessité qui s'oppose à l'accidentel (le hasard).

Soutenir ces deux idées maîtresses, c'est être amené nécessairement, au regard de l'être humain, à poser le raisonnement suivant: si tout effet a une cause, tout choix est le résultat d'une chaîne causale biologique ou culturelle, et donc la liberté n'existe pas. Croire que l'être humain est libre, c'est, selon la théorie déterministe, s'enfermer dans un monde illusoire issu de notre ignorance. L'illusion d'être libre résulte d'une

---

1. En 1748, l'encyclopédiste, médecin et philosophe La Mettrie publie *L'homme-machine,* où il applique à l'être humain la théorie cartésienne des animaux-machines.

2. Paul Henri, baron d'Holbach, *Système de la nature ou des lois du monde physique et moral,* chap. 4, 1770, cité dans *Encyclopédie philosophique universelle. Les notions philosophiques,* tome I, Paris, Presses Universitaires de France, 1990, p. 621.

inconscience des déterminismes qui influencent ce que nous appelons péremptoirement «nos choix». En fait, nous n'avons ni le choix de l'action ni le choix de nos conduites, car ces dernières sont programmées par nos gènes ou par l'éducation que nous avons reçue tout au long de notre apprentissage de la vie en société. En d'autres termes, tous les «choix» que nous disons et croyons faire ont leurs causes dans notre biochimie ou dans notre environnement, ou dans les deux à la fois, et nous ne déciderions que de ce qui est déjà décidé.

Dans le présent chapitre, nous aborderons la conception de l'homme en tant qu'être déterminé qui a le plus marqué la deuxième moitié du XXe siècle: la théorie behavioriste de Burrhus Frederic Skinner, soit le déterminisme lié à l'histoire des apprentissages d'un individu inséré dans un environnement donné.

SKINNER ET L'ÉCOLE BEHAVIORISTE

Dans l'étude du comportement humain, le behaviorisme adopte l'attitude empiriste, selon laquelle l'explication de nos comportements doit être fondée sur l'expérience et l'observation. Cette attitude est partagée dans la tradition philosophique anglaise par John Locke (1632-1704), George Berkeley (1685-1753) et David Hume (1711-1776), pour lesquels l'expérience sensible est le réel. Si l'on applique cette théorie à la conduite humaine, cela donne la thèse suivante: nos idées, notre personnalité et finalement notre comportement sont le résultat de ce que notre environnement nous fait vivre[3]. Voilà ce que défendent fondamentalement les tenants du behaviorisme.

Le Russe Ivan PAVLOV (1849-1936) et l'Américain John Broadus Watson[4] (1878-1958) sont considérés comme les pères du behaviorisme. Au début du XXe siècle, ils ont été parmi les premiers chercheurs à s'intéresser aux comportements

PAVLOV FUT LE PREMIER PHYSIOLOGISTE À ÉLABORER LA NOTION DE RÉFLEXE CONDITIONNÉ GRÂCE À SA CÉLÈBRE EXPÉRIENCE MENÉE SUR DES CHIENS. CHAQUE FOIS QUE DE LA VIANDE ÉTAIT DÉPOSÉE SUR LA LANGUE DU CHIEN, ON ACTIONNAIT UNE CLOCHETTE (STIMULUS); APRÈS PLUSIEURS ESSAIS, LA CLOCHETTE SEULE SUFFISAIT À FAIRE SALIVER LE CHIEN. CE CHIEN AVAIT DONC APPRIS À RÉPONDRE (RÉPONSE CONDITIONNÉE) À UN STIMULUS AUPARAVANT NEUTRE: LE SON D'UNE CLOCHETTE.

---

3. Le behaviorisme n'interprète pas, par exemple, la facilité et le succès en mathématiques que connaît un individu en disant qu'il a un talent particulier ou qu'il possède la «bosse des maths». Au contraire, le behaviorisme expliquera une telle facilité en disant que cet individu a reçu dans son passé des informations mathématiques pertinentes, qu'il s'est astreint à un apprentissage rigoureux, qu'il a obtenu de bonnes notes lors de contrôles, bref, qu'il a connu des expériences bénéfiques avec les mathématiques.

4. Dans son principal ouvrage, *Behaviorism,* publié en 1925, Watson veut faire de la psychologie une «science de la nature» qui se limite aux choses observables et à la formulation de lois concernant ces choses.

observables de l'individu animal ou humain. Ils ont démontré que de nouveaux comportements pouvaient être produits par conditionnement. En insistant sur la mesure des comportements observés et sur la relation stimulus-réponse, Pavlov et Watson ont donné le jour à une nouvelle psychologie. À la lumière d'expériences faites en laboratoire, ces chercheurs ont émis la règle générale suivante: les comportements sont des réactions à des stimuli issus du milieu, stimuli qui influencent et modifient le comportement. Autant en psychologie qu'en philosophie, cette hypothèse s'oppose à l'idée que le psychisme, l'esprit ou la raison humaine puisse déterminer nos comportements d'une manière plus ou moins indépendante de notre environnement.

Quant à Skinner, il est sans contredit le plus **positiviste** des théoriciens behavioristes. Skinner eut une grande influence sur l'école behavioriste américaine et il contribua, par ses recherches et ses écrits controversés, à la diffusion auprès d'un large public de cette «psychologie du comportement» fondée sur l'observation objective.

Skinner naît en 1904 dans la petite ville de Susquehanna, en Pennsylvanie, où son père est avocat. Il a une enfance heureuse et il manifeste très tôt un esprit inventif. Après une tentative de carrière littéraire, il entreprend des études de psychologie à l'Université Harvard. Ses lectures en psychologie des sciences, et plus particulièrement des œuvres de John B. Watson, le fondateur du behaviorisme américain, l'influencent beaucoup.

Dès sa thèse de doctorat, déposée en 1931, Skinner adopte et radicalise la position behavioriste. Il évacue non seulement toutes les causes **métaphysiques** ou **psychiques** (telles que l'âme, l'esprit ou la conscience) pour expliquer le comportement, mais aussi toutes les causes physiologiques auxquelles Watson faisait parfois appel. En fait, ce que Skinner refuse, ce sont les théories qui expliquent un comportement observé par des événements survenant ailleurs (dans le psychisme ou dans ce qu'on appelle l'«âme» ou l'«esprit» de l'individu) et décrits dans des termes différents et mesurés selon des dimensions différentes[5]. La méthode de Skinner consiste à examiner des comportements et l'environnement dans lequel ils se produisent. Il observe des rats, des pigeons et des singes, modifie certains aspects de leur environnement et note les variations de fréquence d'un comportement. Le premier livre qu'il écrit, *The Behavior of Organism: An Experimental Analysis* (1938) [*Le comportement des êtres organisés*], loin d'être une théorie du comportement, est simplement un compte rendu des relations découvertes entre les variations de l'environnement et les variations du comportement. Parallèlement à ses recherches en laboratoire et à ses nombreuses publications[6], Skinner est successivement professeur à l'Université du Minnesota (1937-1945), à l'Université de l'Indiana (1945-1948), puis à Harvard jusqu'en 1957.

À l'âge de soixante-dix-neuf ans, vif d'esprit et doué d'une sagesse certaine, Skinner écrit *Enjoy Old Age*[7]. Il meurt d'une leucémie, le 18 août 1990.

---

5. Voir la préface de *L'analyse expérimentale du comportement: un essai théorique,* Bruxelles, Dessart et Margada, Éditeurs, 1971.

6. Les principaux ouvrages de Skinner sont: *Science and Human Behavior* (1953) [*Science et comportement humain*], *Verbal Behavior* (1957) [*Le comportement verbal*], *The Technology of Teaching* (1968) [*La révolution scientifique de l'enseignement*], *Contingencies of Reinforcement: A Theoretical Analysis* (1969) [*L'analyse expérimentale du comportement: un essai théorique*], *Beyond Freedom and Dignity* (1971) [*Par-delà la liberté et la dignité*].

7. B.F. Skinner et M.F. Vaugham, *Bonjour sagesse. Bien vivre après soixante-dix ans,* Paris, Robert Laffont, coll. «Réponses», 1986, 188 p.

La conception skinnérienne de l'être humain se présente comme le prolongement et l'application des recherches menées en psychologie expérimentale. Skinner s'est consacré, en effet, à la psychologie de laboratoire afin de découvrir les lois et les relations qui régissent le comportement et le milieu dans lequel il se produit. Même si le behaviorisme se définit comme une «science du comportement», il n'en demeure pas moins que les recherches menées par Skinner conduisent à l'élaboration d'une philosophie de l'homme.

Une philosophie positiviste de l'être humain

D'après Skinner, l'être humain est un organisme qui «déploie un répertoire complexe de conduites[8]». Ce que nous trouvons chez l'homme et que nous pouvons étudier, ce sont des actions reliées «aux conditions dans lesquelles l'espèce humaine a évolué, et aux conditions dans lesquelles vit l'individu[9]». Si l'on prend en considération les constituants biologiques propres à son espèce, l'homme se définit à partir de son comportement, qui dépend des rapports entretenus avec l'environnement. Pour mieux comprendre et expliquer le comportement humain, Skinner développe la notion de stimulus déjà utilisée par Pavlov et Watson. Il définit le *stimulus* comme étant «tout élément de la situation dans laquelle une *réponse* est émise et renforcée[10]»: S => R. Pour préciser et pour résumer cette définition, il utilise le concept de contingence: «le comportement [est] engendré par un ensemble donné de contingences[11]», c'est-à-dire qu'il est influencé par les circonstances du milieu qui viennent le modifier.

Voulant s'appuyer exclusivement sur les principes d'objectivité et de contrôle scientifique des hypothèses retenues, Skinner s'intéresse peu au pourquoi des comportements émis. Il ne fait pas appel à la méthode **introspective**; il privilégie le comment, c'est-à-dire l'examen minutieux des réactions observables et mesurables que l'organisme produit dans un environnement donné. C'est dans cet esprit qu'il procède à l'expérience suivante.

INTROSPECTION
Examen d'un psychisme ou d'une conscience afin d'y découvrir des éléments qui expliqueraient le comportement humain.

SKINNER CONDITIONNE UN PIGEON À PICORER UN DISQUE LUMINEUX AFIN D'OBTENIR DE LA NOURRITURE.

Dans un premier temps, Skinner met un pigeon affamé dans une cage («boîte de Skinner») munie de trois boutons lumineux; un seul de ces boutons permet de faire tomber de la nourriture dans une mangeoire. Pendant l'exploration de sa cage, le pigeon heurte par hasard le disque lumineux qui libère un peu de nourriture. Ici, le pigeon fait par hasard un APPRENTISSAGE OPÉRANT. Il aura peut-être tendance à picorer de nouveau ce disque lumineux, car ce comportement lui vaudra une gratification.

L'apprentissage opérant ne heurte pas notre sensibilité, car c'est ainsi que nous apprenons. En ce sens, la nature, le hasard et l'environnement font du conditionnement opérant à notre égard.

---

8. B.F. Skinner, *Par-delà la liberté et la dignité,* trad. Anne-Marie et Marc Richelle, Montréal et Paris, Éditions HMH et Robert Laffont, 1975, p. 242.

9. *Ibid.,* p. 25.

10. B.F. Skinner, *L'analyse expérimentale du comportement: un essai théorique,* trad. Anne-Marie et Marc Richelle, Bruxelles, C. Dessart, 1976, p. 26.

11. *Ibid.,* p. 23.

> **Le** conditionnement opérant heurte notre sensibilité parce qu'il s'agit d'un apprentissage opérant obligé, construit, pensé par un être humain afin de conditionner le comportement d'un animal ou d'un autre être humain. Il s'agit d'une utilisation consciente des lois de l'apprentissage opérant en vue d'une fin précise.

N'attendant pas que le hasard inculque un comportement au pigeon, Skinner utilise le CONDITIONNEMENT OPÉRANT pour que le pigeon apprenne à picorer le bon disque lumineux. Ici, l'expérimentateur façonne pas à pas le comportement du pigeon en renforçant par de la nourriture chaque tentative qui rapproche le pigeon du moment où il picorera enfin le disque lumineux qui automatiquement distribuera de la nourriture chaque fois qu'il sera heurté. On peut dire que grâce aux conséquences générées par son comportement (ici l'obtention de nourriture), le pigeon est conditionné par l'expérimentateur à agir d'une certaine manière (ici à picorer de nouveau le disque lumineux approprié).

L'apprentissage : tout est affaire de conditionnement opérant

L'être humain, comme tout organisme animal, a acquis un répertoire de comportements au cours de son histoire. Or, parmi l'ensemble des comportements que nous pouvons théoriquement poser, notre environnement social sélectionne, en les renforçant, ceux qu'il considère comme adaptés. Nos comportements nous sont appris par l'environnement. Chaque fois que nous avons répondu à un stimulus d'une manière qui nous a été bénéfique, nous avons appris un comportement que nous répéterons dans des circonstances semblables. Voilà ce que Skinner a appelé le comportement opérant, c'est-à-dire le comportement qui est contrôlé par ses conséquences immédiates. Le pigeon de l'expérience décrite ci-dessus a émis des réponses «opérantes», en ce sens que celles-ci sont des actions fournies par le pigeon pour «agir» au sein de son environnement en vue de trouver de la nourriture.

Le comportement opérant possède le caractère fondamental de produire un changement dans l'environnement de l'individu qui agit ou d'être suivi d'un tel changement. Le comportement, contrôlé en quelque sorte par ce changement, aura plus ou moins tendance à se reproduire par la suite. Selon le degré de modification du milieu que suscitera tel comportement, ce dernier verra sa fréquence d'apparition augmentée, diminuée ou inchangée. Ainsi, un élève qui passe de nombreuses heures à préparer un examen de philosophie et qui échoue ne sera pas incité à reproduire son comportement. Si, au contraire, il obtient une excellente note à l'examen, il y a de fortes chances qu'il étudie tout autant pour l'examen suivant.

De toute évidence, il ne s'agit pas ici du comportement auquel correspond le premier grand mécanisme d'apprentissage découvert par Pavlov, en 1927, et qui porte le nom de conditionnement répondant ou classique. Dans ce cas, un stimulus (le son d'une clochette) en vient à provoquer un comportement (une réponse) qu'il ne provoquait pas auparavant. Dans le cas du comportement opérant, si le chien lui-même actionnait une clochette pour obtenir de la nourriture, on serait placé devant un apprentissage opérant. Dans le cas du comportement opérant, le mécanisme d'acquisition, de modification ou de maintien des comportements s'appelle «conditionnement opérant». Ici, on vise à accroître la fréquence d'un comportement en le faisant suivre d'une conséquence donnée. Il s'agit cette fois d'une réponse motivée par un stimulus-renforçateur (un «agent de renforcement») qui augmente la probabilité que la réponse attendue soit émise. Ainsi, lorsqu'une personne dresse son chien à s'asseoir, elle dira d'abord: «Assis», appuiera ensuite sur le dos du chien et enfin renforcera la position assise du chien en lui donnant un biscuit. La mère qui renforce son enfant à jouer correctement un morceau de piano en le gratifiant d'éloges ou en lui promettant une visite au parc aquatique s'il réussit constitue un autre exemple de conditionnement opérant de la part de la mère et d'apprentissage opérant de la part de l'enfant.

L'agent de renforcement ou «renforçateur» qui augmente ou diminue la probabilité d'apparition d'un comportement peut être positif ou négatif. La nourriture, la boisson, la stimulation sexuelle ou l'approbation sont généralement utilisées comme renforçateurs positifs. Au contraire, tout ce qui fait souffrir l'organisme (douleurs physiques, anxiété, désapprobation) peut constituer un agent de RENFORCEMENT NÉGATIF: l'organisme apprendra alors à agir d'une façon telle qu'il évitera ces renforçateurs.

«QUEL TALENT, MA FILLE!»

> **Le** renforcement négatif ou punitif n'est pas très efficace, car «le comportement puni risque de refaire son apparition lorsque les contingences punitives auront été suspendues» (*Par-delà la liberté et la dignité*, p. 79).

Dans ses expériences, Skinner étudie principalement l'effet de différents programmes de renforcement sur l'établissement d'un comportement. En s'adonnant à cette «sélection artificielle», il découvre que le «RENFORCEMENT POSITIF À PROPORTION VARIABLE» est le renforcement qui a pour effet d'augmenter le plus la fréquence du comportement, alors que le renforcement qui vient à intervalles fixes[12] est le moins efficace. Illustrons par un exemple ces deux types de renforcement. Dans une usine textile, le contremaître qui

> **Le** renforcement positif à proportion variable est un renforcement qui n'est accordé qu'après un nombre variable de bonnes réponses. En d'autres mots, un sujet (animal ou humain) aura tendance à accomplir plus souvent un comportement s'il n'est pas récompensé chaque fois qu'il le fait.

---

12. On entend par «intervalle fixe» une période d'égale longueur entre chaque renforcement.

distribue les pièces de tissu aux ouvrières et qui reçoit tous les deux jeudis un salaire fixe pour quarante heures de travail par semaine est dans un programme de renforcement positif à intervallle fixe. Les ouvrières qui sont payées au boni (plus elles travaillent vite, meilleur est leur salaire; plus elles travaillent lentement, moindre est leur salaire) sont dans un programme de renforcement positif à proportion variable. Ne sachant pas à l'avance le montant du boni à recevoir ni quand elles le recevront, ces travailleuses ont intérêt à travailler toujours de plus en plus vite pour espérer atteindre un salaire convenable.

L'HOMME PROGRAMMABLE OU L'ÊTRE HUMAIN COMME CRÉATURE MALLÉABLE

S'appuyant sur une telle analyse empirique de l'apprentissage des comportements, Skinner élabore une théorie de techniques de contrôle du comportement. Puisque le behaviorisme se veut une science, il se propose, par la connaissance des lois de la nature, d'intervenir pour transformer celle-ci à l'avantage de l'humanité. Pour résoudre les problèmes terrifiants auxquels le monde d'aujourd'hui fait face (problèmes de guerre, de pollution, de surpeuplement, d'improductivité au travail, de détérioration du système d'éducation, de décrochage scolaire, etc.), il ne sert à rien de recourir aux inefficaces rengaines traditionnelles telles que: «il faut inculquer la tolérance entre les peuples», «il faut créer un sentiment de responsabilité envers la survie de la planète», «il faut transmettre le sens de l'ouvrage bien fait» ou «il faut enseigner le respect pour le savoir». À l'opposé de cette croyance aveugle et irréaliste dans «les forces intérieures de l'homme», Skinner propose impérieusement «une science appliquée, une technologie du comportement [...] qui puisse rivaliser, en puissance et en précision, avec la technologie physique ou biologique[13]». Les gens ne souffrent pas d'un sentiment d'insécurité, d'angoisse ou d'aliénation, mais sont, en fait, placés devant des problèmes réels qui proviennent de «milieux sociaux déficients». Il importe donc de procéder à une «analyse scientifique du comportement» et de ses relations étroites avec l'environnement.

À l'aide des LOIS DE L'APPRENTISSAGE DU COMPORTEMENT, Skinner croit qu'il est possible et souhaitable d'intervenir pour transformer les comportements humains au bénéfice de l'individu et de la société. Il rappelle à ce propos, dans le deuxième chapitre de *L'analyse expérimentale du comportement,* l'histoire des utopies sociales depuis Platon (~428-~348) jusqu'à Karl Marx (1818-1883) en passant par saint Augustin (354-430) et Henry David Thoreau (1817-1862). C'est à leur suite qu'il propose la transformation effective de l'environnement social actuel, c'est-à dire de la culture.

> **S**kinner applique ces lois à l'apprentissage du langage, de la pensée et même de la science.
>
> Pour en savoir davantage sur les principes d'apprentissage behavioristes, consultez le chapitre 5 de l'*Introduction au behaviorisme* de François Berthiaume, Montréal, Presses de l'Université de Montréal, 1986, p. 39-46.

---

13. B.F. Skinner, *Par-delà la liberté et la dignité,* p. 13-14.

Une culture n'est pas le produit d'un «esprit de groupe» créatif, ni l'expression d'une «volonté générale». Aucune société n'a débuté par un contrat social, aucun système économique par l'idée du troc ou des salaires, aucune structure familiale par une intuition quant aux avantages de la cohabitation. Une culture évolue lorsque de nouvelles coutumes favorisent la survie de ceux qui les pratiquent[14].

En fait, ce que Skinner désire, c'est l'élaboration de techniques de planification de la culture incitant les membres de celle-ci à travailler pour qu'elle survive aux individus qui la constituent ici et maintenant. Une culture équilibrée, «bien agencée», selon l'expression de Skinner, est celle qui se construit pour les hommes qui auront à la vivre demain; elle est «un ensemble de contingences de renforcement tel que les membres de cette culture agissent de façon à la préserver, à la faire survivre aux situations critiques et à la modifier dans le sens d'une possibilité sans cesse accrue de se perpétuer[15]». En d'autres mots, l'environnement culturel (physique et mental) de l'individu devrait renforcer les comportements (pensées, paroles et actes) qui favorisent la survie de cet environnement.

Actuellement, les renforcements sociaux que sont la nourriture, la satisfaction sexuelle ou la manifestation d'agressivité ne mènent pas, selon Skinner, à des comportements utiles à la construction et au développement d'un environnement culturel équilibré. L'utilisation de techniques punitives ne contribue guère plus à améliorer l'environnement parce que les hommes dépensent alors temps et énergie en vue d'éviter la punition. Il vaudrait mieux mettre les humains sous le contrôle de contingences sociales qui utiliseraient des techniques de renforcement positif afin d'établir un environnement physique et social non en fonction d'un «idéal de la nature humaine», mais en fonction uniquement de «ses effets sur le patrimoine génétique de l'espèce[16]» et de sa capacité à survivre aux individus qui y vivent en ce moment.

Puisque, de toute façon, nous sommes déjà conditionnés par la famille, l'école, les médias, l'État, etc., il est urgent que nous acceptions que notre monde soit délibérément orienté dans un sens propre à faire grandir l'être humain et non à le faire régresser. Le conditionnement existant déjà et se faisant à tort et à travers produit, selon Skinner, des comportements non désirés. Pourquoi ne pas alors institutionnaliser le conditionnement de façon bénéfique et ainsi créer chez l'humain le BONHEUR? Qui orientera et contrôlera ce nouveau monde de bonheur? À mots couverts, Skinner nous dit que c'est à l'homme de science (le «spécialiste du comportement») que revient la responsabilité de planifier la culture et de contrôler le comportement humain. Les hommes de science ne sont pas plus moraux que quiconque, ni ne possèdent un sens éthique qui les met au-dessus de tout soupçon, mais ils bénéficient d'un environnement de travail offrant «des contingences qui réduisent au minimum les renforcements personnels immédiats[17]». Les résultats

> L'apprentissage du bonheur par conditionnement ne comporte-t-il pas cependant quelques risques? Celui, entre autres, de n'être pas très loin du *Meilleur des mondes* d'Aldous Huxley ou du *Bonheur insoutenable* d'Ira Levin!

---

14. B.F. Skinner, *Par-delà la liberté et la dignité,* p. 163.

15. B.F. Skinner, *L'analyse expérimentale du comportement,* p. 66-67.

16. *Ibid.*

17. B.F. Skinner, *Par-delà la liberté et la dignité,* p. 212.

de leurs recherches étant constamment vérifiés et contrôlés par la communauté scientifique, Skinner croit qu'il y a moins de possibilités que les hommes de science utilisent dans leurs propres intérêts le pouvoir qu'on leur donnerait. Peut-on douter de l'optimisme dont fait preuve ici Skinner? Est-on en droit de se demander au profit de qui et à quelles fins ces spécialistes du comportement décideront de «ce qui est bon pour l'homme»?

On a souvent accusé Skinner de fournir des techniques pour contrôler les humains. Pour sa défense, disons qu'il propose plutôt de contrôler l'environnement, la culture, et que c'est ainsi que l'individu serait amené, avec ou sans un sentiment de liberté et de dignité (cela n'a guère d'importance!), à faire ce qui serait le plus utile pour tous.

PAR-DELÀ LA LIBERTÉ ET LA DIGNITÉ

IDÉALISTE

Se dit, en philosophie, de la doctrine d'après laquelle le monde extérieur n'a de valeur, de vérité que dans les idées que nous en avons.

Skinner a analysé les résistances qu'ont suscitées ses théories dans un ouvrage publié aux États-Unis en 1971, *Beyond Freedom and Dignity*[18]. D'après lui, les conceptions de la liberté et de la dignité qui s'opposent à la planification de l'environnement sont des théories qui, sous le couvert de valeurs **idéalistes,** refusent, en fait, à l'humain le contrôle réel de sa destinée. De toute façon, la liberté n'existe pas. Les hommes ne sont pas «les artisans de leur propre destinée[19]». Et un peu plus loin, Skinner ajoute: «la liberté est une affaire de contingences de renforcement, non de sentiments — lesquels, s'il s'en trouve, sont le produit de contingences[20].» Nous sommes donc tous, dans tous nos comportements, déterminés à agir dans un certain sens. Ce que certains appellent le libre choix n'est en fait que le produit de contingences de survie génétiques, environnementales et sociales[21] par rapport auxquelles l'individu n'est pas libre et qui, en réalité, déterminent entièrement ses actes. «L'idée que la personne échappe au déterminisme complet cède le terrain devant le progrès de l'analyse scientifique dans l'explication du comportement individuel[22].» En conséquence, on ne peut tenir l'individu pour responsable (en le LOUANGEANT ou en le BLÂMANT) de son comportement. Même si cela semble porter atteinte à la dignité ou à la valeur de l'être humain, il faut reconnaître que le comportement d'un individu tire son origine des «conditions environnementales ou génétiques[23]» qui deviennent, dès lors, les seules «responsables» du comportement méritoire ou répréhensible.

Les notions traditionnelles de «mérite» (c'est-à-dire ce qui rend une personne digne d'estime étant donné sa conduite et les difficultés surmontées) et de «démérite» (c'est-à-dire ce qui fait qu'une personne devient objet de désapprobation) n'ont désormais plus cours.

18. B.F. Skinner, *Beyond Freedom and Dignity,* New York, Alfred A. Knopf, 1971.

19. B.F. Skinner, *Par-delà la liberté et la dignité,* p. 32.

20. *Ibid.,* p. 52.

21. Selon Skinner, les facteurs environnementaux et sociaux ont une influence beaucoup plus prépondérante sur la détermination du comportement d'un être humain que n'en ont les facteurs génétiques ou héréditaires.

22. B.F. Skinner, *Par-delà la liberté et la dignité,* p. 33.

23. B.F. Skinner, *Par-delà la liberté et la dignité,* p. 95.

À mesure que nous comprenons mieux l'interaction entre l'organisme et son environnement, nous pouvons attribuer à des variables accessibles à l'observation des effets jadis attribués aux états d'esprit, aux sentiments, aux traits de caractère, et une technologie du comportement devient possible. Elle ne résoudra pas nos problèmes, cependant, aussi longtemps qu'elle ne prendra pas la place des conceptions préscientifiques traditionnelles, et celles-ci sont solidement retranchées. Les notions de liberté et de dignité illustrent bien la difficulté. Elles sont les possessions de l'homme autonome des théories traditionnelles et sont essentielles à tous les usages dans lesquels l'individu est tenu pour responsable de sa conduite et tire mérite de ses réalisations. Une analyse scientifique déplace vers l'environnement tant la responsabilité que les réalisations du sujet. [...]

Dans la perspective traditionnelle, c'était l'élève qui échouait, l'enfant qui se conduisait mal, le citoyen qui violait la loi, le pauvre qui, par sa paresse, faisait sa propre misère. Mais aujourd'hui, on admet couramment qu'il n'existe pas de sots élèves mais des maîtres médiocres ; qu'il n'y a que de mauvais parents, non de mauvais enfants ; qu'il n'y a pas de délinquance si ce n'est du côté des instruments de la loi, et qu'il n'y a pas de gens paresseux mais seulement des systèmes insuffisants pour les inciter au travail[24].

Il n'existe pas, d'après Skinner, d'« états d'esprit », de traits ou de vertus de caractère qui orienteraient la conduite de l'individu. Ainsi, quand nous traversons un pont, nous pouvons dire que nous sommes confiants dans le fait que ce dernier ne s'écroulera pas. Ce sentiment de confiance en la solidité du pont n'est pas un état d'esprit qui nous permet de nous engager sur le pont en ne ressentant aucune anxiété. En fait, il est un « sous-produit du comportement dans ses relations avec les événements antérieurs[25] ». Nous nous disons alors : « J'ai déjà, à maintes reprises, traversé des ponts sans que ceux-ci s'écroulent. »

Présentons maintenant des exemples de traits de caractère dont dépendrait le comportement de l'être humain. Les jeunes délinquants qui s'adonnent à la violence le font librement et souffrent de troubles de la personnalité, disent les théories du libre arbitre et de la volonté libre. Si ces jeunes délinquants ne se sentaient pas menacés dans leur survie, ou s'ils n'étaient pas victimes d'un milieu défavorable, et s'ils n'étaient jamais renforcés dans leurs actions violentes, ils n'auraient pas « choisi » d'être violents, répond Skinner. De même pour le zèle au travail ou la paresse, la faiblesse ou la force de volonté, l'imitation ou la créativité ; tout cela a été créé par un environnement physique et social, et peut être produit « artificiellement » par des programmes de renforcement. D'après Skinner, aucun agent n'habite au-dedans de l'être humain. Ce qui, soi-disant, s'agite dans les profondeurs de l'esprit humain ne l'intéresse pas. Bref, « l'homme intérieur » ne peut servir d'explication. Ainsi, Skinner ne croit pas que l'organisme humain « contient plusieurs personnalités qui le contrôlent de manières différentes à différents moments[26] ». Et il ne croit pas plus aux

---

24. *Ibid.*, p. 38 et 96.

25. *Ibid.*, p. 115.

26. Skinner critique la psychanalyse qui a « identifié trois de ces personnalités — le Moi, le Surmoi et le Ça — dont les interactions rendent compte du comportement de l'homme qu'elles habitent ». (B.F. Skinner, *Par-delà la liberté et la dignité*, p. 17.)

discours et aux explications de la «"psychologie des différences individuelles", qui compare et décrit les individus en termes de traits de caractère, de capacité et d'aptitudes[27]».

CRÉATIVITÉ

Capacité de manifester une réponse originale et inédite par rapport à ce qu'une personne a appris dans un milieu donné.

Par exemple, les behavioristes skinnériens n'acceptent pas la **créativité** en tant que «faculté» innée. C'est l'histoire privée de l'apprentissage d'une personne qui fera qu'elle pourra ou non trouver des réponses nouvelles en regard de ce qui est considéré comme habituel. En d'autres termes, les personnes que l'on dit plus créatrices, plus inventives que d'autres le sont tout simplement parce qu'elles ont obtenu de leur milieu plus d'informations sur la manière de découvrir des réponses uniques et parce qu'elles ont obtenu par la suite des renforcements positifs (elles ont par exemple été valorisées) lorsqu'elles en avaient trouvées. Selon une telle théorie, Wolfgang Amadeus MOZART (1756-1791) serait devenu un grand compositeur uniquement parce que son père lui avait donné une solide formation et qu'il avait été gratifié, étant enfant, par toutes les cours d'Europe lors d'une tournée où il démontrait sa virtuosité précoce au clavier et au violon.

Apprendre n'est pas autre chose que subir un programme de renforcement, principalement verbal; et le langage est aussi, selon Skinner, déterminé par l'environnement. Après tout, si un enfant apprend le chinois, l'allemand, l'anglais ou le français à partir de sa naissance, cela ne peut provenir que des renforcements de son milieu particulier. Quant à la pensée abstraite que le langage permet, elle correspond aussi à un apprentissage conditionné; elle est «le produit d'un type particulier d'environnement, non une faculté cognitive[28]». La conscience, le regard que l'on pose sur soi-même, la connaissance que l'on a de soi, nos maux ou nos monologues intimes sont tous aussi des produits sociaux.

> La communauté verbale pose des questions comme celles-ci: Qu'avez-vous fait hier? Qu'êtes-vous en train de faire? Que ferez-vous demain? Pourquoi avez-vous fait cela? Avez-vous vraiment envie de faire ceci? Que pensez-vous de ça? Les réponses aident les gens à s'ajuster les uns aux autres efficacement. Et c'est parce qu'on lui pose de telles questions que l'individu réagit à lui-même et à son propre comportement de cette manière particulière que nous désignons par les termes: connaissance de soi et prise de conscience. Sans l'aide d'une communauté verbale, tout comportement serait insconscient[29].

PORTRAIT DE LA PRODIGIEUSE FAMILLE MOZART, PEINT PAR LOUIS CARROGIS, DIT CARMONTELLE, EN 1764.

---

27. B.F. Skinner, *Par-delà la liberté et la dignité*, p. 19.

28. *Ibid.*, p. 229.

29. *Ibid.*, p. 232.

En somme, l'auto-observation est, selon Skinner, le comportement que l'organisme adopte pour faire face à certaines contingences. Il en est de même pour le **contrôle de soi.** Ce n'est pas l'individu «autonome» qui décide de se contrôler de telle ou telle façon, mais bien les contingences présentes qui déclenchent chez l'individu des activités apprises lors de contingences passées[30] semblables à celles qui se présentent maintenant. Si, par exemple, un élève reste à la maison le samedi soir pour faire son travail de philosophie au lieu d'aller danser à la discothèque, ce n'est pas, selon l'interprétation behavioriste, parce qu'il a une forte volonté ou une motivation inébranlable, mais bel et bien parce que ce comportement a été appris dans le passé et qu'il a été renforcé par de bonnes notes. À la suite de ces exemples, un behavioriste affirmerait sans ambages que «l'homme autonome» ne possède ni une aptitude créatrice naturelle, ni une faculté cognitive innée, ni une forte volonté foncière lui permettant de se déterminer librement à agir ou à s'abstenir.

LA SCIENCE DU COMPORTEMENT COMME SCIENCE DES VALEURS

Dans une perspective que Skinner qualifie de préscientifique, les actes qu'accomplit un individu sont considérés comme sa propre réalisation. Une telle vision des choses déclare l'être humain maître de son existence. Nous avons abordé, au chapitre précédent, une philosophie de l'homme qui défendait cette hypothèse. En effet, la philosophie existentialiste athée de Jean-Paul Sartre présente l'être humain comme se construisant lui-même par ses actes; il détient l'entière responsabilité de ses échecs comme de ses réussites, et il crée les valeurs en adoptant telle ou telle conduite qui se doit d'être valable pour l'ensemble de l'humanité. Ainsi, d'après Sartre, un homme fait le choix délibéré d'accomplir un acte de courage. Skinner pense, au contraire, qu'un individu «agit courageusement quand les circonstances du milieu l'y incitent. Les circonstances ont changé son comportement; elles n'ont pas implanté un trait ou une vertu[31]». Tout ce que nous trouvons chez l'homme, ce sont des actions influencées par les circonstances du milieu qui modifient le comportement.

> Dans la perspective scientifique [celle que défend Skinner], le comportement de l'individu est déterminé par son équipement génétique, dont l'origine remonte à l'histoire évolutive de l'espèce, et par les circonstances de l'environnement auxquelles il a, en tant qu'individu, été exposé[32].

Qui plus est, ce que les humains valorisent et déclarent comme étant bon, bref, ce qu'ils appellent généralement les valeurs et les jugements de valeur ne sont, aux yeux de Skinner, que des «conséquences de leur comportement[33]». À l'opposé, la littérature qui se porte à la défense de la liberté et de la dignité humaines définit habituellement la valeur comme quelque chose qui importe, qui est souhaitable, qui est jugé désirable et digne d'estime. Une telle définition n'a aucun sens pour Skinner.

CONTRÔLE DE SOI

Capacité de se maîtriser soi-même, de dominer ses réactions, de se priver de quelque chose ou de quelqu'un par la seule force de son caractère.

---

30. Ainsi en est-il de la conscience judéo-chrétienne ou du Sur-moi freudien qui se présentent comme des «contrôles présentement intériorisés», mais qui sont, en fait, les fruits d'un conditionnement dont la trace s'est estompée. Ce qui fait dire à Skinner que ces «hôtes intérieurs [...] sont les vicaires de la société». (*Par-delà la liberté et la dignité,* p. 86.)

31. B.F. Skinner, *Par-delà la liberté et la dignité,* p. 239.

32. *Ibid.,* p. 125.

33. *Ibid.,* p. 127.

Les choses sont bonnes dans la mesure où elles sont positivement renforçantes, et elles sont mauvaises quand elles sont négativement renforçantes. Par exemple, un père de famille sera ponctuel, assidu à son travail, responsable, etc., non pas parce que la ponctualité, l'assiduité et la responsabilité sont des valeurs en soi, mais parce qu'un tel comportement est fortement encouragé et renforcé par la culture occidentale actuelle. Conséquemment, Skinner pense que « porter un jugement de valeur en appelant une chose bonne ou mauvaise, c'est la classer en fonction de ses effets renforçants[34] ». Quant aux conduites humaines proprement dites, qui constituent l'objet de reflexion des philosophies morales traditionnelles, Skinner les dépouille de toute connotation éthique :

> Les comportements que l'on classe comme bons ou mauvais, corrects ou faux ne sont pas dus à la bonté ou à la méchanceté, ni à un bon ou à un mauvais caractère, ni à une connaissance du bien et du mal ; ils sont dus à des contingences impliquant une grande variété de renforcements, y compris les renforcements verbaux généralisés du type « bon ! », « mauvais ! », « bien ! », « mal ! ». Dès l'instant où nous avons identifié les contingences qui contrôlent le comportement que l'on qualifie de bon ou mauvais, la distinction devient claire entre les faits et ce que les gens éprouvent à propos des faits. Ce que les gens ressentent à propos des faits est un sous-produit. Ce qui importe, c'est ce qu'ils font, non ce qu'ils ressentent, et nous ne comprenons ce qu'ils font qu'en examinant les contingences pertinentes[35].

Skinner tente de défendre cette thèse en l'illustrant par des exemples fort intéressants. Nous en reprendrons quelques-uns. Ainsi, pour l'État, le « bien » et le « mal » se présentent en « légal » et en « illégal » : l'État prescrit des lois qui établissent les comportements souhaités et les sanctions encourues par les personnes qui ne s'y soumettent pas. Afin de rendre plus efficace le contrôle social, l'État aménage généralement toute une panoplie de renforcements allant de la fête nationale et du salut au drapeau à l'hymne national. L'institution religieuse, quant à elle, traduit le « bien » et le « mal » en des termes de « vertu » et de « péché ». « Des contingences impliquant des renforcements positifs et négatifs, souvent de l'espèce la plus extrême, sont codifiées — sous forme de commandements, par exemple — et maintenues par des spécialistes, habituellement avec l'appoint de cérémonies, de rituels et de récits. [...] Un fidèle ne supporte pas sa religion parce qu'il est pieux ; il la supporte à cause des contingences aménagées par l'institution religieuse[36]. » Il en est de même pour l'éducation instituée. Dans des lieux déterminés qu'on appelle « écoles », des spécialistes mettent en place des contingences fondées sur des renforcements que sont les notes et les diplômes. Le « bien » et le « mal » correspondent alors au « juste » et au « faux » qui sont codifiés dans des plans de cours, manuels-guides, examens et tests de toutes sortes. Nous voyons par ces exemples qu'une lecture behavioriste réduit les valeurs de « bien » et de « mal » à des contingences qui impliquent des renforcements efficaces. Conséquemment, le behaviorisme ne donne aucune créance à l'homme-sujet autonome qui adhère à des valeurs librement consenties.

---

34. *Ibid.,* p. 130.

35. *Ibid.,* p. 139-140.

36. *Ibid.,* p. 142-143.

DE L'AUTONOMIE À L'ENVIRONNEMENT

Croire en l'autonomie de l'être humain, c'est, entre autres choses, présumer que ce dernier est un être de pensées qui, délibérément, généralise, fait des **discriminations,** des associations, forme des concepts ou des abstractions, se rappelle. Or, selon la philosophie behavioriste, c'est la culture qui apprend à l'homme à faire ces opérations: l'homme autonome n'y est pour rien. Continuer de supposer que l'être humain est autonome, c'est donc ne pas se rendre compte des mécanismes invisibles issus des contingences passées et présentes qui contrôlent, en fait, tout comportement humain.

> Il est dans la nature d'une analyse expérimentale du comportement de dépouiller l'homme autonome des fonctions qui lui furent jusqu'ici attribuées pour les transférer l'une après l'autre à l'environnement qui exerce le contrôle[37].

Selon la doctrine behavioriste, les contingences issues de l'environnement expliquent le comportement d'un individu. Ainsi en est-il de la «place» où un individu naît, œuvre et se développe. Skinner accorde une importance capitale à la place que nous occupons. Cette dernière nous fait vivre des contingences environnementales précises qui, en quelque sorte, nous constituent[38] — pour autant qu'elles fournissent des renforcements efficaces pour nos comportements.

Plusieurs psychologues et philosophes ont reproché à l'analyse behavioriste d'abolir «l'homme en tant qu'homme». Et Skinner ne s'en défend pas:

> Son abolition a été longtemps retardée. L'homme autonome est un dispositif que l'on invoque pour expliquer ce que l'on ne peut expliquer autrement. Il s'est construit de nos ignorances. [...] À «l'homme en tant qu'homme», nous disons: bon débarras. Ce n'est qu'en le dépossédant que nous nous tournerons vers les véritables causes du comportement humain. Alors seulement nous pourrons passer de l'inféré à l'observé, du miraculeux au naturel, de l'inaccessible au manipulable[39].

En abolissant l'autonomie, c'est aussi la notion d'INTENTION que supprime le behaviorisme. Skinner ne nie pas, bien sûr, le sentiment subjectif de l'intention, mais la source objective de l'intention est l'environnement dans lequel l'individu a baigné: «Ce qu'il [l'individu] a l'intention de faire dépend de ce qu'il a fait dans le passé, et de ce qui s'est ensuivi[40].» De sorte que l'intention devient «un sous-produit du comportement en relation avec ses conséquences». En d'autres mots, l'intention est causée par les conséquences qu'aura tel comportement dans tel environnement; elle est un effet de nos comportements et non pas une cause.

Mais tout cela implique-t-il que l'homme ne soit qu'une marionnette aux prises avec un environnement totalement étranger? Pas du tout, répond Skinner. L'environnement sélectionne nos comportements les plus adaptés, et en ce sens nous sommes déterminés par lui. Mais «l'environnement physique de la plupart des gens est pour

DISCRIMINATION
Distinction, séparation entre deux choses.

Selon Skinner, l'intention est causée par les conséquences qu'aura tel comportement dans tel environnement; elle est un effet de nos comportements et non pas une cause.

37. *Ibid.,* p. 240.

38. Ces propos skinnériens s'opposent à la philosophie sartrienne, qui affirme que c'est l'individu qui, librement, donne une signification existentielle à la place qu'il occupe... Voir au chapitre 6 la section «La liberté en situation, Ma place».

39. B.F. Skinner, *Par-delà la liberté et la dignité,* p. 243.

40. *Ibid.,* p. 92.

une grande part de fabrication humaine. [...] L'environnement social est de toute évidence fait par l'homme[41]». L'homme se fabrique en fabriquant son environnement, qu'il y ait planification délibérée ou pas. Cela amène Skinner à dire que «l'homme a "contrôlé sa propre destinée", pour autant que cette expression ait un sens. L'homme que l'homme a fait est le produit d'une culture qu'il a lui-même créée[42].»

Toutes les «intentions» que chaque individu peut avoir en ce qui le concerne ou en ce qui concerne l'humanité sont fonction des conséquences que sa culture lui fait voir comme souhaitables et des moyens que cette culture lui donne pour les réaliser. Cet accent mis sur la responsabilité de la culture constitue la principale raison, d'après Skinner, des résistances face au behaviorisme. Les individus ne veulent pas abandonner leur sentiment subjectif de responsabilité, de mérite, de dignité et de liberté. Or, ce n'est pas ce que le behaviorisme skinnérien exige. Tout ce que cette théorie postule, c'est que ces sentiments sont le résultat de renforcements, et que de les expliquer scientifiquement n'empêche pas de les ressentir. «Aucune théorie, dit Skinner, ne change ce sur quoi elle porte[43].» Une telle affirmation ne peut être réfutée.

Même si Skinner s'en défend, la doctrine behavioriste est souvent qualifiée de mécaniste, en ce sens qu'elle interprète les comportements humains comme de simples mécanismes d'action et de réaction face au milieu environnant. Puisqu'elle ne se représente pas l'individu comme ayant une personnalité stable et autonome qui déterminerait ses actions, le behaviorisme laisse, en effet, prise à une telle critique. La théorie behavioriste aurait tendance à considérer l'être humain comme une espèce d'«animal-machine» qui se définit exclusivement par ses comportements qu'il est possible de conditionner et de manipuler à loisir! À l'évidence, une telle conception enlèverait toute autonomie à la personne en octroyant à l'environnement seul le contrôle que cette dernière devrait exercer.

LE BEHAVIORISME AUJOURD'HUI

Curieux retour du balancier de l'horloge de la pensée occidentale où le behaviorisme contemporain emprunterait à Descartes sa vision mécaniste et ses «animaux-machines» pour appréhender l'homme lui-même en tant que machine! Une machine animée, sans intériorité, identique à son comportement qui se réduit à des actes quantifiables, c'est-à-dire objets de science. Et lorsque ces actes sont jugés dérangeants, déviants ou improductifs, un spécialiste du comportement se charge de les modifier par le conditionnement opérant.

Ce résumé, par trop ironique et simplifié, ne doit pas laisser entendre que le behaviorisme skinnérien présente une philosophie simpliste de l'être humain et de son comportement. Certes, Skinner propose «une conception scientifique de l'homme[44]» où ce dernier est perçu comme le produit des contingences évolutives et sociales réunies.

Mais il faut admettre que cette vision de l'homme connaît de vifs succès en psychothérapie, en pédagogie, en management à tous crins, etc. L'application de programmes de renforcement a produit, en effet, des résultats à d'innombrables reprises

---

41. *Ibid.*, p. 249.
42. *Ibid.*, p. 251-252.
43. *Ibid.*, p. 257.
44. *Ibid.*, p. 202.

depuis les premières publications de Skinner dans les années 1950. La thérapie behavioriste, l'enseignement programmé et les campagnes de «productivité et de qualité totales» sont des adaptations des programmes de renforcement mis au point par Skinner.

Les techniques thérapeutiques behavioristes sont effectivement reconnues comme étant les plus efficaces pour régler les problèmes de **phobies.** La méthode consiste à désensibiliser le patient en l'exposant d'une façon graduelle au stimulus phobique. Ainsi, il pourra progressivement apprendre à maîtriser son anxiété. Des procédés autres, mais s'inspirant aussi des techniques behavioristes, sont utilisés avec succès sur des délinquants, des toxicomanes, etc.

Les milieux d'enseignement se sont mis, eux aussi, aux programmes de renforcement opérant. Afin de motiver les élèves dans l'apprentissage de comportements corrects (par exemple être ponctuels, être attentifs en classe, répondre promptement et adéquatement aux consignes, être polis envers ses professeurs et ses camarades), plusieurs institutions scolaires adoptent l'«économie du bon point» (*token economy*). Ces points donnent droit à des privilèges (par exemple une journée de plein air) qu'il faut gagner par son «bon» comportement.

L'industrie ne tarda pas, bien sûr, à s'emparer de ce système de «stimulants positifs» afin d'accroître la productivité des travailleurs (par exemple par l'octroi de bonis et de récompenses pour l'invention de méthodes visant à augmenter la cadence ou à faire baisser les coûts de production). Les industries de la vente et de la publicité, elles aussi, se servent des techniques de renforcement positif; elles sont devenues de véritables laboratoires de psychologie behavioriste. Pensons aux «points mérites» que de grandes compagnies aériennes donnent à leurs fidèles voyageurs. Même l'industrie du hasard, qui porte fort mal son nom, est réglée comme une horloge suisse sur les grands principes behavioristes. Ainsi, les récents modèles de machines à sous renforcent le joueur en lui accordant, selon une fréquence progressive, des gains modestes afin qu'il ne s'arrête pas de parier.

Skinner au cabinet et dans l'institution thérapeutiques, Skinner à l'école, à l'usine, au bureau, au casino et même chez soi[45]! N'est-ce pas un peu trop? Par ailleurs, les objectifs poursuivis, les méthodes et les techniques utilisées par la science behavioriste ne sont pas sans poser quelques petits problèmes éthiques! Quelle étrange fascination exercent sur nous les spécialistes du comportement pour que nous acceptions de nous laisser conditionner avec tant de docilité? Qui plus est, la philosophie de l'homme que la théorie behavioriste nous propose vise-t-elle à faire grandir l'homme ou à l'infantiliser?

L'ATTRAIT DES MACHINES À SOUS PROVIENT D'UN RENFORCEMENT POSITIF À PROPORTION VARIABLE.

Un éminent penseur de notre temps du nom d'Erich Fromm s'est vigoureusement opposé à faire de l'homme une marionnette entre les mains des institutions qui tenteraient de changer ou de contrarier sa nature profonde. Voyons, en terminant, la belle et généreuse conception de l'être humain que nous propose Fromm.

PHOBIE

Symptôme qui consiste à éprouver de l'angoisse (crainte inconsidérée et en apparence immotivée) face à une situation, à un lieu ou à un objet particulier (par exemple l'agoraphobie ou la claustrophobie).

---

45. Qu'il suffise de rappeler cette «fenêtre ouverte» sur... la publicité que représente l'appareil de télévision!

RÉSUMÉ DE L'EXPOSÉ

Le déterminisme
ou l'impossibilité d'être libre

1. Une philosophie déterministe pose le raisonnement suivant: si tout effet a une cause, tout choix est le résultat d'une chaîne causale biologique ou culturelle, donc la liberté n'existe pas.

2. En fait, nous n'avons ni le choix de l'action ni le choix de nos conduites, car ces dernières sont programmées par nos gènes ou par l'éducation que nous avons reçue tout au long de notre apprentissage de la vie en société.

Skinner et l'école behavioriste

1. Le behaviorisme est la «psychologie ou science du comportement» qui adopte l'attitude empiriste: les comportements doivent être expliqués à partir des réactions observables et mesurables que l'organisme humain produit dans un environnement donné.

2. Skinner, docteur en psychologie de Harvard, eut une grande influence sur l'école behavioriste américaine de la deuxième moitié du XXe siècle. Il contribua, par ses recherches et ses ouvrages controversés, à la diffusion auprès d'un large public des lois et des relations qui régissent le comportement et le milieu dans lequel il se produit.

Une philosophie positiviste de l'être humain

Prenant en considération les particularités biologiques de son espèce, l'homme est défini à partir de son comportement, qui dépend des rapports entretenus avec l'environnement.

L'apprentissage: tout est affaire de conditionnement opérant.

1. Le comportement opérant est le comportement qui est contrôlé par ses conséquences immédiates:

- Quand un individu répond à un stimulus d'une manière qui lui a été bénéfique, il «apprend» un comportement qu'il répétera dans des circonstances semblables.

2. Le conditionnement opérant consiste à utiliser un renforçateur positif ou négatif afin d'augmenter ou de diminuer la probabilité qu'une réponse attendue soit émise.

L'homme programmable ou l'être humain
comme créature malléable

1. Plutôt que de recourir inutilement aux «forces intérieures de l'homme», et puisque l'être humain est déjà conditionné, Skinner propose une «science appliquée, une technologie du comportement» qui planifierait la culture et contrôlerait l'homme pour son bonheur.

2. Ainsi serait établi un environnement physique et social, non en fonction d'un «idéal de la nature humaine», mais selon «ses effets sur le patrimoine génétique de l'espèce» et sa capacité de survivre aux individus qui y vivent ici et maintenant.

Par-delà la liberté et la dignité

Le behaviorisme skinnérien explique le comportement humain en ne considérant pas les valeurs traditionnelles de la liberté et de la dignité, ni les «états d'esprit», les traits ou les vertus de caractère.

I. La liberté n'existe pas: ce que certains appellent le libre choix n'est, en fait, que le produit de contingences de survie génétiques, environnementales et sociales.

2. La dignité ou la valeur de l'être humain n'a plus aucun sens: l'individu ne peut plus être tenu pour seul responsable de ses actes.

3. Ainsi, la créativité, la pensée abstraite et le contrôle de soi ne sont pas des «facultés» innées, mais des «attitudes» qui sont le fruit d'apprentissages conditionnés.

La science du comportement comme science des valeurs

D'après la «science du comportement», il n'existe pas de vertus ou de valeurs. Ce que les hommes appellent les valeurs sont des «conséquences de leur comportement».

I. Le behaviorisme réduit les valeurs de bien ou de mal à des contingences qui impliquent des renforcements efficaces.

2. Le behaviorisme ne donne aucune créance à l'homme-sujet autonome qui adhère à des valeurs librement consenties.

De l'autonomie à l'environnement

I. Le behaviorisme skinnérien dépouille l'homme autonome des fonctions qui lui furent jusqu'ici attribuées pour les transférer l'une après l'autre à l'environnement qui exerce le contrôle.

2. Selon Skinner, l'homme ne devient pas pour autant une marionnette aux prises avec un environnement totalement étranger, puisqu'il «est le produit d'une culture qu'il a lui-même créée».

3. Les critiques du behaviorisme skinnérien accusent cette doctrine d'interpréter l'homme d'une manière «mécaniste» en le décrivant comme un «animal-machine» qui se définit exclusivement par ses comportements, lesquels peuvent être conditionnés et manipulés à loisir.

Le behaviorisme aujourd'hui

I. La vision de l'homme avancée par le behaviorisme est utilisée avec succès en psychothérapie, en pédagogie, en management, en publicité et dans l'industrie du jeu. N'est-ce pas un peu trop?

2. Le conditionnement et la manipulation que nous font subir les «spécialistes du comportement» ne posent-ils pas quelques problèmes éthiques?

3. La philosophie de l'homme proposée par la théorie behavioriste vise-t-elle à faire grandir l'homme ou à l'infantiliser?

LECTURE SUGGÉRÉE

La lecture de l'œuvre suivante est suggérée dans son intégralité ou en extraits importants:

B.F. Skinner, *Par-delà la liberté et la dignité*, Montréal, Éditions HMH, 1975, 270 p

L'essentiel

La théorie behavioriste de Skinner propose une lecture déterministe de l'être humain. Les **comportements humains** seraient façonnés par l'**environnement de l'individu.** Ces comportements ne sont que des réponses à des **stimuli** fournis par ce même environnement. Par le **conditionnement opérant,** on peut modifier la probabilité qu'un comportement attendu soit émis en y associant un ou des **renforçateurs (comportements modifiés).**

Une telle lecture définit l'**homme** comme une créature **malléable,** donc **programmable.** En conséquence, pour assurer le bonheur de l'être humain, une **science du comportement** devrait contrôler ce dernier en planifiant la **culture** environnante. Considérant l'être humain comme un **produit du milieu,** le behaviorisme skinnérien ne donne aucune créance à l'homme-sujet autonome qui adhère à des valeurs librement consentis. L'être humain est donc **non libre.**

Réseau de concepts

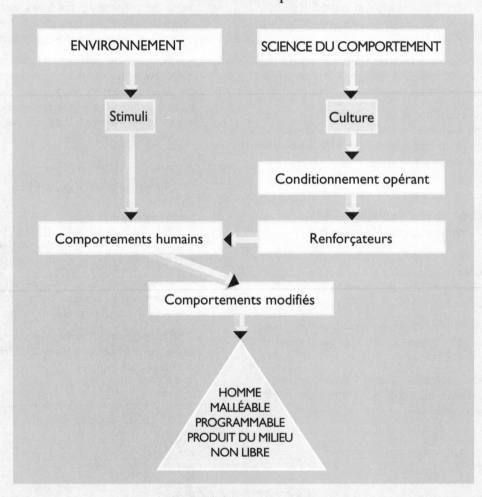

ACTIVITÉS D'APPRENTISSAGE

A
Analyse et critique de texte

Objectifs spécifiques

L'élève doit être capable:

- de démontrer sa compréhension d'un texte de Skinner en transposant dans ses propres mots un contenu partiel de ce texte;

- d'évaluer le contenu, c'est-à-dire d'exprimer son accord ou son désaccord (et en donner les raisons) sur la vision skinnérienne d'un monde «planifié».

TEXTE DE SKINNER

Par-delà la liberté et la dignité

La science n'a sans doute jamais exigé de changement plus profond dans la manière traditionnelle de penser un problème, et jamais il n'y a eu problème plus important. Dans la perspective traditionnelle, l'individu perçoit le monde qui l'entoure, sélectionne les traits à percevoir, discrimine entre eux, les juge bons ou mauvais, les change pour les améliorer (ou, s'il est négligent, les rend pires); on peut le tenir pour responsable de ses actes, le récompenser ou le punir justement selon leurs conséquences. Dans la perspective scientifique, l'individu est membre d'une espèce façonnée par les contingences évolutives de survie, manifestant des mécanismes de comportement qui le placent sous le contrôle de l'environnement dans lequel il vit, et pour une grande part sous le contrôle d'un environnement social que lui-même et des millions d'autres hommes semblables à lui ont construit et maintenu au cours de l'évolution culturelle. Le sens de la relation est inversé: l'individu n'agit pas sur le monde, c'est le monde qui agit sur lui.

Il est difficile d'admettre un tel changement simplement sur des bases intellectuelles, et presque impossible d'en accepter les implications. La réaction du traditionaliste se traduit généralement en termes de sentiments. L'un de ceux-ci, auquel les freudiens ont eu recours pour expliquer la résistance en psychanalyse, est la vanité blessée. Freud lui-même exposa, comme le note **Ernest Jones,** «les trois coups portés par la science au narcissisme de l'humanité. Le premier, cosmologique, fut porté par **Copernic**; le second, biologique, par **Darwin**; le troisième, psychologique, par Freud». (Ce dernier coup atteignait la croyance en un quelque chose, au-dedans de l'homme, qui saurait tout ce qui s'y passe, et en un instrument, dénommé le libre arbitre, qui exercerait le pouvoir et le contrôle sur le reste de la personnalité.) Mais quels sont les signes ou les symptômes de la vanité blessée, et comment les expliquerons-nous? Que font les gens à propos d'une telle conception scientifique? Ils la qualifient de mauvaise, de dégradante, de dangereuse, ils argumentent contre elle, ils attaquent ceux qui la proposent ou la défendent. S'ils agissent ainsi, ce n'est pas par vanité blessée, mais parce que la formulation scientifique a détruit les renforcements habituels. Si l'individu ne peut plus désormais tirer mérite et recueillir admiration pour ce qu'il fait, il semble perdre de sa dignité ou de sa valeur, et le comportement précédemment renforcé par l'éloge et l'admiration subira l'extinction. L'extinction conduit souvent à l'attaque agressive.

Un autre effet de la conception scientifique serait un manque de foi ou de «nerf», un sentiment de doute ou d'impuissance, de découragement, de dépression ou de mélancolie. L'être sent, dit-on, qu'il est impuissant devant sa destinée. Mais ce qu'il éprouve, c'est l'affaiblissement de réactions anciennes qui ont cessé d'être renforcées. Les gens sont, en effet, «impuissants» quand des répertoires verbaux installés de longue date se révèlent inutiles. Par exemple, un historien se plaignait de ce que, «si les actions humaines devaient être écartées comme n'étant que le produit du conditionnement naturel et psychologique», il n'y aurait plus rien dont on puisse écrire; «le changement doit être au moins en partie le résultat de l'activité mentale consciente».

On note encore une sorte de nostalgie. Les anciens répertoires font irruption, on se saisit de la moindre analogie entre le présent et le passé et on l'exagère. On parle du passé comme du bon vieux temps, où l'on reconnaissait la dignité inhérente de l'homme et l'importance des valeurs spirituelles. Ces restes de comportements anachroniques ont une ombre de «regret» — ils ont le caractère des comportements de plus en plus infructueux.

Ces réactions à une conception scientifique de l'homme sont certainement malheureuses. Elles paralysent les hommes de bonne volonté et quiconque se soucie de l'avenir de sa culture fera tout ce qu'il pourra pour les corriger. Aucune théorie ne change ce sur quoi elle porte. Les choses ne changent rien du fait que nous les regardons, que nous en parlons ou les analysons d'une manière neuve. **Keats** buvait à la ruine de **Newton** pour le châtier d'avoir analysé l'arc-en-ciel, mais l'arc-en-ciel resta aussi beau que toujours et aux yeux de beaucoup en devint même plus beau. L'homme n'a pas changé parce que nous le regardons, en parlons et l'analysons scientifiquement. Ses réalisations dans les sciences, la politique, la religion, l'art et la littérature demeurent ce qu'elles ont toujours été, offertes à l'admiration comme une tempête sur la mer, une forêt en automne ou le sommet d'une montagne, indépendamment de leurs origines et d'aucune analyse scientifique. Ce qui change, ce sont nos chances d'agir sur la matière de la théorie. L'analyse que fit Newton de la lumière de l'arc-en-ciel était un pas dans la direction du Laser. [...]

Les technologies physique et biologique ont réduit les famines, les épidémies, et nombre d'aspects douloureux, dangereux ou épuisants de notre vie quotidienne. La technologie du comportement peut commencer à atténuer d'autres types de maux. Il se peut que, dans l'analyse du comportement humain, nous soyons quand même un rien plus avancés que n'était Newton dans l'analyse de la lumière, car nous commençons à faire des applications technologiques. Les possibilités sont merveilleuses — d'autant plus merveilleuses que les approches traditionnelles se sont révélées fort inefficaces. Il est difficile d'imaginer un monde dans lequel les gens vivraient ensemble sans se disputer, se maintiendraient en vie en produisant la nourriture, les abris, les vêtements dont ils ont besoin, se divertiraient et contribueraient au divertissement des autres par les arts, la musique, les lettres, les sports, ne consommeraient qu'une partie raisonnable des ressources du monde et aggraveraient aussi peu que possible la pollution, n'auraient pas plus d'enfants qu'ils n'en pourraient décemment élever, continueraient à explorer l'univers autour d'eux et à découvrir de meilleures méthodes d'agir sur lui, où ils apprendraient à se connaître eux-mêmes avec plus de précision et, par conséquent, à se maîtriser plus efficacement. Et pourtant, tout cela est possible, et le moindre signe de progrès devrait apporter une sorte de changement propre, en termes traditionnels, à apaiser la vanité blessée, à compenser le désespoir ou la nostalgie, à corriger l'impression que «nous n'avons ni le pouvoir ni le devoir de faire quoi que ce soit pour nous-mêmes», à favoriser un «sens de la liberté et de la dignité» en affermissant la confiance et en construisant un sens de la valeur. En d'autres termes, tout cela

KEATS, JOHN
Poète romantique anglais (1795-1821).

NEWTON, ISAAC
Mathématicien, physicien et astromone anglais (1642-1727). Newton publia en 1675 sa théorie de la lumière et des couleurs. Mais c'est en 1687 qu'il exposa dans *Philosophiæ naturalis principia mathematica* sa célèbre théorie de l'attraction universelle.

devrait renforcer abondamment ceux qui ont été incités par leur culture à travailler pour sa survie.

Une analyse expérimentale déplace les causes déterminantes du comportement de l'homme autonome vers l'environnement — un environnement responsable à la fois de l'évolution de l'espèce et du répertoire acquis par chacun de ses membres. Les premières versions de l'environnementalisme étaient inadéquates parce qu'elles ne pouvaient expliquer comment agissait l'environnement; l'homme autonome semblait conserver beaucoup de ses prérogatives. Mais les contingences environnementales prennent aujourd'hui en charge les fonctions jadis attribuées à l'homme autonome, et certaines questions surgissent: l'homme est-il donc « aboli » ? Assurément non, ni en tant qu'espèce ni en tant qu'individu créateur. Seul est aboli l'homme autonome intérieur, et c'est un pas en avant. Mais l'homme ne devient-il pas ainsi une simple victime, ou un simple observateur de ce qui lui arrive ? Il est, en effet, sous le contrôle de son environnement, mais il faut nous rappeler que cet environnement est, pour une grande part, fait de ses mains. L'évolution d'une culture est un gigantesque exercice de contrôle de soi. On accuse souvent une conception scientifique de l'homme de conduire à des blessures de vanité, au désespoir et à la nostalgie. Mais aucune théorie ne change l'objet sur lequel elle porte; l'homme reste ce qu'il a toujours été. Mais une nouvelle théorie peut changer les possibilités d'action sur son objet d'étude. Une conception scientifique de l'homme offre des possibilités exaltantes. Nous n'avons pas encore vu ce que l'homme peut faire de l'homme.

B.F. Skinner. *Par-delà la liberté et la dignité,* Montréal, Éditions HMH, 1975, p. 255-260.

QUESTIONS D'ANALYSE ET DE CRITIQUE

1. Dans vos propres mots, décrivez la «conception scientifique de l'homme» que défend Skinner.

2. Skinner trace le portrait du monde que les planificateurs de la culture pourraient mettre en place. Il décrit ce monde «planifié» dans les termes suivants:

> [...] un monde dans lequel les gens vivraient ensemble sans se disputer, se maintiendraient en vie en produisant la nourriture, les abris, les vêtements dont ils ont besoin, se divertiraient et contribueraient au divertissement des autres par les arts, la musique, les lettres, les sports, ne consommeraient qu'une partie raisonnable des ressources du monde et aggraveraient aussi peu que possible la pollution, n'auraient pas plus d'enfants qu'ils n'en pourraient décemment élever, continueraient à explorer l'univers autour d'eux et à découvrir de meilleures méthodes d'agir sur lui, où ils apprendraient à se connaître eux-mêmes avec plus de précision et, par conséquent, à se maîtriser plus efficacement.

Commentaire critique

Êtes-vous d'accord avec cette description et trouvez-vous possible et souhaitable que la «technologie du comportement» en arrive un jour à planifier un tel monde ? Vous devez fonder vos jugements, c'est-à-dire défendre votre point de vue, en apportant deux arguments pour appuyer vos affirmations. *(Minimum suggéré: une page.)*

B

Analyse et critique de texte

Objectifs spécifiques

L'élève doit être capable:

- de démontrer sa compréhension du texte de Laborit en faisant un résumé, c'est-à-dire une description condensée de l'argumentation avancée par Laborit;

- d'évaluer le contenu, c'est-à-dire d'exprimer son accord ou son désaccord (et en donner les raisons) sur les thèses de Laborit présentant la liberté comme une illusion.

Henri Laborit (1914-1995), médecin de la marine française, directeur de recherches fondamentales en biologie, introduit le premier tranquillisant (la chlorpromazine) en 1951. S'intéressant particuliè-rement à la réaction de l'organisme humain à l'agression, Laborit a publié de nombreux ouvrages ayant une large diffusion où il fait le lien entre les connaissances que lui fournit la biologie et les comportements humains en situation sociale.

TEXTE DE LABORIT

La liberté est une illusion

ENDOGÈNE
Qui prend naissance à
l'intérieur du corps.

ANTAGONISME
État d'opposition de
deux forces, de deux
principes.

FALLACIEUX
Qui trompe, qui est
faux, mensonger.

ÉTHIQUE
Principes et règles de
conduite considérés
comme valables de
façon absolue.

On admet que la liberté est « une donnée immédiate de la conscience ». Or, ce que nous appelons *liberté, c'est la possibilité de réaliser les actes qui nous gratifient, de réaliser notre projet, sans nous heurter au projet de l'autre. Mais l'acte gratifiant n'est pas libre*. Il est même entièrement déterminé. Pour agir, il faut être motivé et nous savons que cette motivation, le plus souvent inconsciente, résulte soit d'une pulsion **endogène**, soit d'un automatisme acquis et ne recherche que la gratification, le maintien de l'équilibre biologique, de la structure organique. L'absence de liberté résulte donc de l'**antagonisme** de deux déterminismes comportementaux et de la domination de l'un sur l'autre. [...]

La sensation **fallacieuse** de liberté s'explique du fait que ce qui conditionne notre action est généralement du domaine de l'inconscient, et que par contre le discours logique est, lui, du domaine conscient. C'est ce discours qui nous permet de croire au libre choix. Mais comment un choix pourrait-il être libre alors que nous sommes inconscient des motifs de notre choix, et comment pourrions-nous croire en l'existence de l'inconscient puisque celui-ci est par définition inconscient ? Comment prendre conscience de pulsions primitives transformées et contrôlées par des automatismes socio-culturels lorsque ceux-ci, purs jugements de valeurs d'une société donnée à une certaine époque, sont élevés au rang d'**éthique**, de principes fondamentaux, de lois universelles, alors que ce ne sont que les règlements de manœuvres utilisés par une structure sociale de dominance pour se perpétuer, se survivre ? [...]

La sensation fallacieuse de liberté vient aussi du fait que le mécanisme de nos comportements sociaux n'est entré que depuis peu dans le domaine de la connaissance scientifique, expérimentale, et ces mécanismes sont d'une telle complexité, les facteurs qu'ils intègrent sont si nombreux dans l'histoire du système nerveux d'un être humain, que leur déterminisme semble inconcevable. [...] Les facteurs mis en cause sont simplement trop nombreux, les mécanismes mis en jeu trop complexes pour qu'ils soient dans tous les cas prévisibles. Mais les règles générales que nous avons précédemment schématisées permettent de comprendre qu'ils sont entièrement programmés par la structure innée de notre système nerveux et par l'apprentissage socio-culturel.

Henri Laborit. *Éloge de la fuite*, Paris, Robert Laffont, 1976, p. 87-90.

QUESTIONS D'ANALYSE ET DE CRITIQUE

1. À l'instar de Skinner, Henri Laborit considère la liberté comme une illusion. Dites comment Laborit explique dans ce texte cette «sensation fallacieuse de liberté».

Commentaire critique

2. Faites l'examen critique des points de vue mis en avant par Laborit dans ce texte. En d'autres mots, êtes-vous d'accord avec les thèses défendues par Laborit? Vous devez fonder vos jugements, c'est-à-dire apporter deux arguments pour appuyer vos affirmations. *(Minimum suggéré: une page.)*

Exercice comparatif: Skinner et Sartre

Objectifs spécifiques

L'élève doit être capable:

- d'analyser le problème philosophique de la liberté et du déterminisme, c'est-à-dire de décomposer une «mise en situation» en y décelant les éléments constituants et les liens qui les unissent, en vue de tracer un schéma d'ensemble de la situation;

- de comparer différentes visions, c'est-à-dire d'examiner les rapports de ressemblance et de différence entre les éléments fondamentaux relevés dans la mise en situation proposée et les conceptions de la liberté sartrienne et du déterminisme skinnérien.

Contexte de réalisation

Problème sur la liberté [46]

À huit heures ce matin, un homme âgé de vingt-sept ans s'est donné la mort à la station de métro Berri-UQAM. Il a marché nerveusement le long du quai. Il a attendu l'entrée en gare du premier wagon. D'un pas décidé, il a écarté les voyageurs massés aux abords de la rampe d'accès. Puis, il s'est jeté sur les rails, les pieds joints et les bras le long du corps, comme un plongeur. Les deux jambes coupées, la figure ensanglantée, le corps brûlé, il est mort sur le coup.

Cet homme ne déambulera plus dans la rue Saint-André, là où enfant il jouait à la balle et à la cachette. Il ne montera plus l'escalier lugubre. Il ne sera plus à la charge de sa mère. Il ne lira plus, accoudé à la table de la cuisine étroite, les offres d'emploi du *Journal de Montréal*. Il avait le métier de son père, concierge, mais depuis vingt-quatre mois il était en chômage: petites annonces, entrevues, rebuffades. À l'usine, le disant trop faible, on l'a refusé comme manœuvre; au bureau, le directeur des ressources humaines a regardé, l'air moqueur, ses habits démodés: pas d'emploi. Rester des jours entiers sur son lit avec le sentiment d'être inutile dans un monde qui vous refuse le droit au travail est injuste et révoltant! Ce matin, il s'est donc introduit dans le métro à l'heure où l'on se rend au travail. Tous étaient contraints par l'horaire, affairés à leurs tâches quotidiennes. Lui était libre. Il pouvait aller au Musée des beaux-arts ou au Jardin botanique; il était libre de penser au *cogito* cartésien ou au dernier match des Expos. Mais en fait, il se sentait surtout libre de choisir entre le fusil et la rame de métro.

Questions

En vous servant de la conception de la liberté et de celle du déterminisme qui vous ont été présentées aux chapitres 6 et 7, répondez aux deux questions suivantes *(minimum suggéré: deux pages)*:

1. Dans quelle mesure cet homme était-il libre?

2. Dans quelle mesure cet homme était-il non libre?

---

46. Ce texte est une adaptation d'un «fait divers» cité par Denis Huisman et André Vergez dans leur *Court traité de philosophie (Métaphysique)*, Paris, Fernand Nathan, 1961, p. 141.

L'homme
comme choix
entre « être et avoir »

LA

PHILOSOPHIE

HUMANISTE

D'ERICH FROMM

> NOUS AVONS L'ABONDANCE, MAIS
> NOUS N'AVONS PAS LA JOIE DE
> VIVRE. NOUS SOMMES PLUS RICHES,
> MAIS NOUS SOMMES MOINS LIBRES.
> NOUS CONSOMMONS DAVANTAGE,
> MAIS NOUS SOMMES PLUS VIDES.
> [...] NOUS AVONS BEAUCOUP,
> MAIS NOUS SOMMES PEU.
>
> Erich Fromm, *De la désobéissance*,
> p. 82 et 87.

ERICH FROMM: PSYCHANALYSTE ET PHILOSOPHE HUMANISTE

TALMUD

«Enseignement», en hébreu. Le Talmud est un volumineux ouvrage constituant la référence fondamentale du judaïsme (religion des juifs). Il contient les règlements, les interdits individuels et les règles de conduite concernant tous les points de la vie religieuse et civile.

OBÉDIENCE

Obéissance ou soumission à une doctrine ou à un maître spirituel.

ORTHODOXIE

Conformité à l'ensemble d'une doctrine, à ses règles strictes et à ses usages sans se permettre la moindre déviation ni la moindre critique.

Erich Fromm naît à Francfort (Allemagne), le 23 mars 1900. Enfant unique d'une famille juive orthodoxe, il grandit dans un milieu religieux et traditionnel. D'ailleurs, son grand-oncle maternel, rabbin de profession, se fait un devoir de lui enseigner scrupuleusement le **Talmud.**

Fromm fait d'abord des études de droit à Francfort, puis il étudie la philosophie, la psychologie et la sociologie à Heidelberg. À l'âge de vingt-deux ans, il obtient un doctorat en philosophie de l'Université de Heidelberg. Puis, il suit une formation en psychanalyse à l'Université de Munich et il fréquente l'Institut psychanalytique de Berlin. À la suite d'une autoanalyse sous la supervision de Hans Sachs (l'un des disciples de Freud), dès 1925 il reçoit des patients en consultation, et sa pratique psychanalytique est alors de stricte **obédience** freudienne.

Durant les années 1930, il enseigne à l'Institut de psychanalyse de Francfort et collabore aux travaux de l'ÉCOLE DE FRANCFORT où il rencontre Herbert Marcuse (1898-1979) et Theodor Wisengrund Adorno (1903-1969). Progressivement, Fromm remet en question l'**orthodoxie** freudienne. Il lui reproche principalement de ne pas suffisamment tenir compte des facteurs socioéconomiques dans la formation de la personnalité.

> **C**ourant de philosophie politique, sociale et esthétique qui présente une critique sociale alliant des éléments marxistes et freudiens. Selon cette école de pensée, la liberté, perçue comme une fin à atteindre, caractérise l'être humain.

Fuyant le nazisme hitlérien, Erich Fromm émigre aux États-Unis en 1934. Il est naturalisé citoyen américain. Dès lors commence une longue et brillante carrière professorale à l'Institut international de recherches sociales, puis dans de nombreuses universités d'État: Columbia, Yale, Michigan, New York. À partir de 1951, il enseigne également au département de psychanalyse de l'Université nationale de Mexico. Parallèlement à son enseignement, il mène une carrière de thérapeute (de plus en plus éloigné de l'orthodoxie freudienne) et il participe aux travaux du Parti socialiste américain ainsi qu'à ceux du mouvement en faveur du désarmement (le SANE). En 1969, il s'installe en Suisse, qui l'accepte comme citoyen d'honneur. Il y meurt le 18 mars 1980.

Une approche pluridisciplinaire et critique de la société de consommation

Les recherches menées par Fromm portent surtout sur le rôle de la culture dans la formation de la personnalité. C'est le rapport individu-société qui l'intéresse particulièrement. Son approche se veut pluridisciplinaire et allie, entre autres, la psychologie freudienne et la théorie sociale de Marx. Erich Fromm a publié plus de vingt essais ayant connu une large diffusion, dont *Le langage oublié* (Payot, 1953), *La peur de la liberté* (Buchet-Chastel, 1963), *L'homme pour lui-même* (Éditions Sociales françaises, 1967), *Psychanalyse et religion* (Éditions de l'Épi, 1968), *L'art d'aimer* (Éditions de l'Épi, 1968), *Espoir et révolution* (Stock, 1970), *Société aliénée et société saine* (Le Courrier du Livre, 1971), *La crise de la psychanalyse* (Anthropos, 1971), *La passion de détruire* (Robert Laffont, 1975), *Vous serez comme des dieux* (Éditions Complexe, 1975), *Le dogme du Christ et autres essais* (Éditions Complexe, 1975), *La mission de Sigmund Freud* (Éditions Complexe, 1975), *Avoir ou être?* (Robert Laffont, 1978). Les ouvrages écrits par Fromm se fondent sur une vaste culture philosophique. Pour lui, la réflexion psychanalytique ne peut être séparée de la philosophie et de la morale. Ainsi retrouve-t-on dans son œuvre des références constantes aux philosophes occidentaux les plus importants: Platon, Aristote, René Descartes, Baruch Spinoza, Emmanuel Kant, Friedrich Hegel, Karl Marx, Friedrich Nietzsche, Sigmund Freud, etc.

La préoccupation centrale de Fromm étant la situation de l'homme du XXᵉ siècle, il présente une analyse de ce que nous sommes devenus et de notre monde. Malgré la critique radicale qu'il a faite de l'homme d'aujourd'hui inscrit dans la société de consommation, jamais Erich Fromm n'a cessé de croire en l'être humain et en sa capacité de changer pour devenir meilleur. En cela, il a été un grand HUMANISTE et l'un des théoriciens de la culture les plus importants de notre époque.

> **A**ttitude ou théorie selon laquelle l'homme constitue la valeur suprême et est source des valeurs. L'humanisme prend pour fin la personne, sa dignité et son épanouissement. En ce sens, il défend ce qu'il y a de spécifiquement humain en soi et dans les autres.

LA SITUATION HUMAINE OU LES CONDITIONS SPÉCIFIQUES DE L'EXISTENCE DE L'HOMME

Avant de traiter de la personnalité humaine, Fromm fait d'abord l'étude de la «situation humaine» — que la philosophie classique nomme «nature humaine» —, car il croit que la personnalité propre d'un individu est déterminée par des particularités de l'existence humaine communes à tous les hommes.

Fromm essaie de comprendre la nature de l'homme dans sa totalité. Pour mener à bien cette recherche, il considère qu'il est nécessaire de dégager la signification de l'existence humaine et de découvrir les normes qui devraient guider la vie des hommes. Seul, l'homme lui-même, sans se référer à une autorité **transcendante,** peut décider de ce qui est bien et de ce qui est mal.

À l'éternelle question «que signifie être homme?», Erich Fromm veut apporter une réponse globale qui dépasserait les simples «manifestations d'humanité», comme les comportements de générosité ou de cupidité, d'autonomie ou de dépendance. Il veut dégager les «conditions mêmes de l'existence humaine d'où jaillissent, comme des alternatives éventuelles, toutes les possibilités[1]». Or, ces conditions se limitent, selon lui, au nombre de deux et elles sont à la fois intimement liées et radicalement opposées. Il s'agit en fait de la non moins éternelle **dichotomie** entre le corps et l'esprit.

> **TRANSCENDANT**
>
> Du verbe «transcender», en latin *transcendere*, «s'élever au-dessus de». Dépasser en étant supérieur, appartenir à un degré plus élevé.
>
> **DICHOTOMIE**
>
> Division entre deux éléments qu'on sépare nettement et qu'on oppose.
>
> **INSTINCTUEL**
>
> Qui appartient à l'instinct. Forte impulsion conduisant à agir d'une manière conforme à la nature de l'homme. Tendance innée, commune à tous les hommes.
>
> **DÉTERMINISME**
>
> Doctrine selon laquelle tous les phénomènes (pensées, actions, événements, etc.) résultent nécessairement des causes antérieures qui les ont produits.

LE LION EXPRIME DANS SA QUINTESSENCE LE DÉTERMINISME INSTINCTUEL. L'INSTINCT EST LA SEULE CAUSE DE SES ACTIONS.

La faiblesse biologique de l'homme

Par son corps, l'être humain est lié à la nature et au règne animal. Il éprouve des besoins **instinctuels** au même titre que les animaux. Mais comparativement à l'animal, l'homme est pourvu d'une piètre capacité d'adaptation instinctuelle, et le **déterminisme** instinctuel occupe chez lui un niveau peu élevé. En d'autres mots, face aux diverses situations qu'il a à vivre dans le monde d'aujourd'hui, l'être humain réagit très peu par instinct. Ce n'est guère l'instinct qui est la cause de ses actions, mais plutôt des facultés spécifiquement humaines qu'il a développées au cours des âges.

---

1. Erich Fromm, *Espoir et révolution,* trad. Gérard D. Khoury, Paris, Stock, 1970, p. 79.

Le lot de l'homme : raison, mémoire et imagination

Le développement prodigieux du cerveau de l'homme a fait de lui un être doué de raison, de mémoire et d'imagination. Ainsi, l'être humain est conscient de lui-même, de son existence, de sa propre finitude, et il craint la mort. Par cette conscience que nous avons de nous-mêmes et de notre vie — conscience qui constitue l'une des conditions propres à l'existence humaine —, nous pouvons voir et comprendre, donc donner une signification à ce qui se trouve en face de nous et ainsi tenter d'accéder à la vérité. L'un des besoins fondamentaux de l'être humain est d'appréhender la réalité, c'est-à-dire de se représenter rationnellement les choses, les êtres et le monde. Grâce à sa raison, l'être humain peut concevoir et interpréter le monde.

L'être humain est, par ailleurs, doté d'une mémoire qui lui donne une prise sur son passé. Pouvant se souvenir de ce qu'il a déjà vécu et connu, l'individu peut s'en servir pour guider ses choix dans le présent.

L'être humain est aussi capable d'imagination créatrice. Cette faculté que possède l'esprit humain de combiner des images provenant de l'expérience en un nouvel ensemble permet d'envisager l'avenir.

Ainsi équipé de ces facultés humaines, trop humaines, l'homme ne peut «revenir au stade préhumain d'harmonie avec la nature». Il a été chassé du paradis. Il est désormais aux prises avec une dichotomie existentielle fondamentale : «Il ne peut se délivrer de son esprit même s'il le souhaite. Il doit supporter son corps aussi longtemps qu'il est en vie — et ce corps le pousse à vouloir vivre[2].»

De sorte qu'au fil des siècles, l'être humain a dû établir un monde qui lui permet de survivre et qui le laisse souvent perplexe et mécontent. Parce qu'il est doué de raison, l'homme sait que c'est à lui-même qu'il doit rendre des comptes. Ce qui l'amène à s'interroger sur la signification de son existence dans ce monde...

D'autant plus que chaque individu fait face à une autre contradiction fondamentale enracinée dans l'existence même de l'être humain. Il est écartelé entre la vie et la mort, la mort représentant la fin de sa vie. Surgit alors un autre problème existentiel découlant de la courte durée de la vie humaine. L'individu possède des potentialités qu'il aspire à réaliser, mais qu'il ne peut toutes actualiser dans une aussi courte vie.

L'HOMME D'AUJOURD'HUI ÉTANT DOUÉ DE RAISON, DE MÉMOIRE ET D'IMAGINATION, NE PEUT «REVENIR AU STADE PRÉHUMAIN D'HARMONIE AVEC LA NATURE».

---

2. Erich Fromm, *L'homme pour lui-même,* trad. Janine Claude, Paris, Éditions Sociales françaises, 1967, p. 39.

L'individu qui se veut responsable de sa propre personne et de sa vie assumera les dichotomies existentielles inhérentes à la condition humaine en utilisant et en développant ses talents et capacités. Cet individu

> reconnaîtra que la vie n'a de sens que celui que chacun lui donne en développant ses possibilités et en vivant de façon productive. Il saura que seuls une vigilance constante, l'activité et l'effort l'empêcheront d'échouer dans l'accomplissement de l'unique tâche qui importe — et qui consiste à développer ses pouvoirs le plus possible, dans les limites imparties à son existence. L'homme ne doit jamais cesser d'être intrigué, étonné, et de poser des questions. Pour réussir, il lui faut appréhender tout cet ensemble qui compose la situation humaine. Alors, il sera lui-même pour lui-même — il obtiendra le bonheur par le plein épanouissement de ses facultés propres: raison, amour et créativité[3].

Les hommes partagent tous la même situation humaine et les mêmes dichotomies existentielles. Cependant, chaque individu est unique dans la mesure où il tente de résoudre les difficultés inhérentes à la condition humaine selon sa voie propre.

LA PERSONNALITÉ HUMAINE

Erich Fromm attribue à chaque être humain une personnalité propre, c'est-à-dire un ensemble de qualités innées ou acquises «qui caractérisent un individu en lui conférant son unicité[4]». L'individu possède une personnalité constituée d'un TEMPÉRAMENT et d'un caractère.

> Hippocrate (v~460-~377) avait déjà distingué quatre sortes de tempérament: colérique, sanguin, mélancolique et flegmatique.

Le tempérament est défini comme l'ensemble des dons et des attributs psychiques reçus à la naissance. Il dépend de la constitution propre d'un individu et il n'est pas modifiable. Ce qui intéresse davantage Fromm, c'est le caractère parce qu'il est le fruit des expériences d'un individu et qu'il est éventuellement modifiable par de nouvelles expériences.

Le caractère d'un individu se déduit de l'organisation de l'ensemble des traits propres à sa personne. Fromm définit le caractère comme «un mode spécifique de relation de l'individu au monde[5]». Qui plus est, l'adaptation d'un individu à la société se fera selon son caractère. Les parents, la classe sociale et la civilisation à laquelle appartient l'individu contribuent à former son caractère. Mais une fois que la structure du caractère d'un individu est constituée, c'est cette dernière qui oriente LE CHOIX des idées, des valeurs, des jugements et des actions qu'il mettra en avant.

> En accordant ainsi à chaque individu une manière propre de réagir au monde qui l'entoure, Fromm s'oppose à la conception behavioriste selon laquelle «l'homme apprend à réagir d'une façon quasi automatique en développant des habitudes d'action et de pensée que l'on peut envisager comme des réflexes conditionnés» (Erich Fromm, *L'Homme pour lui-même*, p. 53).

Fromm classifie les types de caractère selon les «orientations non productives et l'orientation productive». Il précise d'emblée que ces types de caractère représentent des «types idéaux». Dans la vie réelle, le caractère d'une personne est généralement constitué du mélange de plusieurs orientations même si l'une d'entre elles est dominante. Fromm note que l'orientation de caractère qui prédominera

---

3. *Ibid.,* p. 42.

4. *Ibid.,* p. 46.

5. Erich Fromm, *L'homme pour lui-même*, p. 52.

chez un individu sera ordinairement celle que favorisera la culture dans laquelle cet individu baigne. En s'inspirant de Marx, Fromm indique que la personnalité d'un individu est influencée par les institutions économiques, politiques, sociales et culturelles dans lesquelles il vit. Voici un aperçu de ces types de caractère.

Les orientations non productives

L'ORIENTATION RÉCEPTIVE   La personne possédant ce type de caractère est confiante et optimiste. Elle a la conviction qu'elle trouvera toujours une source extérieure à elle-même qui lui procurera ce dont elle a besoin. Voulant plaire et se conformer, cette personne se met généralement dans un état de dépendance qui lui interdit tout sens critique par rapport aux autres.

CYNISME

Tendance à exprimer sans ménagement et de manière méprisante des opinions contraires à la morale communément admise.

L'ORIENTATION EXPLOITEUSE   À la différence de l'orientation réceptive, ce type de caractère ne considère pas ce qui vient des autres comme des dons ou des gentillesses. La personne «exploiteuse» essaie de s'emparer par force ou par ruse des sentiments ou des idées des autres. Elle a tendance à utiliser autrui jusqu'à ce qu'il ne serve plus. Voyant dans les autres des objets susceptibles d'être exploités, la personne possédant ce type de caractère développe des attitudes de suspicion, de **cynisme,** d'envie et de jalousie envers autrui.

L'ORIENTATION THÉSAURISATRICE   La personne possédant ce type de caractère se construit un monde fermé, méticuleux et rigide fondé essentiellement sur l'avarice. Son «attitude avaricieuse s'étend au domaine des biens matériels comme à celui des sentiments et de la pensée[6]». Une telle personne se protège du monde extérieur jugé menaçant en valorisant l'ordre et la sécurité.

L'ORIENTATION MERCANTILE   relation avec le monde économique

L'AVARE SE CONSTRUIT UN MONDE OÙ IL S'ENFERME DANS L'IDOLÂTRIE DE SES POSSESSIONS.

L'orientation mercantile du caractère est en étroite relation avec le monde économique d'aujourd'hui. Fromm la définit comme «l'orientation caractérielle qui prend sa racine dans l'expérience de *soi* envisagé comme marchandise et comme monnaie d'échange[7]». L'objectif primordial d'une personne possédant ce type de caractère est de savoir se vendre avec succès sur le marché. Cette personne ne s'évalue pas elle-même uniquement à partir de ce qu'elle sait et de ce qu'elle peut faire. À ce bagage propre elle essaie d'ajouter ce qu'il faut pour se rendre attrayante sur le «marché de la personnalité». À cette fin, il s'agira de cultiver les attitudes et les comportements attendus, de se fabriquer et de présenter l'image désirée par le marché. Cette personne s'inscrit dans un processus où l'évaluation d'elle-même passe par les conditions fluctuantes du marché. C'est comme si la personne au caractère mercantile disait: «Je suis prête à jouer les rôles commandés par le marché. Je suis prête à être ce que vous désirez que je sois pour autant que vous m'accordiez de la valeur.»

---

6. Erich Fromm, *L'homme pour lui-même*, p. 57.

7. *Ibid.,* p. 60.

La personne qui se livre ainsi aux diktats du marché ne possède pas de potentialités réelles. Elle présente uniquement les qualités requises par le marché, qualités interchangeables si d'autres s'avèrent plus «payantes». La personne au caractère mercantile s'inscrit donc entièrement dans le PARAÎTRE. Par exemple, il sera bien vu de posséder les qualités d'honnêteté, de sobriété et de respectabilité. La personne n'a pas à être elle-même préoccupée par ces qualités, elle n'a pas à y croire, elle n'a qu'à faire semblant. Cette forme de prostitution aux règles éphémères du marché imprègne les relations qu'une telle personne entretient avec ses semblables. Elle aura nécessairement des rapports superficiels avec autrui, rapports dépouillés de toute authenticité véritable.

UNE PERSONNE QUI PASSE UNE ENTREVUE D'EMPLOI N'EST-ELLE PAS OBLIGÉE DE S'INSCRIRE DANS LE PARAÎTRE.

L'orientation productive

L'orientation productive correspond au caractère pleinement épanoui, c'est-à-dire à l'individu qui réussit à utiliser librement et à développer toutes les potentialités humaines qu'il porte en son sein. Cet individu se considère comme l'acteur de sa vie, l'agent de ses propres pouvoirs, aptitudes, capacités et talents. Il ne fait qu'un avec eux. «Son sentiment de soi peut s'exprimer librement ainsi: "Je suis ce que je fais"[8].»

Même si Fromm affirme ne pas avoir lu Jean-Paul Sartre (1905-1980), il est tentant de faire un rapprochement avec la définition que l'existentialisme sartrien donne de l'être humain: «je suis l'ensemble de mes actes». Cependant, Fromm nous met en garde contre la confusion des termes «productif» et «actif». Bien des gens aujourd'hui montrent une activité frénétique sans pour autant être productifs. Réagissant à l'angoisse qui les trouble, ces gens s'agitent, s'éclatent dans toutes les directions, pour finalement se perdre eux-mêmes en tant que personnes. Il en va de même pour les actions faites sous l'impulsion ou en fonction d'une autorité quelconque (supérieur hiérarchique, opinion publique, prescriptions de la culture ambiante, etc.). Prenant leur origine à l'extérieur de la personne, ces actions ne sont pas productives. Par ailleurs, se laisser conduire par des passions irrationnelles, comme l'avarice, l'envie ou la jalousie, ne laisse pas plus d'ouverture à l'activité productive, car l'action n'est alors ni libre ni rationnelle. Fromm appuie fortement sur la dimension rationnelle de l'orientation productive. L'individu au caractère productif «est guidé par sa raison, puisqu'il est indispensable qu'il connaisse et jauge ses possibilités afin de savoir comment et à quelle fin les utiliser[9]».

LA PENSÉE PRODUCTIVE   L'individu dont le caractère est productif ne fait pas seulement montre d'intelligence, il est aussi capable d'utiliser sa raison. L'intelligence permet à l'homme de résoudre des problèmes pratiques et de connaître certains aspects des choses pour pouvoir les manipuler. Les principes sur lesquels repose un **phénomène** ou les fins impliquées par celui-ci ne sont pas pris en considération par la pensée intelligente. Seule la raison fait intervenir la dimension de la profondeur. La raison veut

PHÉNOMÈNE
Ce qui apparaît aux sens ou à la conscience.

---

8. Erich Fromm, *L'Homme pour lui-même*, p. 62-63.

9. *Ibid.*, p. 71.

GÉNÉRIQUE

Ce qui est commun à un groupe d'êtres ou d'objets et qui en constitue le genre.

UNIVERSEL

Qui s'étend, s'applique à la totalité des objets considérés.

pénétrer au cœur des choses afin de découvrir leur signification profonde. L'être humain au caractère productif se sert de sa raison pour découvrir la dimension **générique** et **universelle** d'un phénomène plutôt que ses aspects superficiels et accidentels. Par ailleurs, il se sent préoccupé par l'objet de sa réflexion, vivement intéressé, interpellé par lui. L'objet de pensée n'est pas coupé de sa personne ni de sa vie. C'est avec toute sa subjectivité qu'il entre en rapport avec l'objet de sa réflexion.

Toutefois, sa pensée productive obéit au critère d'objectivité. Le sujet pensant éprouve du respect pour l'objet de sa réflexion. Il s'efforce de l'appréhender tel qu'il est et non pas tel qu'il aimerait qu'il fût:

> L'objectivité exige que non seulement on voie l'objet tel qu'il est, mais que l'on se voie de même tel qu'on est — c'est-à-dire que l'on soit conscient de la constellation particulière dans laquelle on se trouve comme observateur relié à l'objet d'observation. La pensée productive est donc déterminée par la nature de l'objet et par celle du sujet qui se relie à lui dans le processus de la pensée. Cette double détermination constitue l'objectivité, contrairement à la fausse subjectivité dans laquelle la pensée n'est pas contrôlée par l'objet, et dégénère ainsi en préjugé, en souhait et en fantasmagorie[10].

Fromm nous met en garde contre la fausse idée de l'objectivité « scientifique » présentée comme une sorte de détachement, de mise à distance de l'objet de recherche. Au contraire, la recherche de la vérité implique, selon lui, un vif intérêt du chercheur afin qu'il puisse s'investir à fond, pénétrer au cœur des choses, de leurs causes et de leurs relations.

Un dernier aspect de l'objectivité consiste à envisager dans sa totalité l'objet étudié. Pour bien comprendre un phénomène, on ne doit pas isoler un seul élément de ce phénomène. C'est en essayant d'appréhender toutes ses parties (sa structure globale) qu'on se donne la chance de connaître telle ou telle partie.

Utilisant sa raison à bon escient, l'homme au caractère productif ne reste pas à la surface des choses et des êtres; il est un homme profond, capable de saisir l'essence des choses et des êtres. Doué d'une imagination fertile, il peut faire œuvre de création et d'invention. Il ne fait pas que reproduire ce qui existe déjà. Par ailleurs, il est un être aimant susceptible d'entrer dans un rapport sain avec les autres.

À la suite de ce survol théorique des différentes orientations de caractère, voyons maintenant quels aspects du caractère présentent bon nombre d'individus dans la société d'aujourd'hui.

LA RELATION DE L'ÊTRE HUMAIN AVEC LUI-MÊME DANS LA SOCIÉTÉ DE CONSOMMATION

En début de présentation, nous disions que l'une des conditions spécifiques de l'existence de l'homme est d'être doué de raison et, conséquemment, d'être conscient de son existence. Avouons que dans la vie réelle, l'accession à la conscience n'est pas une mince affaire; cela ne se fait pas magiquement et tout en douceur. Il faut apprendre, trouver des principes d'action à l'intérieur de la culture ambiante, faire face à des choix, connaître des doutes et des craintes, essuyer des échecs, etc. En outre, cette conscience risque de nous lancer en pleine figure nos limites, nos faiblesses, nos impuissances, nos angoisses, notre propre finitude.

---

10. *Ibid.*, p. 86.

On le voit, cette entreprise de conscientisation entraîne nécessairement un sentiment d'insécurité. Or, l'être humain, selon Fromm, recherche — même s'il ne la retrouve jamais — l'harmonie primitive avec la nature que sa dimension animale, présente en lui, a déjà connue. Et il serait prêt à payer le prix pour retrouver un nouvel équilibre dans son rapport au monde.

À travers leur souhait de sécurité, les hommes chérissent leur propre dépendance, spécialement si elle est rendue plus facile par un relatif confort matériel, et par les idéologies qui nomment le lavage de cerveau «éducation», et la soumission, «liberté»[11].

> **Le** besoin de l'être humain de recourir à des valeurs pour orienter ses actes et ses sentiments constitue, selon Fromm, un autre élément fondamental de la situation humaine.

Pour se sentir en sécurité avec lui-même et avec le monde, l'homme d'aujourd'hui accepte donc de mettre en berne sa raison critique, ses potentialités d'amour et de partage; il accepte d'être mis dans un état de soumission, de dépendance et d'infantilisme que requiert de lui le système social actuel. En d'autres termes, il consent à conformer passivement sa pensée et sa conduite aux VALEURS de propriété, de consommation, de réussite, etc., que lui propose la civilisation contemporaine. Et ce faisant, il se perçoit lui-même d'une manière telle qu'il lui soit possible d'actualiser ces valeurs. Mais comment au juste s'appréhende-t-il dans la société de consommation?

Puisque la société capitaliste occidentale est orientée vers l'efficacité, le profit, la quantification des données en vue de mesurer et de comparer, Fromm constate que l'organisation de la vie à l'intérieur de cette société incite l'être humain à «s'expérimenter lui-même comme un objet qui doit trouver un emploi réussi sur le marché[12]». En effet, c'est le rôle économique et social qui définit aujourd'hui, d'une manière exclusive, l'être humain. Il ne se ressent pas lui-même comme un être actif doué de qualités qui lui sont propres. Il ne se sent pas animé d'une riche vie intérieure qui le comble. Il ne se perçoit pas lui-même comme un individu réel capable d'aimer, de craindre, de douter, d'adhérer à des certitudes et de les défendre.

À l'instigation du système économique, l'homme d'aujourd'hui se sent, au contraire, comme une abstraction, c'est-à-dire comme une donnée quantifiable remplissant une fonction particulière dans la société: «Je pratique la médecine; je travaille soixante heures par semaine; je vaux un demi-million de dollars; j'ai atteint mes principaux objectifs de vie; je suis heureux», et ainsi de suite. Ce témoignage anecdotique démontre que, de nos jours, l'individu a de plus en plus tendance à s'évaluer d'après sa réussite sociale. Il entraînera son corps afin d'avoir une belle apparence; il cultivera son esprit et acquerra des connaissances dans l'unique but de se positionner avantageusement dans la hiérarchie des promotions. Aujourd'hui, tout est affaire d'investissement et de rentabilité: l'effort fourni doit produire le meilleur profit possible. Même les grandes et belles valeurs comme la courtoisie, la bonté, la solidarité ou le partage, ne sont pas recherchées pour elles-mêmes, mais elles sont «regardées comme des marchandises, comme des biens personnels propres à augmenter sa valeur sur le marché[13]».

---

11. Erich Fromm, *Espoir et révolution,* p. 82.

12. Erich Fromm, *Société aliénée et société saine,* Paris, Le Courrier du Livre, 1971, p. 142.

13. *Ibid.,* p. 143.

Se vendre avec succès

Il est aisé de constater que le caractère décrit précédemment correspond à «l'orientation mercantile» de caractère. Or, si nous voulons cerner cette structure de caractère propre à la société contemporaine, il faut considérer la fonction économique du marché dans cette société. Contrairement au troc ancien où l'on tenait compte de la valeur utilitaire («valeur d'usage») des objets à échanger, aujourd'hui le prix des biens et des services est fixé uniquement en fonction de la loi de l'offre et de la demande. Ce concept de valeur marchande (ou, si l'on préfère, de «valeur d'échange») d'un objet convoité par opposition à sa valeur utilitaire a une influence profonde sur les individus de la société de consommation. En effet, l'accent mis sur la valeur d'échange plutôt que sur la valeur d'usage d'un objet a amené l'être humain à se considérer lui-même selon le même schème de référence. L'orientation de caractère mercantile s'applique à l'individu qui se voit lui-même comme un objet dont la valeur principale est marchande. En conséquence, l'objectif primordial de l'individu possédant un caractère mercantile sera d'offrir le maximum d'efficacité dans sa spécialité. Il fonctionnera d'une manière froide et cérébrale, négligeant la dimension affective de sa vie. En fait, cet individu est incapable d'un attachement authentique aux êtres et aux choses. Il calcule trop pour pouvoir aimer vraiment. Son but principal dans l'existence n'est pas de partager avec les autres, mais de se vendre au plus offrant, c'est-à-dire de s'échanger sur le marché du travail contre la plus forte rémunération ou le statut le plus élevé.

Et si l'individu, affirme Erich Fromm, ne réussit pas à investir sa personne d'une manière rentable, il s'évaluera lui-même comme un échec. Ainsi, le sens de sa propre valeur provient de facteurs extérieurs à lui-même; ce sens dépend exclusivement du jugement changeant que le marché porte sur sa personne. «*Quelle que soit l'importance des services qu'il puisse rendre en réalité, l'homme*, ajoute Fromm, *n'a donc de valeur marchande que dans la mesure où il trouve preneur sur le marché* [14]». L'être humain a intériorisé cette idéologie d'une manière telle qu'il a tendance à se dire: «Sans travail, sans fonction sociale reconnue, je ne suis rien.» Or, cette attitude n'est pas sans entraîner de graves conséquences. D'après Fromm, la perte du sens de son identité est la principale conséquence. Mais qu'est-ce que le sens de l'identité? C'est l'expérience qui me permet de me reconnaître moi-même en tant que «je», c'est la capacité personnelle de me construire une représentation de moi-même comme «sujet de *mes* expériences, de *mes* pensées, de *mes* sentiments, de *mes* décisions, de *mon* jugement et de *mes* actes. Mais cela présuppose que mon expérience est authentique et non pas aliénée. Les choses n'ont pas le sens du "*moi*" et les individus devenus des choses ne peuvent pas l'avoir non plus [15]».

Cette incapacité de bâtir et de découvrir sa propre identité trouve cependant une certaine compensation dans la sécurité que procure l'adaptation aux autres ou, si l'on préfère, l'intégration au troupeau, le fait de se rattacher au «on». En effet, dans la société industrielle contemporaine, l'être humain perd le sens de son identité, mais il acquiert un «*sens secondaire de lui-même* [...] en se voyant approuvé, estimable, utile, comblé par le succès, bref, en se considérant tel un produit commercial qui est *lui* parce que les autres le voient comme une entité, non pas unique mais conforme à un modèle courant [16]». Dans un tel contexte, l'individu ne réussit à se donner une identité que dans la mesure

---

14. *Ibid.*, p. 143.

15. *Ibid.*, p. 143.

16. *Ibid.*, p. 144.

où il est semblable aux autres, où il ne se démarque en aucune façon par rapport à la normalité. Il se conduit tel qu'il doit se conduire, c'est-à-dire de la manière dont le système social attend qu'il se conduise. Sans esprit critique, l'être humain de la société de consommation se fond dans la foule.

Le conformisme de l'*Homo consumens*[17]

Le conformisme de l'être humain qui s'inscrit dans la société de consommation apparaît dans toute sa vérité lorsqu'on regarde vivre ces millions d'individus qui, en Amérique, conduisent leur existence comme si elle était une entreprise commerciale. En effet, bon nombre d'individus ont tendance aujourd'hui à comptabiliser toutes leurs activités. Qu'ils aillent au cinéma, au concert ou au théâtre, qu'ils assistent à un spectacle ou qu'ils fassent un voyage, ils se poseront nécessairement la question suivante: «Est-ce que ça valait l'argent dépensé?» Dans notre société, ces diverses activités appartiennent à ce qu'on appelle «la culture». Or, ces loisirs culturels sont de plus en plus envisagés comme des produits de consommation qu'il est bien vu de posséder, de même qu'on possède une voiture luxueuse ou le dernier modèle de chaîne stéréo. Dans certains milieux, il paraît de bon goût d'avoir vu tel film, d'avoir lu tel roman ou de s'être payé tel Club Med. C'est comme si la valeur d'un loisir dépendait exclusivement de son succès sur le marché, et non pas du plaisir réel qu'il apporte, ou encore de la transformation, sur le plan humain, que sa pratique entraîne. Ce besoin maladif de juger tous nos actes comme s'ils étaient des données quantifiables trouve aussi une illustration lorsque, après une soirée passée en compagnie d'une fille ou d'un gars qui nous plaît ou après une visite faite à un ami ou une amie, on se demande: «Est-ce que ça valait le temps investi?» Même des activités comme la marche ou le jogging sont aujourd'hui estimées comme un «bon placement pour la santé plutôt qu'une activité agréable se suffisant à elle-même[18]».

LE JOGGING N'EST-IL PAS ENVISAGÉ COMME UN «BON PLACEMENT POUR LA SANTÉ PLUTÔT QU'UNE ACTIVITÉ AGRÉABLE SE SUFFISANT À ELLE-MÊME»?

Erich Fromm affirme que cette façon de vivre est tellement aliénée qu'elle fait naître dans l'esprit de l'*Homo consumens* cette autre question fatidique: «La vie vaut-elle la peine d'être vécue?» Une telle interrogation démontre avec acuité que les gens de la société de consommation évaluent leur existence en fonction des profits et des pertes, de l'actif et du passif. Comme pour un bilan financier, ils concluront à la faillite de leur vie si le passif dépasse l'actif. N'ayant pas réussi à trouver bonheur et réconfort ni dans la relation à eux-mêmes ni dans le rapport aux autres, certains iront même jusqu'à quitter volontairement cette vie qui n'apporte pas suffisamment de dividendes.

---

17. *Homo consumens* signifie littéralement «homme de consommation».

18. Erich Fromm, *Société aliénée et société saine,* p. 148-149.

LA RELATION DE L'ÊTRE HUMAIN AVEC AUTRUI DANS LA SOCIÉTÉ DE CONSOMMATION

Le besoin naturel de s'unir aux autres et de se relier au monde est réduit aujourd'hui, selon Fromm, à sa plus simple expression. Dans la société de consommation, nos rapports à autrui ne s'appuient pas, en effet, sur les sentiments spécifiquement humains tels que l'amour, la tendresse ou l'empathie. Seul l'être humain *productif* est capable d'entrer en relation avec les autres et le monde d'une manière *génératrice* en les percevant tels qu'ils sont et en les animant, en les enrichissant de ses propres capacités. Aujourd'hui au contraire, les rapports aux autres revêtent, en règle générale, une apparence d'amitié et de franchise afin de nous ménager l'autre (le voisin, le collègue de travail, le compagnon de classe) au cas où il pourrait nous être utile. Mais en réalité, nous cultivons la distance, l'indifférence et la méfiance à l'endroit de l'Autre.

> Les relations de l'homme moderne avec ses compagnons s'établissent entre abstractions, entre machines vivantes qui s'utilisent mutuellement. [...] La société moderne est formée d'«atomes» — pour reprendre le terme grec équivalent à l'individu —, petites particules étrangères les unes aux autres mais réunies par des intérêts égoïstes, et par la nécessité de se servir les unes des autres[19].

En fait, nous avons tendance à considérer les autres (conjoint ou conjointe, amant ou maîtresse, ami ou amie) comme entièrement consommables; ne ressentant aucun lien profond et authentique envers eux, nous les utilisons au maximum, nous épuisons leurs substances propres et les jetons après usage.

La relation égoïste à autrui

Les relations interpersonnelles que cette société engendre sont caractérisées principalement par l'égoïsme. La personne égoïste rapporte tout à soi-même et recherche uniquement son plaisir et son intérêt. En conséquence, une telle attitude exclut délibérément l'intérêt porté aux autres.

> L'égoïste ne s'intéresse qu'à lui, désire tout pour lui, ignore le plaisir de donner, n'aspire qu'à prendre. Il n'envisage le monde environnant que sous l'angle de ce qu'il peut en tirer; le besoin des autres le laisse froid, il se soucie peu de leur dignité et de leur intégrité. Il ne voit rien au-delà de lui-même. Il juge tout être et toute chose relativement à ce qu'ils peuvent lui apporter; il est radicalement incapable d'aimer[20].

Il ne faut pas penser que l'égoïste ne peut aimer autrui parce qu'il s'aime trop lui-même. En fait, il s'aime insuffisamment ou il ne s'aime pas du tout. Certes, il prend grand soin de lui, mais cela témoigne justement de son incapacité foncière de s'aimer lui-même de façon productive.

Amour calculateur ou amour productif

À l'opposé de cette relation à autrui malsaine — parce qu'elle est exclusivement orientée vers soi —, Fromm valorise le seul sentiment qui puisse répondre au besoin qu'éprouve l'être humain d'être relié à l'Autre: l'amour. Bien sûr, il ne défend pas n'importe quelle sorte d'amour. Il ne nous invite pas à cette pratique amoureuse, fort en vogue aujourd'hui, qui consiste à rechercher «un échange favorable entre deux personnes

---

19. *Ibid.,* p. 140.
20. Erich Fromm, *L'homme pour lui-même,* p. 106.

qui obtiennent le maximum de ce qu'elles peuvent attendre, eu égard à leur valeur sur le marché de la personnalité[21]». Cet amour utilitariste et calculateur amène chacun des partenaires à se considérer comme un «paquet» dont les principaux atouts (belle apparence, bonne éducation, emploi envié, revenus élevés, etc.) constituent sa valeur d'échange. C'est comme si chaque «petit paquet» espérait rencontrer sur le marché de l'amour un autre «petit paquet» d'égale valeur ou de valeur supérieure à la sienne...

Afin de dépasser ce rapport amoureux comptable, Erich Fromm nous convie à l'amour *productif*, cette relation amoureuse saine qui permet de garder son intégrité et son indépendance, celle où l'on aime l'autre pour ce qu'il est et non l'image idéalisée que l'on s'est faite de lui. Seul un tel amour permet de nous unir à l'autre; seul il permet de partager notre humanité avec son semblable, car au lieu d'«avoir» l'autre comme on consomme une chose, il aspire à «être» avec lui.

Ne pensons pas qu'il soit facile d'aimer d'une manière productive! On croit aisément que l'amour véritable apparaît dès le moment où l'on est envoûté par le charme de quelqu'un. Ce n'est pas le cas. On a alors affaire à un coup de foudre, cet élan irrésistible vers l'autre ayant un caractère surtout érotique. Pour être productif et authentique, un amour doit, selon Fromm, comporter les caractéristiques fondamentales de la responsabilité, du respect et de la connaissance.

Aimer authentiquement implique que l'on prête attention à l'être aimé et que l'on se sente responsable de lui, «que l'on veille sur lui — non seulement pour son existence physique, mais aussi pour la croissance et l'épanouissement de toutes ses potentialités humaines. Aimer productivement est incompatible avec le fait d'être le spectateur passif de la vie de la personne aimée; cela suppose de la peine, de l'attention et le souci de sa croissance[22].»

Respecter l'être aimé, c'est — comme l'indique la racine du mot (*respicere*) — regarder l'autre tel qu'il est et le considérer comme digne d'être préservé non parce que je peux l'utiliser comme bon me semble, mais parce qu'il me ravit et me comble. Et je serai capable de respect envers l'être aimé dans la mesure où je serai moi-même autonome et indépendant, n'éprouvant aucunement le besoin de dominer ou d'exploiter qui que ce soit.

AIMER D'UNE MANIÈRE AUTHENTIQUE, C'EST SE SENTIR RESPONSABLE DE LA PERSONNE AIMÉE, C'EST LA RESPECTER ET LA CONNAÎTRE INTIMEMENT.

---

21. Erich Fromm, *Société aliénée et société saine*, p. 147.

22. *Ibid.*, p. 83.

L'amour productif commande aussi la *connaissance* de l'être aimé. Connaître la personne aimée, c'est bien sûr avoir une connaissance objective et rationnelle de cette personne afin de percevoir sa réalité propre au-delà de l'image que je me fabrique d'elle. Mais c'est plus que cela. Connaître la personne aimée, c'est saisir ce qu'elle ressent profondément; c'est — par l'expérience de l'union — éprouver intimement ce que la personne aimée est véritablement.

L'amour est la seule voie de connaissance qui dans l'acte d'union répond à ma quête. Dans l'amour, et le don de moi-même, dans la pénétration d'autrui, je me trouve, je me découvre moi-même, je nous découvre tous deux, je découvre l'homme[23].

LE CHOIX ENTRE LE MODE AVOIR ET LE MODE ÊTRE

Fromm se sert des concepts d'être et d'avoir pour désigner «deux modes fondamentaux d'existence, deux types différents d'orientation vers soi-même et le monde, deux sortes de structure de caractère distinctes dont les prédominances respectives déterminent la totalité de la pensée, des sentiments et des actions de l'individu[24]». Présentons un résumé de ces deux types de relation à soi-même et aux autres qui s'offrent à l'homme contemporain.

Le mode avoir: «je suis ce que j'ai»

Le rapport qu'entretient l'*Homo consumens* avec lui-même et avec ses semblables dans le monde d'aujourd'hui indique clairement que l'avoir constitue le but suprême de sa vie. Or, puisque ce mode fondamental d'existence alimente toute la culture occidentale, nous trouvons normal que notre relation au monde s'établisse selon les critères d'acquisition, de possession et de profit. Nous avons tendance, en effet, à nous définir à partir de ce que nous avons: «je suis ce que j'ai.» L'ensemble de mes propriétés (choses et personnes) constitue mon identité propre: *ma* maison, *ma* voiture, *mon* époux ou *mon* épouse, *mes* enfants me définissent.

La structure de caractère fondée sur l'avoir se manifeste toutefois dans la vie quotidienne de multiples façons et d'une manière beaucoup plus subtile que le simple rapport de propriété à des objets matériels ou à des personnes. Voici quelques exemples apportés par Fromm[25]. Un élève assiste à un cours; il écoute son professeur, comprend les mots prononcés, en prend note afin de pouvoir les mémoriser et les reproduire lors d'un examen. L'élève en question ne se sent pas personnellement visé par le contenu du cours; il emmagasine ces informations venant d'un autre sans y apporter quoi que ce soit de personnel. Cet élève fait preuve d'une structure de caractère basée essentiellement sur le mode avoir d'existence. Passons à un autre exemple, celui d'une conversation où deux protagonistes défendent leurs positions, chacun s'identifiant à sa propre opinion. Ce qui importe n'est pas de sortir vainqueur du débat ou de voir l'autre changer son opinion. Chacun essaie de trouver les meilleurs arguments pour défendre son point de vue en ne voulant aucunement modifier ce point de vue. Nous assistons alors à un monologue à deux où l'opinion de chacun est considérée comme l'une de ses possessions dont la perte équivaudrait à un appauvrissement.

---

23. Erich Fromm, *L'art d'aimer,* trad. J.-L. Laroche et Françoise Tcheng, Paris, Éditions de l'Épi, 1968, p. 49.

24. Erich Fromm, *Avoir ou être?,* trad. Théo Carlier, Paris, Robert Laffont, coll. «Réponses», 1978, p. 42-43.

25. *Ibid.,* p. 47-52.

Selon Fromm, la tendance à se relier au monde selon le mode de l'avoir est de plus en plus répandue aujourd'hui. Les individus dont le caractère est orienté de cette façon accumulent et économisent. Ayant peu confiance en ce que le monde extérieur peut leur apporter, ils s'entourent d'un mur protecteur, entassant dans leur forteresse leurs acquisitions de toutes sortes. Leur avarice se reflète aussi bien en ce qui concerne les biens matériels et l'argent qu'en ce qui concerne leurs pensées et leurs sentiments. En amour, par exemple, ces individus seront portés à considérer l'être aimé comme une possession. L'intimité dans la relation à l'autre leur apparaissant comme menaçante, ils voudront le posséder pour se sentir en sécurité. Ces individus ont généralement beaucoup de connaissances, mais ils sont incapables d'une pensée productive. Ils sont très ordonnés, très propres, et ce, de façon **compulsive.** Ce sens aigu de l'ordre les amène à vouloir placer les gens selon un ordre strict : le leur. Cela leur donne un sentiment de sécurité face au monde extérieur : si chaque être ou chaque chose est bien à sa place, ils auront alors l'impression de maîtriser ce monde extérieur si inquiétant. Enfin, les individus dont la structure de caractère est orientée exclusivement vers l'avoir sont souvent très suspicieux, car leur sens de la justice se définit en des termes manichéens : ce qui est à moi est à moi et ce qui est à toi est à toi[26].

SÉCURITÉ ET INSÉCURITÉ   Le fait de fonder son existence sur l'avoir peut être à la fois rassurant et menaçant. En effet, les objets et les gens que je possède sont là autour de moi ; leur présence habituelle m'assure une certaine tranquillité d'esprit : ma voiture de l'année est garée dans l'entrée de mon bungalow, mes enfants sont bien nourris, bien habillés, et ils dorment en paix, ma conjointe ou mon conjoint est assis à mes côtés sur mon divan de cuir véritable, et nous regardons la télévision… Mais, d'autre part,

> parce que je peux perdre ce que j'ai, je suis nécessairement tracassé en permanence par l'idée que je perdrai ce que je possède. J'ai peur des voleurs, des changements économiques, des révolutions, de la maladie, de la mort, et j'ai peur de l'amour, de la liberté, de mon propre développement, du changement, malade d'une hypocondrie chronique, en ce qui concerne non seulement la perte de ma richesse, mais aussi la perte de tout ce que j'ai ; je reste sur mes gardes, je suis dur, soupçonneux, solitaire ; je me laisse mener par mon besoin d'avoir plus, pour être mieux protégé[27].

Le monde de l'avoir peut donc être aussi associé au monde de l'insécurité et de l'angoisse, qui entraîne celui de la convoitise, de la cupidité et de la compétition. J'éprouve un tel besoin de posséder et de conserver les choses et les êtres que j'envie les personnes qui ont plus que moi ; conséquemment, j'essaie de m'approprier, de conquérir, d'une manière souvent compulsive, le plus de biens possible. Toutefois, cette préoccupation et cette ambition matérialistes connaissent une limite majeure : mon insatisfaction chronique. D'après Fromm, ce n'est pas en obéissant au principe de la consommation immédiate de biens, de services et de personnes, c'est-à-dire en retardant le moins possible la satisfaction de mes désirs, que je parviendrai à combler mon vide intérieur, ma solitude et mon ennui. Orienter son existence seulement en fonction du mode avoir, c'est s'inscrire dans une relation morte aux objets et aux personnes, car le sujet que je suis n'acquiert alors la vie que dans la mesure où il *a* au lieu de se définir par ce qu'il *est*.

COMPULSIF
Se dit de l'obligation d'accomplir une action quelconque sous peine d'éprouver de l'angoisse ou un sentiment de culpabilité.

---

26. Notons que la description faite par Fromm du mode avoir d'existence peut être associée à l'orientation thésaurisatrice de caractère présentée précédemment.

27. Erich Fromm, *Avoir ou être ?*, p. 132.

Le mode être

> Cette qualité de présence au monde correspond à la capacité d'être là, pleinement réceptif et ouvert à ce qui est donné à voir, sentir, entendre, toucher ou goûter.

Mais qu'en est-il au juste de ce mode être? Présentons d'abord la première forme du mode être de relation au monde décrite par Fromm, celle qui s'oppose au mode avoir et qui exprime un rapport vivant et authentique à soi-même, aux autres et au monde. Être, ce n'est pas se mettre à l'écoute de ce qui se mesure et se compte, c'est s'ouvrir à ce qui est. Ainsi, un individu s'inscrivant dans le mode être d'existence fera l'apprentissage de ce qu'on pourrait appeler une QUALITÉ DE PRÉSENCE AU MONDE. Il pourra, par exemple, *voir* une montagne au lieu de la *consommer* en voulant connaître son nom et sa hauteur, en la fixant sur une photo, ou encore en l'escaladant pour mieux en prendre possession. Il sera capable de voir authentiquement cette montagne, c'est-à-dire d'entrer en relation étroite avec elle en dehors de toute envie de la posséder. Par ailleurs, plutôt que de se définir uniquement selon ce qu'il *a*, l'individu qui oriente sa vie en fonction du mode être s'appréhendera lui-même à partir de ce qu'il *est*.

La connaissance et l'actualisation de ce que nous sommes impliquent nécessairement, selon Fromm, les principales conditions suivantes: l'indépendance, la liberté et l'aptitude à l'évaluation critique — point d'être, en effet, sans la capacité de déterminer soi-même, de façon éclairée et autonome, les idées et les règles de conduite auxquelles nous voulons adhérer. Être exige, pourrions-nous dire, une clairvoyance dans la relation à soi et à autrui. Être commande aussi l'aptitude à *être actif et productif.* Au lieu de nous pousser à nous affairer, à nous agiter frénétiquement dans le monde extérieur, comme le mode avoir nous y convie, le mode être met l'accent sur le déploiement d'une riche vie intérieure où nous cultivons nos propres virtualités afin de «nous renouveler, de développer, déborder, aimer, transcender la prison du moi isolé[28]». Fromm nous invite à la découverte et à la construction de notre intégrité personnelle, mais il nous exhorte aussi à être attentifs, intéressés aux autres. Il nous encourage à l'enracinement de soi dans l'expérience de la fraternité universelle caractérisée par le partage, le don et le sacrifice de soi. Ainsi, les autres ne nous apparaîtront pas comme une menace à l'égard de notre identité et de notre sécurité. En outre, notre capacité d'actualiser nos potentialités humaines fera partie de notre structure de caractère et relèvera seulement de nous-mêmes.

> Dans le mode de l'être, dit Fromm, ma sécurité n'est menacée que de l'intérieur de moi-même: par mon manque de confiance en la vie et en mes pouvoirs productifs; par mes tendances régressives; par ma paresse intérieure et par ma résignation à voir les autres s'emparer de ma vie. Mais ces dangers ne sont pas inhérents au mode de l'être, comme le danger de perdre est inhérent au mode de l'avoir[29].

ÊTRE OU PARAÎTRE　　La seconde forme d'être décrite par Fromm se dresse contre le *paraître* afin de mettre en évidence la nature véritable d'une personne, et non sa ***persona,*** c'est-à-dire les différents masques et personnages qu'elle utilise dans sa relation sociale. Cet être sans masque constitue ce que nous sommes profondément et authentiquement; il correspond à notre structure de caractère réelle et non à l'image contrefaite et travestie de nous-mêmes qu'impose la société de consommation. «En ce sens, dit Fromm, toute tentative d'accroître le secteur de l'être revient à plonger davantage dans la réalité de soi-même, des autres et du monde qui nous environne[30].»

PERSONA

«La *persona* [...] est une sorte de masque que l'individu revêt, d'une part, pour produire un certain effet déterminé, d'autre part, pour cacher sa vraie nature.» (*C.G. Jung, Le Moi et l'Inconscient*, Paris, Gallimard, 1938.)

---

28. *Ibid.,* p. 108.
29. *Ibid.,* p. 133.
30. *Ibid.,* p. 121.

Par le biais du mode être, Erich Fromm brosse le portrait d'un être humain dont la principale tâche est de s'épanouir en réalisant ses diverses potentialités. Mais pour ce faire, il devra redécouvrir l'essence même de son humanité: l'autonomie. Il devra redevenir créatif, c'est-à-dire penser et sentir les choses par lui-même. Il devra aussi réapprendre à aimer et à aller au-delà de lui-même. Il devra réorienter sa vie en fonction de valeurs autres que celles du gain, du confort et de l'acquisition de gadgets de toutes sortes que lui propose la société de consommation. Bref, il devra *être* au lieu de consommer et de se définir exclusivement en fonction de l'*avoir*.

FROMM AUJOURD'HUI

Dans le contexte de la société de consommation, Erich Fromm propose une critique radicale de ce que l'être humain occidental est devenu: un individu essentiellement axé sur le mode avoir d'existence. Ce portrait de l'homme d'aujourd'hui tracé par Fromm reflète-t-il la réalité?

Réussite professionnelle et consommation

Force est de constater que la lecture faite par Fromm de notre monde et de nous-mêmes n'est pas exagérée. Nous n'avons qu'à penser aux *dinks* (*double income no kids*), ces couples ayant deux sources de revenu, sans enfant, qui peuplent de plus en plus l'Amérique! Nous n'avons qu'à penser aussi aux *yuppies* (*young urban professionals*), qui prolifèrent comme des mouches au soleil. Ces deux catégories d'individus consacrent la plus grande partie de leur existence au travail. La carrière devient la voie privilégiée de réalisation d'eux-mêmes. Toutes leurs énergies sont investies dans la réussite professionnelle. Horaires chargés, prévisions, planifications aux multiples visages ne visent qu'un but: atteindre un statut financier et social envié. Ces prototypes de la société de consommation acceptent sans résistance de s'intégrer dans un monde d'images, d'apparences, de conventions pour autant que ce monde leur octroie un statut. Ils consentent à se nourrir d'artifices, à vivre superficiellement, à orienter leur existence en fonction de l'appât du gain, du bien-être, de l'accumulation de gadgets nouveaux mais souvent inutiles, de la consommation passive de loisirs à la mode, etc. Toutefois, en atteignant un tel niveau de conformisme, ils handicapent sérieusement la possibilité même de développer leur personnalité d'une manière originale et créatrice.

Obsession de l'apparence et culte de la personnalité

Bien que la beauté physique ait toujours été un objet de culte, jamais elle n'a atteint, comme à notre époque, un tel niveau d'obsession. Et pour cause! Plusieurs études démontrent qu'être beau est nettement avantageux et que le statut social des personnes belles s'en trouve amélioré. Ainsi, ces personnes sont plus aimées, plus estimées, on leur fait plus confiance, etc. Ces atouts leur permettent de mieux réussir et, par conséquent, elles deviennent plus riches et plus prestigieuses que les autres.

La quête de la perfection physique trouve son expression extrême dans le recours à la chirurgie esthétique. Par la transformation des caractéristiques physiques qu'elle permet, des dizaines de milliers de Québécois de milieux très variés, de tous les âges et des deux sexes ne craignent ni les risques ni la douleur lorsqu'il s'agit de transformer leur apparence afin de mieux correspondre aux modèles de beauté qu'on leur propose.

Aussi, à force de cultiver le paraître au détriment de l'être, on en est arrivé à instaurer un véritable culte de la personnalité. Les revues, complices de cette tendance, nous proposent constamment des modèles de héros fabriqués sur des apparences, bien plus que sur un contenu authentique. Mois après mois, on vante les mérites soit d'un «artiste» reconnu par un vaste public, soit d'un homme d'affaires qui s'est taillé une place internationale, soit d'un scientifique faisant dorénavant partie d'une équipe renommée. Tous les éloges se basent sur l'ampleur et le niveau de leur statut, et rarement sur un questionnement de fond sur la valeur et la portée humaine de leurs réalisations.

La quête de l'être

S'opposant à la fausseté de l'avoir et de l'apparence, il se développe peu à peu au Québec une culture de l'être défendue par des penseurs (comme Fernand Dumont, Charles Taylor, Jacques Grand'Maison), des animateurs d'émissions culturelles (comme Jacques Languirand), des chroniqueurs (comme Pierre Foglia, Richard Martineau), etc. En dénonçant certains caractères de l'avoir et du culte de l'apparence (efficacité, rentabilité et performance à tout prix, confort satisfait, divertissement vulgaire, infantilisme, refus de vieillir, valorisation du *high-tech,* etc.) et en proposant des orientations et des valeurs autres (le non-conformisme, l'authenticité, la «véracité à soi-même», la recherche de la spiritualité, etc.), ces esprits critiques poursuivent — chacun à leur façon et dans des contextes différents — la quête de l'être déjà entreprise par Erich Fromm.

RÉSUMÉ DE L'EXPOSÉ

Erich Fromm: psychanalyste et philosophe humaniste

1. Erich Fromm (1900-1980), psychanalyste et professeur dans des universités américaines prestigieuses, a publié de nombreux ouvrages qui se fondent sur une large culture philosophique.

2. Son approche pluridisciplinaire allie, entre autres, la psychologie freudienne et la théorie sociale de Marx.

3. Fromm critique sévèrement l'homme d'aujourd'hui inscrit dans la société de consommation, mais il ne cesse de croire en l'être humain et en sa capacité de changer pour devenir meilleur.

La situation humaine ou les conditions spécifiques de l'existence de l'homme

Deux conditions à la fois intimement liées et radicalement opposées définissent la nature de l'être humain: le corps et l'esprit.

La faiblesse biologique de l'homme

Comparativement à l'animal, l'être humain est pourvu d'une piètre capacité d'adaptation instinctuelle.

Le lot de l'homme: raison, mémoire et imagination

En contrepartie, l'être humain a développé au cours des âges des facultés spécifiquement humaines.

1. Parce que l'homme est doué de raison, de mémoire et d'imagination, il fait face à des dichotomies existentielles fondamentales: il est écartelé entre son corps et son esprit, entre la vie et la mort, entre ses potentialités nombreuses et le peu de temps dont il dispose pour les actualiser.

2. Seul l'individu qui utilisera et développera ses talents et ses capacités pourra assumer les dichotomies existentielles inhérentes à la condition humaine.

La personnalité humaine

L'individu possède une personnalité constituée d'un tempérament et d'un caractère. Le tempérament est l'ensemble des dons et des attributs psychiques reçus à la naissance. Le caractère est «un mode spécifique de relation de l'individu au monde» résultant du fruit de ses expériences. En conséquence, c'est le caractère qui oriente les choix de l'individu.

Les caractères à orientation non productive:

• orientation réceptive;

• orientation exploiteuse;

• orientation thésaurisatrice;

• orientation mercantile.

L'orientation productive

1. L'individu au caractère productif est celui qui réussit à utiliser librement et à développer toutes ses potentialités.

2. Il se considère comme l'acteur de sa vie, l'agent de ses propres pouvoirs, aptitudes, capacités et talents.

LA PENSÉE PRODUCTIVE

L'individu dont le caractère est productif sait utiliser sa raison pour pénétrer au cœur des choses afin de découvrir leur signification profonde.

La relation de l'être humain avec lui-même dans la société de consommation

Sous l'influence du système économique, l'homme d'aujourd'hui s'envisage comme une donnée quantifiable remplissant une fonction particulière dans la société.

Se vendre avec succès

1. L'homme d'aujourd'hui se voit comme un objet dont la valeur est marchande.

2. Son but principal est de s'échanger sur le marché du travail contre la plus forte rémunération ou le statut le plus élevé.

3. L'évaluation de lui-même provient donc du jugement que le marché porte sur lui. Ce faisant, il risque de perdre le sens de son identité.

Le conformisme de l'Homo consumens

1. Dans la société de consommation, bon nombre d'individus se fondent dans le moule et comptabilisent toutes leurs activités.

2. Ils évaluent leur existence en fonction des profits et des pertes.

La relation de l'être humain avec lui-même dans la société de consommation

Aujourd'hui, l'individu a tendance à utiliser les autres au maximum et à les jeter après usage.

La relation égoïste à autrui

La personne égoïste rapporte tout à soi-même et recherche uniquement son plaisir et son intérêt.

Amour calculateur ou amour productif

1. Afin de dépasser le rapport amoureux utilitariste et comptable, Fromm nous convie à l'amour productif.

2. Pour être productif et authentique, un amour doit comporter les caractéristiques de la responsabilité, du respect et de la connaissance.

Le choix entre le mode avoir et le mode être

Deux types de relation à soi-même et aux autres s'offrent à l'homme contemporain.

Le mode avoir: «je suis ce que j'ai»

1. Pour les personnes qui se définissent selon le mode avoir, l'ensemble de leurs propriétés (choses et personnes) constitue leur identité propre.

2. Leur avarice se reflète aussi bien en ce qui concerne les biens matériels et l'argent qu'en ce qui concerne leurs pensées et leurs sentiments.

Sécurité et insécurité

Le fait de fonder son existence sur l'avoir peut être à la fois rassurant et menaçant.

1. La présence habituelle des objets et des personnes que je possède me donne une certaine tranquillité d'esprit.

2. Mais cela dégénère vite en angoisse, en convoitise, en cupidité, en compétition et en une insatisfaction chronique.

Le mode être

1. Le mode être exprime un rapport vivant et authentique à soi-même, aux autres et au monde.

2. Il correspond à une sorte de qualité de présence au monde.

3. Les principales conditions nécessaires à son épanouissement sont l'indépendance, la liberté et l'aptitude à l'évaluation critique.

4. Il se caractérise par le déploiement d'une riche vie intérieure où nous cultivons nos propres virtualités.

ÊTRE OU PARAÎTRE

Au lieu de se cacher derrière sa *personna*, l'individu qui privilégie l'être cherche à développer sa nature véritable en redécouvrant l'essence même de l'humanité: l'autonomie, la créativité et l'amour.

Fromm aujourd'hui

Réussite professionnelle et consommation

1. Les *dinks* et les *yuppies* représentent le prototype d'une vie menée en fonction de l'avoir.

2. Ils investissent tout ce qu'ils sont dans la carrière et ce qu'elle permet: statut financier et social envié, consommation tous azimuts, etc.

Obsession de l'apparence et culte de la personnalité

1. La beauté physique et l'apparence sont à ce point valorisées aujourd'hui que de plus en plus de gens recourent à la chirurgie esthétique pour transformer leur image corporelle en fonction des modèles en vogue.

2. On nous propose aussi des modèles de héros fabriqués sur des apparences et non sur la valeur et la portée humaine de leurs réalisations.

La quête de l'être

1. Certains esprits critiques condamnent aujourd'hui avec vigueur le mode de l'avoir, l'obsession de l'apparence ainsi que le culte de la personnalité.

2. En lieu et place, ils proposent des valeurs nouvelles qui concourent au développement de la personne dans ce qu'elle est véritablement.

L'essentiel

Les conditions qui régissent l'existence humaine sont à la fois celles du **corps** et celles de l'**esprit.** Celles du corps (**besoins instinctuels**) occupent un niveau très peu élevé. Ainsi, l'être humain se définira principalement par la **raison, la mémoire** et l'**imagination,** qui sont les conditions de l'esprit. Grâce à elles, l'**être humain** pourra développer sa nature véritable. Toutefois, dans sa **relation à lui-même** et **aux autres,** différents choix s'offrent à lui: ceux qui correspondent au mode avoir ou au mode être de l'existence.

Malheureusement, l'homme contemporain a tendance à se définir selon **l'avoir.** Son identité propre est constituée à partir de l'ensemble de ses **propriétés,** de sa **fonction sociale** et de son **statut social.** Par conséquent, son objectif devient la vente réussie de lui-même sur le marché (**valeur marchande**). Il **comptabilise** alors toutes ses activités en fonction de profits et de pertes. Un rapport **égoïste** à autrui en découle de même qu'une **relation morte** aux objets et aux personnes.

Au contraire, en choisissant l'**être,** l'homme entretient une **relation vivante** et **authentique à lui-même, aux autres** et **au monde.** Être correspond à une qualité de présence au monde. L'**indépendance,** la **liberté** et l'aptitude à l'**évaluation critique** sont les conditions d'**épanouissement de l'être.** Ainsi, la personne qui privilégie l'être travaille au développement de sa nature véritable en redécouvrant l'essence même de l'humanité: l'**autonomie,** la **créativité** et l'**amour.**

Réseau de concepts

ACTIVITÉS D'APPRENTISSAGE

Analyse et critique
de texte

■

Objectifs spécifiques

L'élève doit être capable:

- de porter des jugements fondés sur la valeur qu'il ou elle accorde à des «qualités» humaines précisées par Erich Fromm;

- de produire une œuvre personnelle où il ou elle développe sa propre conception de l'être humain.

■

TEXTE DE FROMM

LES QUALITÉS DE L'HOMME NOUVEAU

Pour échapper au mode avoir d'existence et accroître le mode être, Erich Fromm propose les vingt « qualités » suivantes que l'individu doit acquérir sur le plan de sa « structure de caractère » s'il veut devenir un « homme nouveau » :

- La sécurité, le sentiment d'identité et la confiance en soi fondés sur ce qu'on est, sur le besoin de se lier au monde environnant, de s'intéresser à lui, de l'aimer et d'en être solidaire ; et non sur le désir de posséder, de contrôler le monde et, ainsi, de devenir l'esclave de ce que l'on possède.

- L'acceptation du fait que rien ni personne, en dehors de soi-même, ne peut donner une signification à la vie, mais que cette indépendance absolue, ce détachement vis-à-vis des biens matériels peuvent devenir la condition d'une pleine activité consacrée au souci des autres et au partage.

- Être totalement présent, où qu'on soit.

- La joie doit venir du don et du partage, et non de l'accumulation des biens et de l'exploitation des autres.

- L'amour et le respect de la vie, sous tous ses aspects, tout en sachant que ce qui est sacré, ce ne sont pas les biens, la puissance, tout ce qui est mort, mais la vie et tout ce qui relève de son épanouissement.

- Essayer autant que possible de réduire la cupidité, la haine et les illusions.

- Vivre sans adorer les idoles et sans illusions, parce qu'on a atteint un état qui n'a pas besoin d'illusions.

- Développer sa capacité d'aimer en même temps que sa capacité d'exercer une pensée critique et non sentimentale.

- Se débarrasser de son narcissisme et accepter les limites douloureuses inhérentes à l'existence humaine.

- Faire de sa propre croissance et de celle de ses semblables le but suprême de sa vie.

- Savoir que pour atteindre cet objectif, la discipline et le respect de la réalité sont indispensables.

- Savoir, également, qu'aucune croissance ne peut être saine si elle ne s'accomplit pas au sein d'une structure, et connaître la différence entre la structure en tant qu'attribut de la vie et l'« ordre » en tant qu'attribut de la non-vie, de ce qui est mort.

- Développer son imagination, non pour fuir des conditions intolérables, mais pour prévoir les possibilités réelles de se débarrasser de ces conditions.

- Ne pas tromper les autres, mais, également, ne pas se laisser tromper par eux ; on peut être jugé candide, mais non naïf.

- Se connaître soi-même ; non seulement le moi qu'on connaît, mais aussi celui qu'on ne connaît pas, même si on a une connaissance passive de ce qu'on ne connaît pas.

- Sentir son adéquation avec tout ce qui est en vie et, par conséquent, cesser de vouloir conquérir la nature, la soumettre, l'exploiter, la violer, la détruire ; essayer au contraire de la comprendre et de coopérer avec elle.

- La liberté n'est pas une affaire arbitraire, mais la possibilité d'être soi-même, non pas un magma de désirs cupides, mais une structure délicatement équilibrée qui, à tout moment, se trouve devant cette alternative : croître ou dégénérer, vivre ou mourir.

- Savoir que seuls quelques rares individus ont atteint la perfection dans toutes ces qualités ; mais ne pas avoir l'ambition d'«atteindre le but», en sachant que cette ambition n'est qu'une autre forme de cupidité, une autre manifestation du mode avoir.

- Le bonheur se trouve dans le processus d'un appétit de vivre toujours croissant, quel que soit le point extrême que l'on puisse atteindre ; vivre aussi pleinement qu'on le peut est si satisfaisant qu'on ne risque guère de s'inquiéter de ce que l'on peut ou de ce que l'on ne peut pas atteindre.

> Erich Fromm. *Avoir ou être ?,* Paris, Robert Laffont, coll. Réponses, 1978, p. 196-198.

QUESTIONS D'ANALYSE ET DE CRITIQUE

1. Parmi ces vingt qualités, précisez, pour votre propre compte, celles que vous croyez que l'être humain devrait prioritairement posséder. *(Vous devez défendre votre choix, c'est-à-dire donner les raisons pour lesquelles vous privilégiez ces qualités.)*

Commentaire critique

2. En vous servant des qualités que vous venez de sélectionner et en utilisant les caractères des conceptions de l'homme mises à l'étude dans votre cours, caractères que vous jugez dignes d'intérêt, présentez dans un texte suivi votre propre conception de l'être humain. *(Au moins un élément ou caractère appartenant à chacune des conceptions de l'être humain étudiées doit être pris en considération. Minimum et maximum suggérés : entre 4 et 6 pages.)*

LECTURES SUGGÉRÉES

La lecture de l'une des œuvres suivantes est suggérée dans son intégralité ou en extraits importants :

Erich Fromm. *L'homme pour lui-même,* Paris, Éditions sociales françaises, 1967, 189 p.

Erich Fromm. *Avoir ou être ?,* Paris, Robert Laffont, coll. «Réponses», 1978, 244 p.

B

Analyse et critique de texte

Objectifs spécifiques

L'élève doit être capable:

- de démontrer sa compréhension d'un texte d'Emmanuel Mounier en résumant dans ses propres mots le contenu de ce texte philosophique;

- d'évaluer le contenu et de comparer, c'est-à-dire d'exprimer son accord ou son désaccord (et en donner les raisons) sur la problématique de l'avoir et de l'être présentée par Mounier et par Fromm.

Le nom d'Emmanuel Mounier (1905-1950) ne peut être séparé de la philosophie personnaliste et de la revue *Esprit* dont il fut le directeur de 1932 à 1950. Face à l'agonie de la société bourgeoise qui produit un homme matérialiste, englué dans les objets, utilisant les autres comme des moyens, le *personnalisme* de Mounier propose la restauration de la personne définie comme un être singulier, irréductible, libre et créateur.

TEXTE DE MOUNIER

L'AVOIR ET L'ÊTRE

EXISTENCE INCORPORÉE

Dans la philosophie personnaliste de Mounier, l'existence incorporée signifie l'être spirituel d'une personne (constitué de valeurs) engagé dans le monde en manifestant des actes créateurs.

IDÉALISME MORAL

Attitude de l'individu qui, absorbé par l'idéal moral qu'il essaie de réaliser, ne prend pas en considération les intérêts terrestres qui déterminent le commun des hommes qui se disent réalistes.

COMMUNISTES

Nom donné aux individus qui adhèrent à la doctrine ou aux organisations politiques qui défendent la cause de la révolution sociale en vue de l'établissement d'un régime fondé sur la propriété collective des moyens de production.

USUFRUITIER

Personne qui possède jusqu'à sa mort un droit de jouissance sur un bien appartenant à quelqu'un d'autre.

CONTINGENT

Synonyme d'accidentel, de conditionnel à des circonstances particulières.

MIDAS

Roi de Phrygie (~ VIIIᵉ siècle). Mounier fait ici référence à la légende où Midas ne peut plus boire ni manger, car tout ce qu'il touche se transforme en or.

Il ne faut pas opposer trop brutalement *l'avoir* et *l'être*, comme deux attitudes existentielles entre lesquelles il y aurait à choisir. Pensons plutôt à deux pôles entre lesquels est tendue l'**existence incorporée.** Il ne lui est pas possible d'être sans avoir, bien que son être soit puissance indéfinie d'avoir, ne soit jamais épuisé par ses avoirs et les déborde tous par sa signification. Sans avoir, elle est prise, s'évanouit dans l'objet. Posséder, de plus, c'est entrer en contact, renoncer à être seul, à être passif: il y a de fausses pauvretés qui sont des dérobades. L'**idéalisme moral** est souvent la recherche d'une existence que plus rien ne lesterait: recherche contre nature qui aboutit à la culbute, ou à l'inhumanité.

En ce sens, la propriété, comme l'intimité, est une exigence concrète de la personne. L'exclure à cause de ses abus est une utopie. Et sauf quelques sectes, les **communistes** eux-mêmes n'y ont pas prétendu. Elle exprime cette double et solidaire vocation de la personne: se centrer, en s'épanouissant.

Cependant, s'il est la densité de notre être, l'avoir en est aussi la lourdeur. Il commence par la légèreté vibrante du désir, par le triomphe exaltant de la conquête. Mais bientôt le vainqueur devient **usufruitier,** le possesseur est possédé par ses biens morts, ne jouit plus que du prestige qu'ils lui donnent et meurt assoiffé dans le désert de son abondance. Il faut ajouter que cette dégradation de l'avoir part de son cœur comme la pourriture d'un fruit. Il n'y a pas seulement dans le régime actuel des biens une aliénation historique **contingente** appelée à disparaître avec les structures qui la favorisent. Il y a au centre de toute possession humaine une aliénation au travail, sans cesse renaissante. Comme la main du roi **Midas,** ma possession tend à dégrader les êtres et les objets que je m'annexe: me présentant à eux comme un conquérant qui exige et un maître qui soumet, du même coup je bloque leur disponibilité et la mienne. On parle souvent de «l'épanouissement de la personne» comme s'il n'y avait qu'à étendre notre champ pour étendre notre valeur. On exalte la possession du monde comme si elle était par elle-même libératrice. La **dialectique** personnaliste de l'avoir est moins triomphante. Elle doit partir de cette **entropie** ou de cette **involution** de l'avoir. L'épanouissement de la personne implique comme une condition intérieure, une désappropriation de soi et de ses biens qui dépolarise l'égocentrisme. La personne ne se trouve qu'en se perdant. Sa richesse, c'est ce qui lui reste quand elle est dépouillée de tout avoir — ce qui lui reste à l'heure de la mort.

Emmanuel Mounier. *Le personnalisme,* Paris, PUF, coll. «Que-sais-je?», 1985, p. 51-53.

DIALECTIQUE

Art de discuter, argumentation opposant deux éléments contraires: l'avoir et l'être.

ENTROPIE

Retour en arrière dû au désordre d'un état qui se transformme en un autre état de désordre accru.

INVOLUTION

Développement inverse de l'évolution.

QUESTIONS D'ANALYSE ET DE CRITIQUE

1. Dans vos propres mots, résumez la problématique de l'avoir et de l'être mise en avant par Mounier dans ce texte.

2. Mounier interprète en des termes différents de ceux de Fromm la problématique de l'avoir et de l'être. Cependant, les deux penseurs se rejoignent aussi.

Commentaire critique

Êtes-vous d'accord avec la façon de voir de Mounier ou avec celle de Fromm? Vous devez fonder vos jugements sur des arguments. *(Minimum suggéré: une page.)*

Exercice comparatif: Fromm et Skinner

Objectif spécifique

L'élève doit être capable de procéder à une comparaison entre deux conceptions contemporaines de l'être humain à propos d'une même problématique.

Contexte de réalisation

Individuellement, dans un texte d'environ 350 mots (une page et demie), examinez les rapports de ressemblance et de différence entre la conception de l'être humain défendue par Skinner et celle mise en avant par Fromm à propos de la problématique liberté/déterminisme.

Étapes suggérées

1. *a)* Caractérisez la conception skinnérienne de l'être humain au regard de la problématique liberté/déterminisme. Par exemple, demandez-vous en quoi et comment, selon Skinner, l'homme, qui est un produit du milieu, peut être considéré comme une créature malléable.

  b) Caractérisez la conception frommienne de l'être humain au regard de la problématique liberté/déterminisme. Par exemple, demandez-vous dans quelle mesure, selon Fromm, l'homme productif saura résister à la société de consommation et se développer selon le mode être d'existence.

2. *a)* S'il y a lieu, précisez les liens ou les similitudes entre la conception skinnérienne et la conception frommienne de l'être humain à propos de la problématique liberté/déterminisme.

  b) S'il y a lieu, dégagez les oppositions ou les antagonismes entre la conception skinnérienne et la conception frommienne de l'être humain à propos de la problématique liberté/déterminisme.

Conclusion

*N*ous voici arrivés au terme d'un voyage au cœur de l'humain. Dans ce périple, nous avons retenu huit façons différentes d'aborder, de se représenter, de comprendre l'être humain. Nous avons assisté aux efforts constamment renouvelés d'hommes qui ont passé leur vie à «faire l'étude» de l'homme.

Ainsi, René Descartes définit l'être humain comme une «chose qui pense»: l'essence de l'homme est alors constituée d'une raison transcendante présente en son âme et qui le fait être. À l'inverse, Jean-Jacques Rousseau propose une conception immanente de l'être humain puisqu'il considère la nature humaine comme perfectible. L'homme naturel avait la capacité de se perfectionner; la civilisation l'a corrompu en lui imposant une culture. Karl Marx met en avant une philosophie de l'histoire humaine en proie à la lutte des classes où l'individu est déterminé par la place qu'il occupe dans les rapports de production. Ce faisant, l'homme devient «essentiellement» un être social: ce qui caractérise fondamentalement sa nature intime est produit dans et par les rapports sociaux. Friedrich Nietzsche se fait le défenseur de l'homme fort qui affirme ses instincts de vie et sa volonté créatrice. L'essence de l'être humain est d'aller toujours au-delà de lui-même, de se surpasser en exerçant sa «volonté de puissance». Sigmund Freud remet en question la conception traditionnelle de l'être humain perçu comme un sujet rationnel, conscient, maître de lui-même et de ses actions. Freud définit l'homme comme étant régi par l'inconscient. Un inconscient dynamique où l'être humain subit la tyrannie des pulsions qu'il doit apprendre à contenir et à canaliser vers des objets et des buts sociaux. Jean-Paul Sartre montre que, par-delà l'absurdité de l'existence humaine sans Dieu, l'homme possède la totale liberté, d'où l'entière responsabilité de se faire, c'est-à-dire de se constituer en projet. À l'opposé, Burrhus Frederick Skinner démontre que l'homme est le produit d'une culture et que, ce faisant, il est tributaire de l'environnement et des renforcements auxquels il est soumis. En cela, l'être humain devient une créature malléable et manipulable que la «science du comportement» se propose de conditionner de façon bénéfique pour la survie de l'espèce et le bonheur des humains. Enfin, Erich Fromm décrit d'une manière implacable le rapport qu'entretient l'homme d'aujourd'hui avec lui-même et avec autrui dans la société de consommation. Ce rapport indique que l'homme actuel oriente son existence exclusivement en fonction du mode avoir. Au lieu de nous inscrire dans une relation morte aux objets et aux personnes, Erich Fromm propose une relation authentique à nous-mêmes et aux autres: le mode être d'existence.

Ce panorama de quelques grandes conceptions de l'être humain nous permet de constater que les penseurs de l'époque moderne et contemporaine ont analysé l'homme sous des angles fort différents et en ont présenté des portraits pour le moins variés, voire opposés. De toute évidence, aucune de ces philosophies ne peut prétendre détenir l'unique vérité sur l'homme. Est-ce là l'indice d'une défaillance ou d'une pauvreté de la pensée et de la réflexion sur l'être humain ? Pas du tout ! Ce constat devrait, au contraire, nous faire entrevoir le fait que chacune des philosophies que nous avons étudiées met l'accent sur une dimension de la personnalité humaine. En ce sens, ces philosophies offrent toutes des vérités sur cet être pluriel que nous sommes.

Cependant, un caractère commun relie toutes ces philosophies de l'homme : leur volonté de débarrasser l'homme des illusions qui cachent et déforment sa réalité. Les auteurs dont il a été question dans ce manuel peuvent, à juste titre, être considérés comme de grands esprits. Ils expriment tous le même désir : celui de renoncer aux fausses divinités, d'aller au-delà des apparences et de l'ignorance afin de saisir ce qu'est l'être humain. Animés d'une soif passionnée de vérité, ils ont tous participé à cette magnifique entreprise, toujours à recommencer, visant à donner un sens à ce que nous sommes. Ces maîtres à penser ont contribué, chacun à leur manière, à une meilleure et à une plus profonde compréhension de l'humain même si certains l'ont fait de façon souvent radicale. En ce qui nous concerne, disons-nous que notre propre réflexion sur l'être humain gagnera toujours à se nourrir de leurs œuvres et de leurs pensées, car leurs philosophies de l'homme témoignent de notre propre humanité.

Les huit conceptions de l'homme qui vous ont été présentées dans cet ouvrage peuvent être considérées comme autant de tableaux accrochés au mur de la pensée. Le neuvième à y être suspendu pourrait être le vôtre : celui auquel vous donnerez vie à partir des données, des couleurs, des perspectives que vous aurez retenues. Espérons que votre participation à la définition de l'homme se fera de manière dynamique, tout en demi-teintes et en nuances ! S'il est un souhait auquel nous devons souscrire, c'est celui que cette aventure que nous avons commencée avec Descartes ne s'achève jamais ; que le regard que l'humain porte sur lui-même soit de plus en plus pénétrant, profond et pertinent. Car il ne faut pas oublier que définir l'homme, c'est pénétrer dans les profondeurs de cette réalité humaine par laquelle nous sommes tous essentiellement humains. Cette entreprise constitue l'œuvre de toute une vie à laquelle nous nous devons tous de participer si nous voulons rester humains.

nnexe

ACTIVITÉ D'APPRENTISSAGE TERMINALE[1]

Énoncé de la compétence

Expliquer, commenter et comparer une conception moderne ainsi qu'une conception contemporaine de l'être humain à propos d'un thème.

Contexte de réalisation

Individuellement, dans un texte argumentatif et critique d'environ 1250 mots (cinq pages), l'élève explique et commente une conception moderne ainsi qu'une conception contemporaine de l'être humain à propos d'un thème, puis les compare.

- *Expliquer*, c'est décrire les principes et les concepts clés (et leurs articulations) des deux conceptions de l'être humain choisies.

- *Commenter*, c'est discuter d'une manière critique ces deux conceptions de l'être humain en examinant le bien-fondé de leurs argumentations respectives. En d'autres mots, il s'agit de répondre à la question suivante en justifiant son point de vue: suis-je d'accord avec ces conceptions de l'homme?

- *Comparer*, c'est relever des ressemblances et des différences entre les deux conceptions de l'être humain retenues.

- *Une conception moderne et une conception contemporaine*. Conformément à une tradition répandue et sanctionnée par la plupart des manuels d'histoire de la philosophie, la modernité commence avec Descartes (1596-1650) et se termine avec Hegel (1770-1831). Par conséquent, Marx peut être considéré comme le premier des auteurs étudiés dans ce manuel à appartenir à la pensée dite contemporaine.

- *À propos d'un thème*. Les thèmes suggérés sont les suivants: sujet rationnel/sujet historique, société, corps, nature/culture, liberté/déterminisme.

Étapes suggérées

1. Faites un plan détaillé du développement que vous comptez mettre en avant.

   a) Établissez un résumé schématique des principaux caractères des deux conceptions de l'être humain choisies.

   b) Évaluez le contenu théorique des deux conceptions de l'être humain retenues, c'est-à-dire portez des jugements fondés sur les éléments qui caractérisent la première conception et la deuxième conception de l'être humain.

   c) Au regard du thème choisi, relevez les principales ressemblances ou différences entre les deux conceptions de l'être humain.

---

1. Cette activité d'apprentissage terminale peut prendre la forme soit d'un texte à remettre en fin de session, soit d'une épreuve finale de trois heures qui se déroule en classe.

Présentation

2. Rédigez votre texte en prenant en considération les éléments suivants.

a) Les *critères d'évaluation* reliés au contenu :

- Une explication adéquate des caractères fondamentaux des deux conceptions de l'être humain retenues.

- Un commentaire critique des deux conceptions de l'être humain choisies, c'est-à-dire une discussion où vous exprimerez votre accord ou votre désaccord et où vous apporterez des arguments pour appuyer vos affirmations.

- Une comparaison des deux conceptions de l'être humain au regard du thème donné où vous dégagerez les ressemblances ou les différences pertinentes.

b) Les *critères d'évaluation* reliés à la forme :

- clarté et concision[2],
- logique, cohérence et continuité[3],
- pertinence[4].

Soignez la présentation générale de votre texte, que vous diviserez en trois parties.

a) Une **introduction,** dans laquelle vous posez d'abord le sujet, c'est-à-dire que vous reprenez, en le précisant, l'énoncé de la compétence. Vous divisez ensuite le sujet, c'est-à-dire que vous établissez les étapes que vous compter franchir afin de réaliser votre texte.

b) Un **développement,** dans lequel vous présentez le sujet d'une manière progressive en suivant les étapes précisées dans l'introduction. Le développement est un texte démonstratif: c'est l'occasion pour vous de discuter, de critiquer, de prouver ou de réfuter.

c) Une **conclusion,** dans laquelle vous rappelez le cheminement de votre démonstration (vous en donnez un résumé) et proposez une ou des perspectives nouvelles.

---

2. Les phrases et les paragraphes de votre texte sont intelligibles, explicites, précises et succinctes.

3. Les idées secondaires appuient les idées principales ; chacune des parties occupe la place qui lui convient dans la progression de la démonstration ; des phrases de transition assurent les liens entre les phrases principales et entre les parties du texte. Bref, il y a un enchaînement dans le texte.

4. Les idées que vous avancez conviennent au sujet traité : elles sont appropriées, judicieuses et bien fondées.

Glossaire

A

Actes manqués symptomatiques. Expression utilisée par Freud pour désigner tous les comportements exécutés machinalement et présentés comme étant le fruit du hasard, mais qui, en fait, expriment des pulsions et des pensées inconscientes (exemples: oublis, lapsus, fait d'égarer un objet).

Actualiser (s'). Matérialiser dans des actes les virtualités (pouvoirs, talents, qualités, etc., que possède un individu) qui n'étaient pas encore réalisées dans la vie.

Antagoniste. Se dit de l'opposition de deux forces rivales.

Anthologie. Recueil de morceaux choisis d'œuvres littéraires, musicales ou philosophiques.

Antiquité. Époque historique qui fait référence aux anciennes civilisations d'Égypte, de Grèce et de Rome.

Aphoristique. Qui se rapporte à l'aphorisme, sorte de maxime qui résume, de façon concise et parfois lapidaire, une appréciation ou un jugement d'ordre moral. Généralement énigmatique, son sens nécessite une interprétation minutieuse.

A priori. Qui est antérieur à toute expérience. S'oppose à *a posteriori,* qui est postérieur à l'expérience.

Arbitraire. Règle non fondée et artificielle présentée comme un absolu.

Automate. Toute machine qui est animée par un mécanisme intérieur et qui se meut par elle-même.

Avatar. Synonyme de «mésaventure» ou de «malheur».

B

Bâtonnier. Avocat élu par ses confrères pour être le directeur et le représentant de la confrérie.

C

Capitaliste. Relatif au capitalisme, système économique et social fondé initialement sur des entreprises possédées par le groupe social appelé la bourgeoisie. Ces entreprises se concurrencent sur un marché libre qui est associé à des institutions politiques libérales.

Cartésien. Qui se rapporte à la philosophie de Descartes.

Castration. Le complexe de castration se définit par la crainte intériorisée par le fils de voir son père lui couper le pénis.

Catharsis. Mot grec signifiant «purification», «purgation». Procédé expérimenté par le Dr Josef Breuer (1842-1925) qui consistait à extirper du patient mis sous hypnose les secrets (scènes traumatisantes) qui affectaient son comportement afin d'en permettre la reproduction.

Collectivisme. Poursuite d'objectifs communs par une action de l'État au niveau de la nation entière et défense de la propriété des moyens de production et d'échange par la collectivité.

Compulsion. Obligation d'accomplir une action quelconque sous peine d'angoisse ou de culpabilité.

Conscience. Acte ou état dans lequel le sujet se connaît lui-même en se distinguant de l'objet qu'il connaît. Sartre dit: «Toute conscience est conscience de quelque chose.»

Contrôle de soi. Capacité de se maîtriser soi-même, de dominer ses réactions, de se priver de quelque chose ou de quelqu'un par la seule force de son caractère.

Créativité. Capacité de manifester une réponse originale et inédite par rapport à ce qu'une personne a appris dans un milieu donné.

D

Déisme. Position philosophique qui admet l'existence de Dieu, mais qui se dégage de tout dogme et de toute religion instituée. Plus particulièrement, la *Profession de foi du vicaire savoyard* recommande l'accès à Dieu par les seules voies du cœur sans l'apport des textes ou des intermédiaires consacrés.

Déterminisme. Doctrine selon laquelle tous les phénomènes (pensées, actions, événements, etc.) résultent nécessairement des causes antérieures qui les ont produits.

Dichotomie. Division entre deux éléments qu'on sépare nettement et qu'on oppose.

Discours. Expression de la pensée qui appréhende le réel en procédant d'une manière logique, méthodique et démonstrative.

Discrimination. Distinction, séparation entre deux choses.

E

Égalitarisme. Doctrine qui prône l'égalité absolue entre les individus sur les plans politique et social.

Égotisme. «Culte du moi, poursuite trop exclusive de son développement personnel» (*Le Petit Robert,* 1994).

Empirisme. Doctrine philosophique selon laquelle toutes les connaissances proviennent de l'expérience. Conséquemment, tout savoir doit être fondé sur l'expérience et l'observation.

Équivoque. Ce qui est mystérieux, louche, suspect, inquiétant.

Éros. Dieu grec de l'amour; fils d'Aphrodite (déesse de l'amour) et d'Arès (dieu de la guerre).

Essence/existence. Pour la philosophie classique, l'existence désigne le fait d'être, c'est-à-dire la réalité vivante, vécue, par opposition à l'essence qui dit ce qu'est une chose, ce qui constitue sa nature intime.

Étendue. Qualité que possède tout objet matériel d'être situé dans l'espace et d'en occuper une partie. Il s'agit de l'étendue géométrique: «Tout ce qui a longueur, largeur et profondeur» (René Descartes, *Règles pour la direction de l'esprit,* p. 98).

F

Fouriériste. Disciple de Charles Fourier (1772-1837), qui critique la société de son temps en la présentant comme une forme sociale inférieure et qui, en contrepartie, préconise une communauté utopique dans laquelle chacun pourra épanouir ses passions.

G

Générique. Ce qui est commun à un groupe d'êtres ou d'objets et qui en constitue le genre.

Gloriole. Gloire vaniteuse et ostentatoire tirée de petites choses.

H

Hégémonie. Suprématie, domination, autorité.

Hellénisme. Ensemble de la civilisation grecque. Plus particulièrement, le siècle de Périclès (V.~495-~429), qui marqua le triomphe de l'hellénisme.

Herboriser. Recueillir des plantes là où elles poussent naturellement afin de les faire sécher et de les collectionner entre des feuillets à des fins d'étude.

Humanités (les). Étude des langues et littératures grecques et latines.

Hystérie. «Classe de névroses présentant des tableaux cliniques très variés. Les deux formes symptomatiques les mieux isolées sont l'hystérie de conversion, où le conflit psychique vient se symboliser dans les symptômes corporels les plus divers, paroxystiques (exemple: crise émotionnelle avec théâtralisme) ou plus durables (exemple: anesthésies, paralysies hystériques, sensation de «boule» pharyngienne, etc.), et l'hystérie d'angoisse, où l'angoisse est fixée de façon plus ou moins stable à tel ou tel objet extérieur (phobies).» (Jean Laplanche et J.-B. Pontalis, *Vocabulaire de la psychanalyse*, Paris, PUF, 1981, p.177-178.)

I

Idéalisme. Doctrine d'après laquelle le monde extérieur n'a de valeur, de vérité que dans les idées que nous en avons. En conséquence, les idées ont une valeur supérieure au monde sensible.

Inconscient. Ensemble de faits psychiques qui échappent à la conscience.

Inhibiteur. Se dit du processus qui met au repos les données psychiques imprudentes ou inconvenantes en les empêchant de se produire ou d'arriver à la conscience. Afin d'éviter l'angoisse, ou d'entrer en conflit avec le Sur-Moi, le Moi empêche l'éclosion de la pulsion.

Inquisition (l'). Organisme judiciaire ecclésiastique créé par la papauté pour lutter contre l'hérésie, c'est-à-dire toute doctrine, opinion ou pratique contraire aux dogmes de l'Église catholique.

Instinctuel. Qui appartient à l'instinct. Forte impulsion conduisant à agir d'une manière conforme à la nature de l'homme. Tendance innée, commune à tous les hommes.

Intellection. Acte par lequel l'esprit conçoit. Correspond à la faculté de connaître en tant que telle.

Introjecter. Terme psychanalytique décrivant le processus inconscient par lequel l'enfant, par exemple, incorpore l'image des parents à son Moi et à son Sur-Moi.

Introspection. Examen d'un psychisme ou d'une conscience afin d'y découvrir des éléments qui expliqueraient le comportement humain.

L

Lumières. Courant philosophique qui, au XVIIIe siècle, prend la raison comme seule autorité sur le plan de la connaissance.

M

Matérialisme. Courant philosophique qui n'admet d'autre substance ou réalité que la matière. Cette doctrine soutient que notre pensée fait partie intégrante de la matière en tant que produit de son évolution. Le matérialisme s'oppose au spiritualisme. L'origine de cette doctrine remonte à l'Antiquité grecque. Par exemple, Épicure (~341-~271), s'opposant à l'idéalisme de Platon, estimait que le monde physique était antérieur à la pensée et possédait une existence propre.

Maxime. Règle, principe de conduite.

Mécanisme de défense. Procédés inconscients qui servent à contrôler ou à canaliser les pulsions qui risqueraient de porter atteinte à l'équilibre de la personnalité. Ces procédés (refoulement, projection, formation négative, fixation, régression, sublimation) instaurent un compromis défensif entre le désir et la réalité. Afin de protéger l'individu menacé d'angoisse, ces procédés peuvent déformer ou même refuser la réalité.

Messianique. Relatif à la venue d'un messie qui viendrait libérer les hommes et le monde.

Métaphysique. Du grec *meta*, «au-delà» ou «après» la physique. Partie de la philosophie qui fait la recherche rationnelle, au-delà des données de l'expérience, des causes premières et des principes des choses. En ce sens, la métaphysique est la science de l'être en tant qu'être.

Monarchie absolue. Régime politique dirigé par un roi héréditaire qui possède sur ses sujets un pouvoir entier et une autorité sans restriction ni réserve.

Moyen Âge. Période historique comprise entre la chute de l'Empire romain d'Occident (476) et la prise de Constantinople (1453).

N

Narcissique. Se dit de quelqu'un qui porte une attention exclusive à sa propre personne et à ses propres besoins, de sorte que toutes ses énergies affectives sont dirigées sur lui-même.

Naturalisme. Doctrine selon laquelle il n'existe rien en dehors de la nature. Conséquemment, cette philosophie nie l'existence du surnaturel et de tout principe transcendant.

Névrose. «Affection psychogène où les symptômes sont l'expression symbolique d'un conflit psychique trouvant ses racines dans l'histoire infantile du sujet et constituant des compromis entre le désir et la défense.» Exemples: névrose d'angoisse, névrose narcissique ou mélancolique, névrose obsessionnelle. (Jean Laplanche et J.-B. Pontalis, *Vocabulaire de la psychanalyse*, Paris, PUF, 1981, p. 267 et suivantes.)

O

Obédience. Obéissance ou soumission à une doctrine ou à un maître spirituel.

Objectiver (s'). En parlant de l'individu, manifester extérieurement un fait de conscience subjectif.

Œdipe. Personnage de la mythologie grecque qui tue Laïos, roi de Thèbes, sans savoir qu'il est son père, et qui devient l'époux de Jocaste en ignorant qu'elle est sa mère. Par la suite, apprenant qu'il est l'auteur de ces crimes horribles, Œdipe se crève les yeux.

Orthodoxie. Conformité à l'ensemble d'une doctrine, à ses règles strictes et à ses usages sans se permettre la moindre déviation ni la moindre critique.

P

Panthéon (le). Temple-monument de Paris, situé sur la montagne Sainte-Geneviève, au centre du Quartier latin. Depuis les funérailles de Victor Hugo (1885), le Panthéon est dédié au souvenir des grands hommes de la nation française.

Paradigme. Modèle, cadre, système de référence qui guide la pensée à une époque particulière.

Persona. «La *persona* [...] est une sorte de masque que l'individu revêt, d'une part, pour produire un certain effet déterminé; D'autre part, pour cacher sa vraie nature.» (C.G. Jung, *Le Moi et l'Inconscient*, Paris, Gallimard, 1938.)

Phénoménologie. Du grec *phainomenon*, «phénomène», et *logos*, «étude, science». Étude des phénomènes («pure donnée sensible d'un fait») ou d'un ensemble de phénomènes tels qu'ils se présentent directement à la conscience afin d'en saisir les essences. Edmund Husserl (1859-1938) fonda cette méthode d'investigation philosophique, qui fut, par la suite, privilégiée par les existentialistes.

Philologie. *Le Petit Robert* (1994) définit la philologie comme l'«étude d'une langue par l'analyse critique des textes».

Phobie. Symptôme qui consiste à éprouver de l'angoisse (crainte inconsidérée et en apparence immotivée) face à une situation, à un lieu ou à un objet particulier (par exemple l'agoraphobie ou la claustrophobie).

Positiviste. Se dit de toute tendance de l'esprit, doctrine ou attitude de recherche qui s'en tient uniquement à la connaissance des faits révélés par l'expérience. Le positivisme tire son origine des ouvrages d'Auguste Comte (1798-1857): *Cours de philosophie positive* (1830-1842), *Discours sur l'esprit positif* (1844), *Catéchisme positiviste* (1852), *Système de politique positive* (1851-1854).

Progressiste. Se dit d'une personne, d'une attitude, d'une action ou d'une organisation qui veut transformer la société selon un idéal de progrès économique, social et politique.

Psychique. Se dit du psychisme ou de la vie psychique, laquelle constitue l'ensemble des faits psychiques, c'est-à-dire tout ce qui concerne la personnalité d'un individu, sa psyché, son «âme». Ces faits psychiques sont à l'origine de ses attitudes et de ses comportements.

Rationalisme. Doctrine d'après laquelle toute connaissance certaine provient de la raison. Conséquemment, selon cette philosophie, l'esprit humain possède la faculté de former des concepts et des principes rationnels lui permettant de rendre intelligibles et compréhensibles les choses et les êtres. Les idées et les jugements seraient soit innés, soit construits par l'esprit; ils ne proviendraient pas des données de l'expérience.

Réactionnaire. Se dit d'une personne, d'une attitude, d'une action ou d'une organisation qui s'oppose au progrès social et vise à rétablir les institutions qui existaient avant la révolution.

Représentation. Du latin *repraesentatio*, «action de mettre sous les yeux». Du mot allemand *Vorstellung*, «représentation» signifie «le contenu concret d'un acte de pensée». Freud l'utilise plus particulièrement dans le sens de «traces» de l'objet, de l'événement ou de la pulsion qui vient s'inscrire dans les «systèmes mnésiques (liés aux souvenirs)».

Résistance. «Au cours de la cure psychanalytique, on donne le nom de résistance à tout ce qui, dans les actions et les paroles de l'analysé, s'oppose à l'accès de celui-ci à son inconscient.» (Jean Laplanche et J.-B. Pontalis, *Vocabulaire de la psychanalyse*, Paris, PUF, 1981, p. 420.)

Ressentiment. Souvenir rancunier des torts qu'on a subis. Amertume.

Révolutionnaire. Se dit d'une personne, d'une attitude, d'une action ou d'une organisation qui est partisane de changements radicaux et soudains.

Saint-simoniste. Disciple de la «physiologie sociale» de Claude-Henri de Rouvroy, comte de Saint-Simon (1760-1825), qui défend un industrialisme optimiste où s'harmoniseront dans l'idéal du bien commun les intérêts des propriétaires d'entreprises avec ceux des ouvriers. Ainsi, l'union de tous les individus qui sont engagés dans des activités productives conduira à une nouvelle société solidaire.

Scolastique (la). Du latin *schola*, «école». La scolastique ou «philosophie de l'École» désigne l'enseignement philosophique et théologique donné au Moyen Âge (du IXe au XVIIe siècle). Conciliant foi et raison, cet enseignement était donné à partir des Écritures saintes et de la philosophie d'Aristote revue et corrigée par les théologiens du Moyen Âge (entre autres, saint Thomas d'Aquin [1225-1274]).

Sensualisme. Nom donné — pour la discréditer — à la doctrine empiriste de Condillac (1715-1780) selon laquelle toute connaissance provient des sensations.

Socialiste. Relatif au socialisme, théorie de l'organisation sociale qui fait passer le bien de l'ensemble de la collectivité avant les intérêts particuliers. Le socialisme s'oppose au capitalisme et à la propriété privée de tout ce qui entre dans le processus de production des marchandises.

Solipsisme. «Théorie d'après laquelle il n'y aurait pour le sujet pensant d'autre réalité que lui-même». (*Le Petit Robert*, 1994).

Somatique. Se dit de tout ce qui est organique et concerne le corps.

Spéculatif. Qui appartient à la théorie, à la recherche abstraite.

Spiritualisme. Doctrine d'après laquelle l'esprit ou l'âme constitue la substance de toute réalité. La philosophie spiritualiste considère l'esprit comme une entité distincte et supérieure à la matière en général et au corps en particulier.

Subjectivité. Ce qui appartient au sujet seul: sa conscience, son moi.

Sublimation. Processus de production d'activités dites supérieures qui désexualisent en quelque sorte les pulsions libidinales ou agressives. La production d'œuvres d'art, la construction de cathédrales ou l'engagement à une œuvre sociale valorisée par la culture de l'époque représentent des exemples de sublimation.

Substance. Ce qui existe par soi-même et ne dépend de rien d'autre. Ce qui constitue le support permanent de qualités susceptibles de changement.

Sujet. Être individuel, concret, singulier défini comme une intériorité possédant des qualités personnelles et considéré comme l'auteur de ses actes.

Sujétion. État de l'individu qui est soumis à une autorité, à une domination souveraine. Synonyme d'«assujettissement», de «dépendance» ou d'«oppression».

T

Talmud. «Enseignement» en hébreu. Le Talmud est un volumineux ouvrage constituant la référence fondamentale du judaïsme (religion des Juifs). Le Talmud contient les observances, les interdits individuels et les règles de conduite concernant tous les points de la vie religieuse et civile.

Thanatos. Dieu grec de la mort, fils de la Nuit et frère d'Hypnos.

Théologie. *Le Petit Robert* (1994) définit la théologie comme l'«étude des questions religieuses fondée principalement sur les textes sacrés, les dogmes et la tradition».

Transcender. Du latin *transcendere*, «s'élever au-dessus de». Dépasser en étant supérieur, appartenir à un degré plus élevé. Par exemple, Dieu transcende le monde et les êtres immanents.

V

Virtualité. Ce qui est à l'état de puissance, de possibilité chez un être. Synonyme de «potentialité».

Bibliographie

ANDRÉAS SALOMÉ, Lou. *Friedrich Nietzsche,* Paris, Réimpressions Gordon et Breach, 1970.

BEAUVOIR, Simone de. *Pour une morale de l'ambiguïté,* Paris, Éditions Gallimard, coll. «Idées», 1968.

DESCARTES, René. *Œuvres et Lettres,* Paris, Éditions Gallimard, N.R.F., Bibliothèque de la Pléiade, 1953.

DESCARTES, René. *Discours de la méthode,* Paris, Éditions Fernand Nathan, coll. «Les intégrales de philo», n° 3, 1981.

DESCARTES, René. *Méditations métaphysiques,* Paris, Éditions Fernand Nathan, coll. «Les intégrales de philo», n° 4, 1983.

FREUD, Sigmund. *L'Interprétation des rêves,* Paris, P.U.F., 1967.

FREUD, Sigmund. *Métapsychologie,* trad. Jean Laplanche et J.-B. Pontalis, Paris, Gallimard, coll. «Idées», 1968.

FREUD, Sigmund. *Essais de psychanalyse,* trad. Dr S. Jankélévitch, revue par Dr A. Hesnard, Paris, Petite Bibliothèque Payot, 1968.

FREUD, Sigmund. *Abrégé de psychanalyse,* trad. Anne Berman, Paris, Presses Universitaires de France, 1970.

FREUD, Sigmund. *Nouvelles conférences sur la psychanalyse,* trad. Anne Berman, Paris, Gallimard, coll. «Folio», 1971.

FREUD, Sigmund. *Malaise dans la civilisation,* trad. C.H. et J. Audier, Paris, Presses Universitaires de France, 1971.

FROMM, Erich. *La mission de Sigmund Freud,* trad. de Paul Alexandre, Bruxelles, Éditions Complexe, 1975.

FROMM, Erich. *Espoir et révolution,* trad. Gérard D. Khoury, Paris, Stock, 1970.

FROMM, Erich. *L'homme pour lui-même,* trad. Janine Claude, Paris, Éditions sociales françaises, 1967.

FROMM, Erich. *Société aliénée et société saine,* Paris, Le Courrier du livre, 1971.

FROMM, Erich. *L'art d'aimer,* trad. J.-L. Laroche et Françoise Tcheng, Paris, Éditions de l'Épi, 1968.

FROMM, Erich. *Avoir ou être?* trad. Théo Carlier, Paris, Robert Laffont, coll. «Réponses», 1978.

FROMM, Erich. *De la désobéissance et autres essais,* trad. Théo Carlier, Paris, Robert Laffont, coll. «Réponses», 1982.

KANT, Emmanuel. *Idée d'une histoire universelle au point de vue cosmopolitique,* trad. Luc Ferry, in *Critique de la faculté de juger,* Paris, Éditions Gallimard, coll. «Folio/Essais», 1996.

LABORIT, Henri. *Éloge de la fuite,* Paris, Robert Laffont, 1976.

LAPLANCHE, Jean et J.-B. PONTALIS. *Vocabulaire de la psychanalyse,* Paris, Presses Universitaires de France, 1981.

MARCUSE, Herbert. *Pour une théorie critique de la société,* trad. Cornélius Heim, Paris, Denoël/Gonthier, coll. «Bibliothèque Méditations», 1971.

MARX, Karl. *Le 18 Brumaire de Louis Bonaparte,* Paris, Éditions Sociales, 1963.

MARX, Karl. *Œuvres (Économie),* t. I (trad. M. Rubel, L. Evrard et J. Roy) et t. II (trad. J. Malaquais et C. Orsini), Paris, Éditions Gallimard, Bibliothèque de la Pléiade, 1972.

MARX, Karl. *Critique de la philosophie hégélienne du droit,* in *Pages de Karl Marx,* trad. Maximilien Rubel, Paris, Payot, 1970.

MARX, Karl et Friedrich ENGELS. *Manifeste du Parti communiste,* Paris, Union Générale d'Éditions, coll. «10-18», 1962.

MARX, Karl et Friedrich ENGELS. *L'Idéologie allemande,* trad. H. Auger, G. Badia, J. Baudrillard, R. Cartelle, Paris, Éditions Sociales, coll. «Essentiel», 1988.

MARX, Karl et Friedrich ENGELS. *Thèses sur Feuerbach,* in *L'idéologie allemande,* trad. H. Auger, G. Badia, J. Baudrillard, R. Cartelle, Paris, Éditions sociales, coll. «Essentiel», 1988.

MOUNIER, Emmanuel. *Le personnalisme,* Paris, Presses Universitaires de France, coll. «Que Sais-je?», 1985.

NIETZSCHE, Friedrich. *Ainsi parlait Zarathoustra,* trad. Maurice Betz, Paris, Gallimard, coll. «Le Livre de poche classique», 1965.

NIETZSCHE, Friedrich. *Par-delà le Bien et le Mal,* trad. Geneviève Bianquis, Paris, Union Générale d'Éditions, coll. «10-18», 1967.

NIETZSCHE, Friedrich. *La Généalogie de la Morale,* trad. Henri Albert, Paris, Gallimard, coll. «Idées», 1969.

NIETZSCHE, Friedrich. *Le Gai Savoir,* trad. Pierre Klossowski, Paris, Union Générale d'Éditions, coll. «10-18», 1973.

NIETZSCHE, Friedrich. *Le nihilisme européen,* trad. Angèle Kremer-Mariatti, Paris, Union Générale d'Éditions, coll. «10-18», 1976.

NIETZSCHE, Friedrich. *Le Crépuscule des idoles,* trad. Jean-Claude Hemery, Paris, Éditions Gallimard, N.R.F., coll. «Idées», 1977.

NIETZSCHE, Friedrich. *La Volonté de puissance, Essai d'une transmutation de toutes les valeurs,* trad. Henri Albert, Paris, Librairie Générale française, coll. «Le livre de poche» (Classiques de philosophie), 1991.

PASCAL. *Pensées, in Œuvres complètes,* Paris, Éditions du Seuil, 1963.

ROUSSEAU, Jean-Jacques. *Œuvres Complètes,* t. I, t. II, t. III et t. IV, Paris, Éditions Gallimard, N.R.F., Bibliothèque de la Pléiade, 1959-1969.

ROUSSEAU, Jean-Jacques. *Les rêveries du promeneur solitaire,* Éditions Gallimard et Librairie Générale Française, coll. «Le livre de poche classique», 1965.

ROUSSEAU, Jean-Jacques. *Discours sur l'origine et les fondements de l'inégalité parmi les hommes,* Paris, Éditions Gallimard, Collection «Folio/Essais», 1992.

ROUSSEAU, Jean-Jacques. *Du Contrat social,* Paris, Éditions GF-Flammarion, 1992.

SARTRE, Jean-Paul. *La Nausée,* Paris, Éditions Gallimard, coll. «Le livre de poche», 1954.

SARTRE, Jean-Paul. *Huis-Clos,* Paris, Éditions Gallimard, coll. «Le livre de poche», 1967.

SARTRE, Jean-Paul. *L'existentialisme est un humanisme,* Paris, Les Éditions Nagel, coll. «Pensées», 1968.

SARTRE, Jean-Paul. *L'être et le néant,* Paris, Éditions Gallimard, Bibliothèque des Idées, 1968.

SPINOZA Baruch. *Œuvres,* t. III *Éthique.* Traduction et notes par Charles Appuhn, Paris, Garnier-Flammarion, 1965.

SKINNER, B.F. *L'analyse expérimentale du comportement : un essai théorique,* trad. Anne-Marie et Marc Richelle, Bruxelles, Dessart et Mardaga, Éditeurs, 1971.

SKINNER, B.F. *Par-delà la liberté et la dignité,* trad. Anne-Marie et Marc Richelle, Montréal, Éditions HMH et Éditions Robert Laffont, 1975.

SKINNER, B.F. et M.F VAUGHAM. *Bonjour sagesse. Bien vivre après soixante-dix ans,* Éditions Robert Laffont, coll. «Réponses», 1986.

TAYLOR, Charles. *Grandeur et misère de la modernité,* trad. Charlotte Melançon, Montréal, Bellarmin, coll. «L'Essentiel», 1993.

TOCKEVILLE, Alexis de. *De la démocratie en Amérique,* Paris, Gallimard, coll. «Folio Histoire», 1991.

hotographies

1ᵉ DE COUVERTURE

Jean-Claude Élie

4ᵉ DE COUVERTURE

Publiphoto – Descartes, Édimédia;
Rousseau, Édimédia; Marx,
Photo Richard / Édimédia;
Nietzsche, Snark / Édimédia;
Freud, Mary Evans /
Explorer; Sartre, Universal
Up Photo / Édimédia;
Skinner, Édimédia
Fromm, Corbis-Bettmann

INTRODUCTION

Ouverture   Walters Art Gallery, Baltimore

CHAPITRE PREMIER

Ouverture   Édimédia / Publiphoto
   9 Explorer / Publiphoto
  11 Édimédia / Publiphoto
  13 Explorer / Publiphoto
  15 Cornu / Publiphoto
  21 Collection E.S. / Explorer /
       Publiphoto
  32 SPL / Publiphoto

CHAPITRE DEUXIÈME

Ouverture   Édimédia / Publiphoto
  40 Édimédia / Publiphoto
  41 Édimédia / Publiphoto
  47 Fiore / Publiphoto
  53 Archives Snark / Édimédia /
       Publiphoto
  56 Photodisc volumes 41 – Éducation 2
  67 Édimédia / Publiphoto

CHAPITRE TROISIÈME

Ouverture   Photo Richard / Édimédia /
       Publiphoto
  73 Édimédia / Publiphoto
  75 Édimédia / Publiphoto
  83 Gamma / Ponopresse
  84 Remy Amann / Sygma / Publiphoto
  87 Gamma / Ponopresse
  88 Édimédia / Publiphoto
  89 S. Clément / Publiphoto
  99 Édimédia / Publiphoto

CHAPITRE QUATRIÈME

Ouverture   Archives Snark / Édimédia /
       Publiphoto
 105 Mary Evans / Explorer / Publiphoto
 112 Édimédia / Publiphoto
 116 Garry Parker / SPL / Publiphoto
 118 Édimédia / Publiphoto
 120 Tony Korody / Sygma / Publiphoto

CHAPITRE CINQUIÈME

Ouverture   Max Halberstadt / Mary
       Evans / Explorer / Publiphoto
 134 Édimédia / Publiphoto
 135 Édimédia / Publiphoto
 139 Explorer / Publiphoto
 145 Archives Snark / Édimédia
 151 Gamma / Ponopresse
 162 Corbis-Bettmann

CHAPITRE SIXIÈME

Ouverture   Universal Up Photo /
Édimédia / Publiphoto
169 Édimédia / Publiphoto
173 Picture Group / Publiphoto
175 Danomé / Publiphoto
177 Kocsis / Publiphoto
179 Carrière / Publiphoto
185 Explorer / Publiphoto
194 Arthist Archives / Publiphoto

CHAPITRE SEPTIÈME

Ouverture   Publiphoto
199 Archives Snark / Édimédia /
Publiphoto
201 Photo de Skinner tirée de
SILLAMY, Norbert (s. l. dir. de).
*Dictionnaire encyclopédique de
psychologie*, «L-Z», Paris, Bordas,
1980, p. 1109 (© DITE/USIS).
203 Diaf / Sygma / Publiphoto
208 Édimédia / Publiphoto
213 P. Pantazidis / Publiphoto
221 P. Roussel / Publiphoto

CHAPITRE HUITIÈME

Ouverture   Corbis-Bettmann
227 Bios / Publiphoto
228 Photodisc volumes 57 / Big Business
and Industry
230 Édimédia / Publiphoto
231 JAG / Publiphoto
235 Sunset / Publiphoto
237 Foc / Publiphoto
250 © A.A.E.M. / Éditions du Seuil,
1972